DAMA DE HONOR

KATHRYN CASKIE

DAMA DE HONOR

Titania Editores

ARGENTINA - CHILE - COLOMBIA - ESPAÑA
ESTADOS UNIDOS - MÉXICO - URUGUAY - VENEZUELA

Título original: *Lady in Waiting*
Editor original: Warner Books, Nueva York
Traducción: Claudia Viñas Donoso

© 2005 *by* Kathryn Caskie
This edition published by arrangement with Warner Books, Inc.,
New York, USA. All Rights Reserved
© 2007 *by* Ediciones Urano, S. A.
Aribau, 142, pral. - 08036 Barcelona
www.titania.org
atencion@titania.org

ISBN-10: 84-96711-05-6
ISBN-13: 978-84-96711-05-1
Depósito legal: B - 53.719 - 2006

Fotocomposición: Ediciones Urano, S. A.
Impreso por Romanyà Valls, S. A. - Verdaguer, 1 - 08786 Capellades
(Barcelona)

Impreso en España - *Printed in Spain*

Dedicada a mi hermana Jenny Byers,
la Jenny Penny original

Agradecimientos

*D*ebo agradecer a aquellas almas generosas que me ayudaron a dar a luz esta novela:

El Dr. Kenneth Hylson-Smith, de Bath, por su buena voluntad para hacerme partícipe de su inmenso conocimiento de la historia de la Abadía de Bath.

El personal docente del Bath Preservation Trust, que paciente y amablemente constestaron mis muy raras preguntas sobre el número 1 de Royal Crescent sin agitar ni una sola pestaña.

Mis queridas amigas y colegas escritoras Deborah Barnhart, Denise McInerney y Pam Palmer Poulsen, que lo dejaron todo para leer y comentar mi manuscrito antes de su publicación.

Nancy Mayer, por ayudarme a verificar los hechos de la época de la Regencia. Cualquier error es mío y sólo mío.

Mi editora Melanie Murray, que me animó a dejar volar la imaginación.

Y mi maravillosa amiga y colega Sophia Nash, la que además de estar presente para mí en todos los pasos del camino, me enseñó las verdaderas alegrías de la terapia de narrar.

Nota de la autora

La casa de las hermanas Featherton, Royal Crescent número 1 de Bath, todavía se mantiene en pie, y varias de sus habitaciones están abiertas al público gracias a la generosidad del Bath Preservation Trust.

En realidad esta casa es bastante famosa; *The Bath Chronicle* del 27 de septiembre de 1787 informaba que la princesa de Lamballe, dama de honor de la reina María Antonieta de Francia, estuvo alojada en el número 1 de Royal Crescent.

No hay información sobre quién ocupó la casa entre los años 1814 y 1823, por lo tanto de inmediato yo instalé ahí a las hermanas Featherton con su sobrina nieta Meredith y su personal.

Con la finalidad práctica de ambientar esta historia, me tomé algunas libertades respecto a la distribución de las habitaciones, colocando el comedor contiguo al despacho. En realidad, el ancho vestíbulo de entrada separa estas dos salas. También coloqué el salón en la planta baja, cuando en realidad está en la primera planta.

Para más información sobre la casa del número 1 de Royal Crescent, visita por favor mi sitio web, donde he puesto algunas fotografías, o contacta con el Bath Preservation Trust y busca Nº 1 Royal Crescent, una guía ilustrada, o el libro *The Royal Crescent in Bath*, de William Lowndes, The Redcliffe Press, Bristol, 1981.

Prólogo

Apuntes científicos de la señorita Genevieve Penny
20 de diciembre de 1817

*H*e hecho un importante descubrimiento científico, uno que me cambiará la vida para siempre.

Combinando los extractos de dos variedades particulamente vigorosas de menta piperita Mitcham he producido un aceite esencial de potencia incomparable, aunque, ay de mí, no tengo memoria para recordar cuáles son esas dos variedades, pues no tuve la presencia de ánimo para anotar esos aburridos detalles. De ahí nació la idea de introducir en mi vida esta exquisita libreta científica nueva con modernas tapas jaspeadas, páginas satinadas y lomo de suave piel. La compré hoy, junto con un precioso broche de cuarzo ahumado que vi en el escaparate de Bartleby's, que se ha convertido en mi tienda favorita de toda la calle Milson, si no de todo Bath. Pero me he desviado del tema.

Por una muy afortunada casualidad, descubrí que este determinado aceite tiene un curioso efecto: produce una inmediata vibración de vigor juvenil en la piel con sólo su contacto. Hasta el momento no he notado ningún efecto secundario negativo, por lo tanto comenzaré a preparar la mezcla para llenar media docena de botes de crema facial de menta para las señoras Featherton. Sin duda se sentirán complacidas, como también estará complacido el tendero de Bartleby's, porque la guinea* que me darán las señoras Featherton deberá ir inmediatamente a pagar parte de las facturas atrasadas antes que me cierren las puertas de la tienda para siempre.

* 1 guinea = 21 chelines = 1 libra y 1 chelín. *(N. de la T.)*

Bath, 2 de enero de 1818

Pasmada, Genevieve Penny se giró a mirar a su amiga sin poder creer lo que acababa de oír.

—¿Qué? ¿Quieres decir que se puso ahí abajo la crema? Dios mío, Annie, es una pomada facial. ¿No le explicaste su uso a su señoría?

Annie, criada como ella, puso en blanco los ojos y acomodó el regordete trasero en el taburete que estaba junto a la mesa toda cubierta de hierbas.

—Sí que se lo expliqué, Jenny, no soy idiota. ¿Cómo iba a imaginarme que lady Avery y el vizconde tenían planes más amorosos para usar la crema?

Nerviosa, Jenny se acomodó un rizo negro detrás de la oreja.

—¿Y ahora quiere un bote de crema para ella? Te di el bote de crema de las señoras Featherton, para tu uso. Mi regalo tenía que quedar en secreto. Nunca fue mi intención que la crema fuera a parar «arriba».

¿Arriba? Qué idea más horrible. Se le tensaron los músculos del abdomen como un corsé demasiado ceñido y tuvo dificultad para respirar.

¿Y si las señoras Featherton se enteraban de su pequeño regalo, hecho con sustancias que ellas pagaban, que preparaba en el cuarto de trabajo de su propia despensa? No lo permitiera Dios. Podría encontrarse en la calle sin ninguna recomendación. ¿En qué situación se encontraría entonces, vendiendo naranjas en una esquina para tener su pan diario?

Fue a cogerle los hombros a Annie.

—Supongo que no le dijiste a tu señora que yo te di esa crema.

—No, claro que no. Le dije que me la regaló una amiga.

Pero mientras hablaba, sus vivos ojos recorrieron la mesa y fueron a posarse en los botes de loza que estaban en el borde, ya cerrados. Girando bruscamente su macizo cuerpo, se soltó de las manos de Jenny y dio la vuelta a la mesa.

—Ya tienes unos cuantos listos, ¿verdad? —Cogió un bote, le quitó la tapa y se lo puso debajo de la nariz; haciendo una honda inspiración, exhaló un suspiro de placer—. Bueno, milady desea dos botes de la crema afrodisíaca para empezar...

¡Santo cielo! No la llames así. No es una crema afrodisíaca, es una crema facial de menta.

—Tú llámala como quieras, pero yo la probé. Ahí, ¿sabes? —Annie se puso colorada y desvió la vista—. Y te aseguro, Jenny, que me hizo hormiguear ahí abajo de una manera... francamente pecaminosa. No dudo que le devolvió el deseo sexual a mi señora.

Jenny oyó el sonido en la mesa cuando Annie puso el bote, pero luego oyó otro sonido. Se le aguzaron los oídos al sentir el tintineo suave pero inconfundible de monedas.

Dando la vuelta a la mesa, Annie sacó una pesada bolsa de seda de su cesta de compras y se la puso en la palma a Jenny.

—Mi señora me ordenó darle esto a la fabricante, siempre que lograra convencer a esa fabricante de hacerle el favor de enviarle dos botes hoy.

Jenny soltó el cordón de satén de la bolsa y la vació sobre la mesa: cayeron diez guineas de oro. Eso era una fortuna para una doncella de señora como ella. ¡Una bendita fortuna! Sintió bajar la sangre de la cabeza a los pies y tuvo que sentarse en un taburete, sin poder dejar de mirar el brillante montoncito de monedas.

—Tienes dos botes de sobra, ¿verdad, Jenny? Su señoría se disgustaría muchísimo si volviera a la casa sin su crema.

Jenny asintió distraídamente y empujó hacia Annie dos de los tres botes. No era ese el uso que pensaba darle cuando preparó la crema, ¿pero qué otra cosa podía hacer fuera de complacer? Eso era más pasta de la que había visto en toda su vida.

—¡Estupendo! Sabía que aceptarías. —Con el mayor cuidado, Annie colocó los botes en su cesta de compras y los cubrió discretamente con un paño cuadrado de lino—. Ahora tengo que irme corriendo. No tengo mucho tiempo, ¿sabes? Tengo que vestir a lady Avery para el Baile Fuego y Hielo de esta noche.

—Sí, claro. —Jenny miró la mesa toda rayada y el único bote de crema que quedaba en medio de sus hierbas trituradas—. Me quedó uno solo —masculló para sí misma.

Annie se puso el puño en su redondeada cadera.

—¿Uno? ¿Quieres decir que eso es todo lo que tienes, un solo bote? Pues bien, cariño, yo en tu lugar me pondría a preparar más de esa crema afrodisíaca inmediatamente.

—¿Para qué podría necesitar más? —preguntó Jenny, arqueando las cejas con un creciente recelo.

A Annie se le pusieron rojos los lóbulos de las orejas que asomaban bajo su nívea cofia.

—Bueno, podría ser que hubiera oído a lady Avery explicarle a lady Oliver su sensacional descubrimiento de una crema pasmosa. Claro que yo sabía que se refería a la crema afrodisíaca. Además, Jenny, lady Oliver la escuchaba interesadísima.

Jenny sintió bajar un temblor por la columna.

—¿No querrás decir que otras damas de la sociedad saben de esto? Señor, esto es un desastre.

—Vamos, Jen, te estás preocupando por nada. ¿Qué hay de malo en que una criada se gane unos pocos cuartos bajo cuerda? ¿Quién sabe?, una conexión con la alta sociedad podría ser justo lo que necesitas para que se disparen tus ventas y puedas salir de deudas de una vez por todas y para siempre.

Jenny trató de reír, aunque la risa le salió más parecida a un bufido, pero cuando la idea se asentó en su cabeza, se quedó muy quieta.

Caracoles. Era una idea interesante, si bien un poco loca. Pero cuanto más lo pensaba más tentadora le resultaba la sugerencia.

No, no, eso era una ridiculez. De ninguna manera podía producir los botes suficientes para saldar sus deudas, es decir, sin que la despidieran sus empleadoras.

¿Podría?

Sin pérdida de tiempo se levantó, caminó hasta el armario donde guardaba sus materiales y abrió la puerta de madera. Se llevó una buena desilusión con lo que vio, o mejor dicho, con lo que no vio. El armario estaba casi vacío. Necesitaría más sustancia emulsionante. Muchísima más. Botes también. Además, tendría que destilar más extracto de menta piperita Mitcham.

Eso sería un «verdadero» trabajo.

Pero lo haría. Pensándolo bien, si trabajaba muy arduamente, igual podría tener saldadas las cuentas antes que se abrieran las últimas hojas de la primavera. Si no antes. Tenía una conexión con la alta sociedad, después de todo.

—Jenny, ¿me has escuchado?

Miró a Annie sin entender.

—Tengo que pasar por Bartleby's a buscar una cinta para mi señora. ¿Me acompañas?

Diciendo eso Annie cogió una moneda de la mesa y con el pulgar la lanzó al aire girando. Sonrió de oreja a oreja cuando Jenny abrió la palma y la cogió antes que cayera sobre la mesa.

—¿Por qué no?

Poniendo la brillante moneda encima de las otras, las recogió con la mano doblada y las metió pulcramente en la bolsa de seda. Luego levantó la cabeza y esbozó una jubilosa sonrisa.

Annie se echó a reír.

—El tendero se va a quedar pasmado cuando abones diez guineas de tu cuenta.

Jenny hizo un ligero mal gesto.

—Bueno, tal vez no las diez. Creo que podría pasar a la botica a comprar más material.

—¿Significa eso que vas a hacerlo, vas a comenzar un negocio? —preguntó Annie, entusiasmada.

—¿Un negocio? Ah, no lo sé. —Fue hasta las perchas de la pared, se puso la papalina nueva de terciopelo, luego la capa larga con mangas, que iba a la perfección con la papalina—. ¿Pero qué daño podría hacerme tener unos cuantos botes de crema... «afrodisíaca» a mano?

Sofocando las risas, no fueran a oírlas las señoras arriba, Jenny y Annie se dirigieron a la puerta y salieron en dirección a Milsom Street.

—¡Este hombre es un porfiado! —exclamó Jenny indignada, cogiendo con fuerza la manilla y cerrando de un portazo—. Le pagué ocho guineas, y así y todo y no me permitió poner los pendientes de perlas en mi cuenta.

Miró envidiosa el paquete de cinta hecho con mucho esmero que llevaba Annie. Esta metió el paquete en su cesta y lo cubrió con el elegante paño de lino, como si quisiera esconderlo de la vista de Jenny.

—Le debes muchísimo —dijo, echando a caminar.

—Supongo. Pero soy una clienta fiel. Debería tener más fe.

—Si me permites preguntarte, ¿cuánto le debes?

—La verdad es que no lo sé. Tiré a la basura todos sus avisos. Al fin y al cabo, no tiene para qué recordarme que le debo. No es que se me haya olvidado.

—Está lo que debes en Smith and Company también, no lo olvides. ¿Qué sacaste a cuenta ahí?

—Un manguito de piel negra de oso. Deberías comprarte uno. Es de lo más elegante en esta temporada. —Arrugó la frente—. Debería haberlo traído. Me calentaría las manos como brasas.

—Y luego está el joyero de Lower Walk —suspiró Annie—, cuatro botones de granate, ¿no?

—Bueno, tienes que reconocer que esos fueron una ganga. Sólo tengo que cambiar los botones de nácar por los de granate y mi vestido color peltre quedará como nuevo. Vamos, me he ahorrado el coste de un vestido nuevo simplemente comprando los botones. Muy económico, en realidad.

Annie se le puso delante y le colocó las manos en los hombros.

—Mírate, Jenny. Vamos en dirección al mercado ¡y llevas un capote largo de cachemir verde manzana orlado con satén! ¿Para qué? ¿Qué necesidad tienes de ropa y joyas finas? Derrochas lo poco que ganas en estas tonterías. Eres una doncella de señora, Jenny, una criada, no una verdadera dama.

—Soy una dama —dijo Jenny, cogiéndole las muñecas y liberándose los hombros—. O lo habría sido, si mi padre se hubiera casado con mi madre. Era un caballero de alcurnia mi padre, lo sabes.

—Sí, lo sé. Pero, cariño, no se casó con tu madre, y no eres una dama, por mucho que te vistas y te adornes como una dama.

Jenny estaba a punto de soltar una dura réplica cuando la deslumbró el reflejo del sol en un enorme objeto brillante.

Cuando volvió a enfocar los ojos se encontró mirando un coche de lo más exquisito, el más moderno y elegante que había visto en Bath, e incluso en Londres.

—Míralo bien, Annie ¿Has visto alguna vez un coche tan magnífico? —Comenzó a avanzar lentamente hacia el vehículo, absolutamente incapaz de detenerse—. Vamos, tengo que ver el interior.

—Jenny, no —rogó Annie, haciendo un gesto con la cabeza hacia el primer par de caballos negros como el ébano—. El lacayo. Te lo va a impedir.

—Vaya fastidio. Hazme el favor de distraerlo, Annie. Venga, sé buena amiga y métele conversación mientras yo simplemente me asomo a mirar el interior, ¿eh?

—Jenny, no debes...

Pero Jenny ya tenía las botas sobre la calzada adoquinada e iba caminando hacia la puerta del otro lado.

Cuando oyó la melosa voz de Annie mezclada con la del lacayo, se agachó y dio la vuelta al brillante coche. Cuando llegó a la puerta se enderezó, asomó la cara por la ventanilla y agrandó los ojos.

No había nadie dentro del coche, comprobó encantada. Ahora bien, si la puerta... Bajó la manilla y la puerta se abrió. Sonriendo hizo un guiño hacia el cielo, porque seguro que allá arriba alguien estaba cuidando de ella ese día.

Por la abertura salió olor a piel nueva y ansiosamente lo aspiró. Ah, eso era mejor de lo que había esperado.

Y teniendo ya abierta la puerta, ¿no era acaso prácticamente una invitación a meterse dentro? Además, no le haría daño a nadie dándose un gusto un ratito.

Recelosa, miró hacia ambos lados y luego, segura de que no la verían, puso el pie en el peldaño y subió.

Aaah, sencillamente glorioso. Se sintió casi mareada de placer al pasar la mano por las paredes interiores, resplandecientes con el revestimiento de seda carmín con estampaciones en oro, que hacía destacar a la perfección los asientos tapizados en piel color borgoña oscuro.

Entusiasmada pasó las yemas de los dedos por los cojines de piel, tan suaves como la mantequilla recién hecha. Se reclinó en el asiento apoyando la papalina en el reposacabezas.

—Ah, sí —ronroneó. Era como estar descansando en una nube.

Acababa de cerrar los ojos, imaginándose llevada a la sala de fiestas Upper Assembly Rooms para el baile Fuego y Hielo, cuando oyó la severa voz de un hombre:

—Señora, ¿en qué puedo servirla?

Sobresaltada, abrió los ojos y enderezó la cabeza. Tuvo que entrecerrar los ojos para no quedar cegada por la luz del sol de la tarde que entraba por la ventanilla. Por la ventanilla de la otra puerta del coche estaba asomado un inmenso caballero con falda escocesa, mirándola.

No te aterres. Conserva la calma.

Pero ya sentía cómo le golpeaba las costillas el corazón al mirar los ojos castaño oscuros del hombre debajo de un entrecejo fruncido.

Señor, ¿qué podría pensar de ella? Sabía lo que pensaría ella si encontrara a una desconocida relajándose en su coche de ciudad. Bueno, si tuviera un coche. Pensaría que la mujer estaba totalmente loca. O que tal vez era una ladrona.

¿Una ladrona? ¡Porras! ¿Y si él llamaba a un agente del orden?

—Creo que ha subido equivocadamente a mi coche —dijo el

escocés, con un grado de amabilidad que la sorprendió—. ¿Me permite que la ayude a encontrar el suyo, milady?

Diciendo eso se enderezó para mirar a ambos lados de Milsom Street e hizo un gesto de extrañeza al ver que no había ningún otro coche elegante aparcado en la calzada de adoquines.

—Ah, esto... yo...

Pero no le salió ninguna otra palabra. Ampárame, Señor. Piensa, Jenny, piensa.

Entonces, inexplicablemente, se le instaló en la cabeza la explicación perfecta.

—Amable, señor —dijo, llevándose la mano a la frente como si se sintiera débil—. Le ruego que me perdone. Me empezó a girar la cabeza y necesitaba sentarme. La sensación me vino tan rápido que me vi obligada a sentarme dentro de su coche.

—Och, comprendo —dijo el escocés, suavizada su mirada por la preocupación, porque al parecer le creyó al instante—. ¿Se le ha pasado? El ataque, quiero decir.

Ella asintió y lo obsequió con una trémula sonrisa.

—Pues sí, justo en este momento, en realidad. —Disimuladamente presionó la manilla de la puerta y esta se entreabrió—. Lamento haberlo molestado. Continuaré mi camino.

El escocés agrandó los ojos, sorprendido, y de repente desapareció de la ventanilla.

Jenny bajó las piernas por la puerta abierta y se apeó de un salto, con la esperanza de escapar, pero el escocés ya había dado la vuelta al coche y la cogió del codo antes que pudiera echar a correr.

—Hágame el favor de permitirme que la asista llevándola a su casa en mi coche.

A unas yardas de distancia, cerca del primer par de caballos, Jenny vio a Annie, que estaba con los ojos y la boca abiertos, al lado del lacayo.

—No es necesario, señor —dijo, volviéndose hacia el escocés. Se soltó el codo—. Mi doncella me acompañará. Le aseguro que he recuperado del todo mis fuerzas, y mi morada no está muy lejos. Nuevamente le ruego que me perdone, señor. Disculpe.

Dicho eso corrió hacia la acera y al pasar cogió del brazo a Annie y se la llevó con ella.

—Muy bien, entonces, buen día —gritó el caballero en tono desconcertado mientras las dos giraban en la esquina a toda prisa en dirección a Queen Street.

—Señor de los cielos, Jenny, estás loca —se lamentó Annie—. Te dije que no lo hicieras. Pero no, tenías que subirte al maldito coche de todos modos.

Jenny aminoró el paso y se detuvo.

—Lo sé, Annie, pero es que el coche es precioso. No te puedes imaginar lo extraordinario que es. Sólo quería subirme para ver cómo sería viajar como una dama de la aristocracia. Sólo un momento.

—¿Cuándo vas a renunciar a ese sueño imposible de convertirte en una dama? ¿No ves los problemas que te causa eso? Les debes a la mitad de los tenderos de Milsom.

Jenny desvió la cara y se encogió de hombros; después instó a Annie a continuar caminando.

—Sé muy bien cuál es mi situación económica. Pero encontraré la manera de pagar mis deudas.

—Bueno, más te vale, antes de que las tiendas de Bath te hagan buscar por la policía, por morosa.

Jenny centró la atención en el frufrú de las faldas y el sonido rítmico de las botas al caminar, buscando cualquier pretexto para no mirar a su amiga a los ojos. Annie tenía toda la razón, por supuesto.

Pero esta vez era muy posible que pudiera hacer algo para salir de deudas. La crema podría solucionarle todos sus problemas. Entonces metió la mano en su bolso y sacó las dos guineas que le quedaban.

—Vamos, Annie, tengo que pasar a la botica de Trim Street. Necesito comprar material.

Pocas horas después, esa misma tarde, Jenny terminó de atarle los lazos al vestido de baile de la señorita Meredith Merriweather, y echó a volar la parte de atrás de la falda para ver el efecto lumino-so que creaba la sobrefalda transparente festoneada con rosas.

—Oh, parece un ángel, señorita Meredith —exclamó sonriendo, orgullosa de su obra—. Será la envidia de todas las damas que asistan.

Meredith se mordió el labio y se enrolló un grueso mechón de pelo cobrizo en un dedo.

—No estoy tan segura, Jenny. Creo que preferiría ponerme el vestido color azafrán. Cualquier cosa que no sea blanca. Todo el mundo usa blanco. Este es mi primer baile, y aunque aún no me han presentado en sociedad, quiero estar lo mejor posible. ¿Qué te parece?

—Los dos vestidos son bonitos, señorita. Y sabe tan bien como yo que es el interior de la mujer el que hace hermoso el vestido.

—Mmm, supongo...

Jenny, se cruzó de brazos. Meredith tenía una condenada suer-te, porque era una suerte que le permitieran asistir a un evento so-cial, incluso en el serio y aburrido Bath. Cierto que a las jovenci-tas solían permitirles perfeccionar sus dotes sociales en la ciudad balneario antes de presentarlas en sociedad en Londres, pero Me-redith era una verdadera marimacho.

Meredith se contempló en el espejo de cuerpo entero y luego se giró a mirar a Jenny, que estaba detrás de ella.

—Me gustaría ver los dos al mismo tiempo —dijo, arqueando las cejas, expectante.

—¿Qué quiere decir?

—Tú y yo tenemos la misma talla. Nuestras medidas son casi más parecidas que las de las gemelas Brunswick. ¿No me harías el favor de ponerte el vestido azafrán y luego bajamos al salón para que mis tías decidan cuál me vendría mejor?

—Ah, no, de ninguna manera.

Debería protestar con más vigor, pensó, debido a su puesto en la casa, pero, buen Dios, casi no podía reprimirse de correr a la cama y pasarse el vestido por la cabeza al instante.

Meredith le cogió las dos manos y formó un bonito morro con los labios.

—Por favor, Jenny, hazlo por mí, ¿quieres?

Jenny bajó la vista al suelo, como si estuviera considerando la proposición. Contó hasta diez, por si menos no fuera muy convincente, y luego levantó la vista hacia su señora.

—Ah, muy bien, pero sólo si usted les explica a sus tías que fue idea suya, no mía. No querría tener problemas con las señoras, ¿sabe?

Meredith se echó a reír.

—¡Pero qué cosas dices, Jenny! Has formado parte de esta casa desde que eras una niña pequeña. Vamos, te consideran más como a una hija que como a una doncella de señora. Venga, levanta los brazos.

Jenny se rió mientras Meredith la ayudaba a ponerse el vestido azafrán.

—Es probable que este ejercicio no sirva para nada, porque dudo que me entre bien este vestido.

Aunque, claro, sabía que sí le entraba.

Le quedaba perfecto, en realidad.

Porque desde hacía más de cuatro días, desde que la modista, la señora Russell, le terminara el vestido a Meredith, ella lo había tenido secuestrado en secreto en su pequeña habitación, y cada noche, sacándolo con sumo cuidado de su baúl, se lo ponía, y se ponía también los exquisitos pendientes y el colgante de topacio amarillo verdoso, y luego subía sigilosa la escalera para mirarse a la luz de la vela en el espejo de cuerpo entero.

Meredith terminó de atarle los lazos y se puso a un lado. Las dos pestañearon mirando el espejo, asombradas.

Jenny no podía dejar de contemplar su imagen en el espejo; a la luz del día el vestido acentuaba los visos dorados de su vulgar pelo castaño oscuro y las vibrantes pintitas verdes de sus ojos castaños. Vamos, se sentía francamente regia.

Se sentía como una dama.

—Uy, Jenny —exclamó Meredith—. Estás... muy hermosa, lo digo en serio. Siempre te he encontrado bonita, pero... simplemente mírate. Pareces una princesa.

A Jenny le llevó un rato encontrar la voz.

—Bueno, no me veo como la Jenny Penny de siempre, eso seguro. —Se giró a hacerle una profunda reverencia a Meredith—. Encantada de conocerla, señorita Meredith. Soy lady Genevieve, la condesa de Abajo.

Meredith se echó a reír y la giró para que volviera a mirarse en el espejo.

—Estás francamente preciosa.

Jenny bajó la cabeza, con la esperanza de que las lágrimas acumuladas en las pestañas continuaran donde estaban.

—Tenemos que enseñárselo a mis tías. ¡Ven!

—Ah, no, señorita Meredith, creo que no...

Pero ya era demasiado tarde. En un abrir y cerrar de ojos, Meredith le cogió la mano y la arrastró escalera abajo en dirección al salón.

En cualquier otra casa, a una criada sorprendida llevando ropa de su señora por el motivo que fuera podrían despedirla al instante. Pero ella sabía que tenía muy poco que temer en la casa Featherton. No, sus empleadoras, dos ancianas solteronas muy peculiares, tenían una tendencia a hacer diabluras tan fuerte como la de su sobrina nieta Meredith, y seguro que les encantaría la diversión de ver a su doncella ataviada con un vestido del mejor corte.

Riendo como una loca, Meredith abrió la puerta del salón.

—Tietas, permitidme que os presente a mi querida amiga lady Genevieve.

Diciendo eso de un empujón hizo entrar disparada a Jenny hasta el centro del salón.

Al instante, Jenny lamentó haber puesto un pie fuera del dormitorio de Meredith. Lamentó haberse levantado de la cama esa mañana. Porque sus señoras, las grandes damas Letitia y Viola Featherton, que en otras circunstancias, estando solas, hubieran disfrutado del juego de Meredith, no estaban solas.

De pie delante de ella se encontraba un gigantesco caballero de ojos oscuros, con falda escocesa. Era el mismo escocés, en realidad, en cuyo coche ella tuvo la audacia de subir sólo dos horas antes.

En los rostros de las dos ancianas Featherton, que se habían levantado en el momento en que ella entró, se dibujó una leve conmoción imposible de disimular.

El escocés arqueó una ceja en gesto sardónico y lentamente recorrió a Jenny con la mirada desde las botas a la coronilla.

—Milady —dijo, con ese tono profundo y melodioso de las Highlands—. Muy encantado de conocerla —una sonrisa de diversión jugueteó brevemente por sus labios—, otra vez.

Capítulo 2

Jenny se quedó inmóvil, sin poder moverse. María santísima, ¿qué podía hacer?

Desvió la mirada del enorme escocés y la fijó en la puerta del salón. Ahí estaba Meredith, sonriendo de oreja a oreja, traviesa.

Vaya, ¿así que la jovencita lo estaba disfrutando? ¿Y por qué no, en realidad? Sus ingeniosas diabluras en el Colegio para Señoritas de la señorita Belbury habían sido causa de muchas cartas de la severa directora amenazando con meterla en un baúl y enviarla a casa en el próximo coche correo.

Lady Letitia caminó hasta Jenny y cerró una regordeta mano enguantada alrededor de su brazo desnudo.

—¿Está encantado de conocerla otra vez ha dicho, milord? ¿No es necesaria una presentación, entonces?

La anciana arqueó una ceja blanca esperando la respuesta.

Mientras miraba a lady Letitia con la cara sin expresión, Jenny vio un destello inconfundible en sus descoloridos ojos azules. Ay, Dios, no. Había visto esa mirada antes, siempre que las dos hermanas Featherton se aprestaban para agitar las cosas y crear un poco de excitación.

De pronto el escocés se le acercó, y la impresión de su imponente presencia casi le hizo salir todo el aire de los pulmones.

—La dama y yo nos encontramos brevemente en Milsom Street

esta tarde. —Guardó silencio y Jenny sintió su penetrante mirada posada sobre ella—. Parece que sufrió un ataque de mareo y se vio obligada a refugiarse en mi coche, hasta que encontró la fuerza para volver a caminar.

Jenny detectó una ironía en su tono que no le gustó nada. Seguro que él se daba cuenta de que ella no era una dama de verdad. ¿Qué pretendía, pues, encargarse de que la despidieran? Trató de mirarlo indignada, pero no pudo. ¿Cómo iba a poder si él la estaba mirando con esa intensidad?

Era diferente ese caballero. A diferencia de otros hombres de alcurnia, por lo visto le importaba un bledo su apariencia. Vestía falda, por el amor de Dios. ¡Ningún hombre llevaba falda en Inglaterra! Ninguno. De todos modos, se veía condenadamente bien con falda, con esas piernas largas y musculosas.

Tenía los hombros anchos, y de su esbelta cintura le colgaba una escarcela de piel de tejón. Llevaba cortado a la moda su pelo castaño oscuro, aunque unos mechones le caían de cualquier manera sobre la frente, casi rozándole las cejas, y casi obligándola a mirar sus ojos oscurísimos. Incluso ella tuvo que reconocer que llevaba muy bien su descuidada apariencia.

Lady Viola levantó su bastón de ébano, lo hundió en la alfombra Aubusson y lanzó su frágil cuerpo en dirección a Jenny.

Ese repentino movimiento la obligó a recordar la apurada situación en que se encontraba. Y la recordó, cómo no. Tuvo que esforzarse para no gemir cuando la anciana llegó a su lado y cerró sus delgados y nudosos dedos alrededor del otro brazo.

Y ahí quedó, atrapada entre sus empleadoras en la situación más horrenda que se hubiera podido imaginar.

—Querida, ¿sufriste un ataque de mareo? —le preguntó lady Viola con auténtica preocupación, pero antes que Jenny pudiera contestar, miró al escocés—. Yo sufro de unos ataques de sueño. Pero debo reconocer que desde que tomo las aguas en la Pump Room y me remojo en los baños, mi salud ha mejorado enormemente.

—Sí que ha mejorado, hermana —dijo lady Letitia—. Y a mí casi me ha desaparecido la gota también. —Miró a Jenny, divertida—.

¿Tal vez lady Genevieve debería acompañarnos la próxima vez que visitemos los baños?

Diciendo eso miró con los ojos agrandados a su hermana Viola e hizo un gesto con la cabeza hacia Jenny, como si creyera que nadie lo notaría.

Lady Viola captó la idea al vuelo.

—Ah, por favor, perdónenos, milord. Se hayan conocido o no usted y la dama, es necesaria una presentación formal. —Se aclaró la garganta y miró nerviosa a su hermana Letitia—. Lady Genevieve —dijo con la voz temblorosa—, permíteme que te presente a Callum Campbell, sexto vizconde de Argyll.

Jenny pestañeó sorprendida. La acababan de presentar como a lady Genevieve. ¡Santo cielo! ¿Es que las ancianas creían que iban a salir impunes de eso? Era inconcebible que él fuera a creer que ella era una verdadera...

—Lady Genevieve —dijo entonces el escocés—. Encantado.

Santo cielo.

Cuando el vizconde se inclinó en una profunda reverencia, desde la cintura, Jenny observó que la falda se le levantaba varias pulgadas por detrás, y no pudo dejar de pensar si sería cierto lo que le explicó una de las fregonas sobre los escoceses y sus faldas.

Cuando levantó la vista y se encontró ante la penetrante mirada de lord Argyll, la mente se le quedó totalmente en blanco. Y, por cierto, ¿qué se le dice a un vizconde?

Justo entonces sintió el firme codo de Letitia en el costado.

—Una reverencia, hija.

—Aah, muy bien —musitó Jenny, flexionando las rodillas y haciendo una reverencia bastante pasable.

Lady Letitia se apresuró a poner un parche sobre esa falta de modales sociales:

—Lady Genevieve es una querida amiga de Meredith, desde que estaban en el colegio de la señorita Belbury. Aunque sólo es unos pocos años mayor, tomó bajo su protección a nuestra querida Meredith, por lo que mi hermana yo le estaremos eternamente agradecidas.

Se oyó una risita proveniente del lugar donde estaba Meredith, lo que le valió una desaprobadora mirada y un movimiento del dedo de su tía abuela Letitia.

—Esa jovencita bribona es mi sobrina nieta y pupila, la señorita Meredith Merriweather.

Entonces Meredith entró en el salón y se inclinó en una desganada reverencia ante el vizconde.

—Buenas tardes, milord.

Jenny clavó la mirada en sus zapatos. Buen Dios, las mentiras se estaban acumulando tan rápido que no sabía si sería capaz de recordarlas todas. ¿Pero por qué hacían eso las señoras? No le encontraba ningún sentido.

—Me alegra haberlas conocido, señoras, pero me temo que he de ir a atender otros asuntos —dijo lord Argyll, inclinando la cabeza hacia Jenny y Meredith.

Por fin, suspiró Jenny para sus adentros, más aliviada de lo que podría creer nadie. El escocés se iba a marchar y así acabaría para siempre el maldito juego de sus chifladas señoras.

—¿Tal vez volvamos a encontrarnos, en el baile de esta noche?

—Por supuesto, milord. Desde hace unas semanas hemos estado ansiosas esperando el baile Fuego y Hielo —dijo lady Letitia y miró fijamente a Jenny—. Todas.

Jenny sintió que los ojos se salían de las órbitas y medio temió que se le cayeran al suelo.

—Pero es que yo no...

—¿No logras decidir qué vestido ponerte? —interrumpió lady Viola, y le dio unas palmaditas en el brazo, como para tranquilizarla—. Puá puá. No hace falta pensarlo mucho más. Ese vestido azafrán te sienta a la perfección.

Cuando entró en el salón el señor Edgar, el mayordomo, y vio a Jenny, sus alborotadas cejas grises le tocaron la línea del pelo, pero por lo demás continuó indiferente a su sorprendente apariencia y le pasó solemnemente el sombrero a lord Argyll.

—¿No está de acuerdo en que el vestido es hermoso, amable señor? —preguntó lady Letitia indicando con un gesto hacia Jenny—. Lady Genevieve parece indecisa.

Entonces lord Argyll miró atentamente a Jenny, observando todos los detalles del vestido y pasado un momento se dibujó una sonrisa en sus labios.

—Un vestido más favorecedor no lo encontrará jamás, lady Genevieve.

De pronto Jenny sintió un revoloteo en el vientre y sintió subir el rubor a las mejillas. Lo miró coquetonamente por debajo de las pestañas.

—Oh, seguro que bromea, milord.

Al oír esas palabras, con las que ella sólo buscaba otro cumplido, el vizconde la miró muy serio:

—Le aseguro, milady, que nunca digo nada que no sea la verdad. Puede creer en mis palabras como en el evangelio.

Jenny se quedó pasmada por la energía de esa respuesta.

—¡Ah! Le ruego que me perdone, milord. Sólo quería decir...

—Estoy de acuerdo con lord Argyll —interrumpió lady Viola—. El vestido te sienta a la perfección. Te aseguro que tú y Meredith seréis la comidilla del baile.

Sin duda, pensó Jenny. Jenny Penny, la doncella de señora, alternando con la alta sociedad en el baile Fuego y Hielo en las Upper Assembly Rooms, la distinguida sala de fiestas de Bath. Bastaría eso para hacer estallar un escándalo entre los aristócratas. De todos modos, tuvo que reconocer, le hacía una extraordinaria ilusión la idea de asistir al baile.

En los minutos siguientes no prestó mucha atención a la conversación, porque si las señoras decían en serio eso de llevarla al baile, y seguro que lo decían en serio, porque ese era el tipo de diablura que les aceleraba la sangre de entusiasmo, sabía qué faena la aguardaba con los preparativos.

Sintió débiles las piernas de expectación bajo las vaporosas faldas. Ah, cómo deseaba bajar corriendo la escalera hasta su pequeña habitación para comenzar a arreglarse.

Llevaría el bolso con bordados dorados, lógicamente. Ah, y tendría que ponerse las babuchas de satén rojo con caléndulas bordadas. Sonrió al pensarlo. Eran preciosas, y con toda seguridad el calzado más de moda que había poseído en su vida.

Pero entonces su sonrisa se transformó en una rígida mueca. ¿Pero en qué estaba pensando? Ese era un baile, por el amor de Dios. No se puede llevar babuchas para bailar.

Eso lo sabía por propia experiencia, porque una noche intentó bailar con ellas puestas en su habitación. A los tres pasos una babucha salió volando y fue a golpear en la cabeza a esa antipática fregona, Erma. Aunque, la verdad, no le hizo daño y, además, ella tuvo la culpa, porque si hubiera golpeado antes de entrar se habría librado del chichón en el coco.

Así que nada de babuchas, tendrían que ser zapatos. Pero el único par apropiado que tenía eran unos viejos cedidos por Eliza, la hermana mayor de Meredith. Estaban bien, por supuesto, pero no realzarían en nada la belleza del elegante vestido color azafrán.

Se mordió el labio pensando que si el vizconde tenía la bondad de «marcharse» tal vez podría encontrar un momento para salir e ir al taller de un zapatero.

El sonido de una risa masculina la sacó bruscamente de su ensoñación; al levantar la vista vio que lord Argyll la estaba mirando.

—Veo que estoy retrasando a las damas en sus preparativos para el baile —dijo él.

—Oh, no, milord —protestó lady Viola.

Y a pesar de que las ancianas Featherton intentaron muy en serio persuadirlo de alargar su visita, lord Argyll se despidió y desapareció en el vestíbulo en dirección a la puerta principal.

Jenny estaba contenta de que el apuesto escocés se hubiera marchado. Y tenía razón: ella tenía muchísimo que hacer. Lo primero sería volverse a poner su ropa de trabajo para empezar a vestir a Meredith, tarea que temía, porque, cuando se trataba de elegir ropa, normalmente la joven señorita era incapaz de decidirse. Exhalando un suspiro audible, se giró a mirar a Meredith, la que con las faldas recogidas hasta las rodillas iba corriendo hacia la ventana que daba a la calle a mirar al vizconde cuando subiera a su coche de ciudad.

Emitiendo un gritito de alegría, Meredith se giró a mirarlas, con la cara radiante:

—¿De verdad Jenny va a venir con nosotras al baile?

Una pícara sonrisa le iluminó toda la cara a lady Letitia.

—Pues claro. ¿No viste cómo la miraba lord Argyll? Está chalado por Jenny, te lo digo.

Jenny sintió arder los lóbulos de las orejas.

—Si el vizconde estuviera chalado como usted sugiere, milady, sería por lady Genevieve, la cual no existe. Si yo hubiera entrado en el salón como yo misma, Jenny Penny, la doncella de señora, ni siquiera me habría mirado.

—No, no —protestó lady Viola, negando con la cabeza—. Su atracción por ti es evidente y me parece que la tuya por él también, Jenny.

Jenny estaba a punto de ruborizarse. ¿Su atracción por él? ¿Pero de qué estaba hablando? Entonces se le acercó lady Viola.

—¿Te gusta lord Argyll, hija?

Jenny levantó la vista y la miró a los ojos. Ay, no, Dios santo, ya había visto a las dos ancianas poner la casa del revés cuando se les metió en la cabeza la idea de encontrarles maridos a las hermanas mayores de Meredith. ¿Eso era lo que pretendían hacer por ella? Muy interesante.

—Es el sueño de toda mujer —dijo.

—¿Pero es tu sueño también, Jenny? —le preguntó lady Viola, y esperó la respuesta con el aliento retenido.

—Ah, sí, por supuesto —musitó Jenny en voz muy baja. Ojalá pudiera ir al baile esta noche, pensó.

Lady Viola sonrió de oreja a oreja.

—Entonces quiere decir que una flecha de Cupido ha salido de su aljaba. Pero tienes razón, cariño. La diferencia de clase entre vosotros es enorme y salta a la vista, y siendo un par del reino, no creo que podría permitirse la oportunidad de tratar a una chica de servicio doméstico.

Una nube de preocupación ensombreció los ojos de Meredith.

—Tía Viola tiene razón, tía Letitia. Cuando él sepa quién es Jenny en realidad, no deseará cortejarla. Será incapaz de ver y conocer a la verdadera mujer que es Jenny.

Lady Letitia guardó silencio considerando esas palabras de Meredith. De pronto su redonda cara se iluminó como un faro.

—La solución es muy sencilla. No revelaremos la verdadera identidad de Jenny hasta que estemos seguras de que le ha robado el corazón al highlandés.

Jenny miró impotente de una señora Featherton a la otra. De ninguna manera podría ella mantener una farsa de ese tipo más de una noche.

—Por favor, mis señoras, no me consideréis ingrata pero, ¿no tengo yo opinión en esto?

Lady Letitia le cogió la mano y se la apretó:

—Deseas ir al baile, Jenny. Veo brillar el deseo en tus ojos.

Bueno, sí que ansiaba asistir al baile, ser una verdadera dama y vivir la vida con que siempre había soñado, pero ese plan casamentero de las ancianas era una locura.

—Tal vez por una noche —dijo, mirando a los ojos a su señora—. Después...

—El después dependerá de Cupido —interrumpió lady Viola.

Diciendo eso miró a Letitia y las dos se echaron a reír encantadas.

Jenny miró a Meredith preocupada.

—No te apures, Jenny. Yo te ayudaré. Simplemente imítame y lo harás muy bien. —Meredith le sonrió esperanzada y luego abrazó a lady Letitia—. Qué divertido va a ser, tietas, pero las dos estáis locas. Locas de atar, os lo digo. Y por eso os quiero tanto.

Sí, las dos ancianas estaban locas de remate si se creían que podrían lograr llevar adelante eso, se dijo Jenny para sus adentros.

Pero de la locura de esa noche bien podría surgir una dama.

No bien Jenny se había quitado el precioso vestido azafrán y comenzado a hurgar en el cajón de su mesilla de noche en busca de los pendientes que pensaba ponerse cuando sonó la campanilla que la llamaba a su duro trabajo.

—Vamos, fatalidad —masculló poniéndose a toda prisa el vestido negro de uniforme y metiéndose el pelo en la cofia blanca de algodón—. Tengo que prepararme para un baile, y esas señoras bien que lo saben.

Echando una rápida mirada a su imagen en el pequeño espejo ovalado que tenía sobre la mesa, subió corriendo la escalera y a la mitad la detuvo su madre, el ama de llaves de las Featherton.

—Vuelve a tu habitación y trae tu costurero, Jenny. Vino la viuda McCarthy a visitar a las señoras y se le descosió el dobladillo del vestido en la escalinata.

Jenny entrecerró los ojos.

—¿Y quiere que yo se lo arregle? ¿Y no puede volver a su casa para que se lo cosa su doncella? ¿No tengo bastante trabajo ya?

Su madre la miró enfadada.

—Parece que se te han subido los humos —dijo, y apuntó hacia arriba—. No eres quién para discutir las órdenes de lady Letitia. Así que ve, y date prisa. No hace falta mucho para encender la ira de la viuda, y cada minuto que te retrases te pondrá peor las cosas.

Bufando, Jenny bajó a su pequeña habitación sin ventanas, cogió su cesta de costura y volvió a subir corriendo la escalera. Cuando entró en el salón, la viuda flaca como un palillo, que parecía no tener más de diez años que ella, hizo chasquear groseramente los dedos hacia ella.

—Aquí, muchacha. El dobladillo.

Jenny asintió y se giró para ir a buscar un escabel para sentarse, pero la viuda le cogió bruscamente el delantal, con los dedos como garras, y haciéndola girar la acercó a ella.

—No tengo todo el día. Simplemente arrodíllate y arréglalo.

Por el rabillo del ojo Jenny vio gruñir a lady Letitia y luego abrir la boca para hablar, pero lady Viola, con la cara descompuesta por la aflicción, negó vehementemente con la cabeza, por lo que su hermana no dijo nada.

Lástima, pensó Jenny, esta pájara engreída se merece que la hagan bajar unos cuantos peldaños a golpes.

Desentendiéndose totalmente de Jenny, la viuda reanudó la conversación:

—¿Y a qué ha venido a Bath el vizconde? Un vizconde escocés aquí. No es algo que ocurra todos los días, ¿verdad?

Lady Viola pareció aún más amilanada por ese comentario y miró a su hermana para que contestara.

—No lo dijo —repuso lady Letitia—. Su madre era pariente nuestra y cuidamos de ella un tiempo en su juventud. La visita del vizconde ha sido simplemente de compromiso, se lo aseguro.

Jenny miró a lady Viola y la vio exhalar el aliento retenido. Bueno, eso sí era interesante. Había algo que no querían decir, o tal vez incluso que ocultaban.

Bueno, pronto se enteraría de la verdad de todo. Sería algo parecido a un pequeño misterio. Qué entretenido.

—Es posible que haya venido a Bath en busca de esposa —aventuró la viuda, estirando sus rígidos labios en una sonrisa complacida—. Es muy apuesto, ¿verdad? Al menos eso me pareció cuando lo vi desde mi ventana. ¿Es rico?

Ninguna de las hermanas Featherton contestó, se limitaron a mirar a la viuda horrorizadas.

Bueno, caramba, pensó Jenny. La viuda debió enterrar a su marido muy joven. Incluso ella sabía que esa pregunta era totalmente impropia, por no decir ridículamente estúpida. Porque, por el amor de Dios, ¿acaso no vio su magnífico carruaje? Pues claro que tenía dinero el vizconde. Uno no se cruza con un coche así todos los días.

Unas cuantas puntadas más y habría terminado. Una lástima. La entretenía muchísimo estar ahí, invisible como el aire, escuchando los cotilleos de la alta sociedad. Empezó a pasar la aguja muy lento, a la velocidad de una tortuga.

Entonces la viuda se lanzó a la carga otra vez, con esa voz gangosa sibilante:

—Me lo dirían si él anduviera buscando esposa, ¿verdad? Hace dos años de la muerte de Charles, que Dios tenga su alma en paz. Ya es hora de que me vuelva a casar, ¿no les parece?, y lord Argyll, bueno, no hay tantos buenos partidos sueltos por ahí. ¡Aay!

Jenny bajó la vista y vio su aguja enterrada en el tobillo de la viuda. Señor, misericordia, ten piedad de mí. Con un rápido movimiento, sacó la aguja.

—¡Aay! ¡Muchacha estúpida! —aulló la viuda—. Me has enterrado la aguja y ahora tengo la media nueva manchada con sangre.

Lady Letitia corrió veloz a ayudar a Jenny a incorporarse y la colocó detrás de ella.

—Lógicamente le vamos a pagar el valor de sus medias. Esto sólo ha sido un accidente.

—¿Un accidente? Un arañazo podría haber sido un accidente. Un pinchazo. ¡Pero tenía la mitad de la aguja enterrada en mi tobillo!

—Ah, no, señora. Sólo fue un cuarto de pulgada. —Jenny le enseñó la aguja—. ¿Lo ve? La sangre sólo llega hasta aquí.

—¡Dios mío! Vete abajo, Jenny, rápido —le susurró lady Viola.

Jenny asintió.

—De verdad, no fue mi intención...

—Vete, hija, inmediatamente —ordenó lady Letitia.

—Sí, milady.

Acto seguido, Jenny desapareció en el corredor y bajó corriendo la escalera.

De verdad no tuvo la intención de clavarle la aguja. Al menos, creía que no tuvo la intención. ¿Pero qué derecho tenía esa vieja chiflada a fijarse en «su» vizconde para marido?

Al fin y al cabo ella lo vio primero, y él era su pase para asistir al baile.

Vestida con el esplendoroso vestido azafrán de Meredith, Jenny atravesó la cocina en dirección al aposento de su madre. Dos fregonas sonrieron burlonas cuando pasó junto a ellas.

—Mira, ¿habías visto una dama más elegante? Va al baile, como una de la aristocracia —se burló Erma, la más joven de las dos, en voz muy alta, para que la oyeran todos en esa planta del servicio—. Se cree superior, claro, pero no lo es. Puede que no lleve las uñas sucias, pero es de cuna humilde y tan vulgar como el resto de nosotras.

Las dos criadas se echaron a reír.

Jenny aminoró el paso pero no se volvió a mirarlas. No les daría el gusto de irritarse. Era una dama, después de todo, y como tal, estaba por encima de esos mezquinos comentarios.

Enderezando los hombros, salió al corredor y entró en el dormitorio de su madre.

Su madre, que estaba sentada en su desgastado sillón de plumas junto al hogar, en el que ardía un fuego suave, levantó la cabeza cuando ella abrió la puerta.

Sonriendo de oreja a oreja extendió los brazos y, dichosa, se dio varias vueltas en círculo, rápido para que las faldas se levantaran con la velocidad. Después se quedó quieta y bajó lentamente los brazos a los costados.

Pero en lugar de sonreír orgullosa, como había esperado, su madre sólo frunció el ceño, bajó la cabeza y enterró la aguja en la servilleta de tieso lino que tenía en la falda.

—Mamá, ¿cómo estoy?

Su madre exhaló un suspiro pero no levantó la vista.

—Lo sabes muy bien. Te ves ridícula con ese vestido.

Jenny se estremeció ligeramente al oír eso.

—¿Qué? Pensé que te sentirías feliz por mí. Esta noche se hace realidad mi sueño.

Entonces su madre levantó la cabeza y la miró con los ojos enrojecidos.

—¿Pensaste que iba a sentirme feliz? ¿Feliz? Vas a hacer el ridículo, hija. Vamos, aquí abajo todo el personal lo comenta. ¿No puedes dejar morir ese sueño, hija mía? ¿Por qué no puedes aceptar tu suerte en la vida? Eres una doncella de señora; ese es un puesto muy codiciado. Deberías sentirte orgullosa. No es algo de lo que haya que avergonzarse.

Negando con la cabeza, Jenny fue a arrodillarse ante ella.

—Mamá, doy gracias por todo. No me avergüenza servir. Pero tienes razón. No estoy satisfecha. Deseo más. Me merezco más.

En las pálidas mejillas de su madre aparecieron manchitas rojas.

—¿Por la posición de tu padre en la sociedad? ¡Bah!, Jen, no eres de su clase. Perteneces a la servidumbre y cuanto antes aceptes eso mejor estarás.

Jenny se incorporó lentamente y se dirigió a la mesilla de noche, sobre la cual había una pequeña caja de madera. Abrió la caja, sacó un brillante broche de ópalo y se giró.

—¡Ah, no! —exclamó su madre. Levantándose de un salto se le acercó y le arrebató el broche—. No vas a usar esto esta noche.

Jenny se erizó.

—Pero mi padre me lo dio a mí.

—Justamente por eso no te lo vas a poner. No permitiré que se diga que te he alentado en tu tontería. ¡No!

Jenny sintió calientes las comisuras de los ojos. Bruscamente giró sobre los talones y corrió hacia la puerta, pero al llegar ahí se volvió a mirar a su madre.

—Esto es sólo por una noche, madre. No tienes por qué preocuparte. Mañana habrá acabado mi sueño y volveré a ser la simple Jenny Penny, la doncella de señora.

Jamás había encontrado tan larga la corta distancia a su habitación. Una vez allí se sentó en su estrecha cama, con sumo cuidado para no arrugar el vestido, y en silencio esperó que la llamaran de arriba.

Cuando por fin dio la hora el enorme reloj del corredor de arriba, tranquilamente cogió su capa y su bolso y subió a encontrarse con las hermanas Featherton y Meredith en el vestíbulo de la entrada.

Mientras el carruaje de las Featherton traqueteaba lentamente por la colina en dirección a las Upper Assembly Rooms, Jenny iba observando cómo se condensaba su aliento con el aire frío. Se arrebujó más la capa con mangas. Debería haberse puesto algo más de abrigo, más apropiado para el tiempo, pero ese capote largo, orlado con tiritas del armiño más blanco, era el más elegante de los dos que tenía.

Meredith, en cambio, había insistido en llevar un horrendo manto de lana, más resuelta a mantenerse abrigada que a verse elegante.

Sentada al frente de Jenny, y parloteando alegremente con su hermana acerca de las fabulosas posibilidades de esa noche, lady Letitia tenía apoyados los pies hinchados por la gota encima del borde del brasero. Jenny se quitó los zapatos y estiró las piernas para calentarse un poco los pies con el calor del brasero, pero la asaltó el sentimiento de culpa. El motivo de que estuvieran en Bath era aliviarle los síntomas de la gota a lady Letitia, por lo tanto no debía envidiarle la comodidad a la anciana.

Al verle los dedos de los pies, Meredith le dio un codazo en las costillas.

—Ponte los zapatos, Jenny —le susurró—. Esta noche eres una dama, ¿no te acuerdas?

Jenny se apresuró a bajar los pies y a meterlos en los zapatos, antes que se fijara alguna de las locuaces casamenteras, y se puso a contemplar el interior del coche, para distraerse y olvidar su nerviosismo. Había viajado en ese coche, pero esa noche era como si lo viera por primera vez. Las paredes eran verdes, pero desprovistas de adornos, y los cojines de piel eran duros; sin duda estaban rellenos de paja. Qué contraste con el magnífico carruaje de lord Argyll.

Al instante su mente se centró en el guapo escocés, el que seguro le pediría un baile. Eso la amilanó bastante, porque sólo sabía bailar tres o cuatro danzas campestres; las había aprendido del brazo del querido señor Edgar. No tenía idea de qué tipo de danzas preferiría la aristocracia de Bath en esos momentos, pero no deseaba pensar en eso. Cielo santo, tenía que concentrarse en armarse de valor simplemente para pasar por la puerta de la grandiosa sala de fiestas.

—Ahora bien, Jenny —le dijo lady Letitia—, pon mucho cuidado en no atraer demasiada atención hacia ti. Una dama es recatada, sus movimientos son elegantes y comedidos. ¿Entiendes, hija?

Inclinada, como si quisiera reposar su voluminoso y mullido pecho, lady Letitia esperó la respuesta.

—Cielos, hermana —dijo lady Viola en tono humorista—, Jenny ha vivido muchos años en nuestra casa y sin duda ha tenido la oportunidad de observarnos. Claro que lo entiende —Guiñó sus redondos y descoloridos ojos azules hacia Jenny—, ¿verdad, querida?

—Por supuesto, milady —contestó Jenny, y bajó la vista a la vez que juntaba delicadamente las manos en la falda, pues no podía mirar a los ojos a ninguna de las dos ancianas para decir la mentira que tenía en la punta de la lengua—: Ya tenía decidido modelarme, es decir, modelar a lady Genevieve, según la prestancia y buen tono de ustedes dos.

Bastante temerosa, levantó la vista.

Las dos hermanas Featherton estaban sonriendo de oreja a oreja.

—Vamos, por favor —masculló Meredith en voz baja.

Afortunadamente ninguna de sus tías abuelas la oyó.

El coche se detuvo y con la sacudida a Jenny se le fue el cuerpo hacia delante y se le cayó el bolso al suelo. Justo cuando se había agachado para recogerlo se abrió la portezuela y el lacayo extendió la mano.

¡Buen Dios, no estaba preparada para bajar! ¿Cómo pudo imaginarse siquiera que sería capaz de hacer el papel de una verdadera dama? Nerviosa, miró a lady Viola, la que se levantó majestuosamente, cogió la mano del lacayo y bajó a la oscuridad de la noche. Después bajaron lady Letitia y Meredith, y muy pronto Jenny se encontró tiritando con las faldas bien recogidas para pisar con sumo cuidado por entre los montones de barro con hielo en dirección a la puerta del salón de fiestas.

Debería habérsele ocurrido llevar chanclos para protegerse los zapatos, porque por mucho cuidado que pusiera para caminar le saltaban gotas de barro mojado a los zapatos y estos nunca volverían a ser los mismos. Pero ese era el precio de la elegancia.

Cuando pasaron por la puerta con columnas, se quitó el capote y miró alrededor en busca de una percha para colgarlo.

Lady Viola hizo un mal gesto al ver eso. Cogiéndola del brazo la llevó hacia el grupo de lacayos que estaban esperando para recibir las capas, chales, mantos y otras prendas de abrigo de las damas y caballeros a medida que iban entrando.

Ah, pero claro, qué estúpida era, se dijo Jenny regañándose. Si quería que resultara bien el engaño tenía que acordarse de pensar y actuar como una dama, no como una burda criada.

Entrecerró los ojos para que no la cegara la brillante luz. Desde luego, no se ahorraba en velas en ese vestíbulo octogonal rodeado por columnas. Allí se agrupaba y mezclaba una buena cantidad de gente antes de pasar por la puerta de dos batientes y desaparecer en el grandioso salón de baile.

Buen Señor, quién se habría imaginado que hubiera tantos aristócratas en Bath, o aún en Londres.

Lady Viola aumentó la presión de la mano en su brazo para llevarla en dirección al salón. Jenny tenía que hacer ímprobos esfuerzos para no girar la cabeza a uno y otro lado para contemplar boquiabierta la magnífica decoración, los vestidos a la última moda, aunque, a decir verdad, también había algunos lastimosamente anticuados, y los envidiables pendientes.

De pronto, a través de la puerta del salón de juego de cartas divisó nada menos que a lord Argyll. Como si lo hubiera llamado, en el mismo instante él captó su mirada y le sonrió cálidamente. Jenny sintió un revoloteo de nervios en el vientre al verlo girarse y echar a caminar hacia ellas.

Pero en ese momento la rodearon las demás de su grupo y lo perdió de vista.

Unas inmensas lámparas araña de brillante cristal dominaban el salón, unas lámparas que ella jamás había visto y ni siquiera imaginado. ¡Caramba! Tuvo que tragar saliva para deshacer el nudo de emoción que se le formó en la garganta, y empezaron a arderle los ojos por las lágrimas. Estoy en un verdadero salón de baile, pensó. Miró atrás por encima del hombro y vio que encima de la puerta había un ancho balcón y en él estaban once músicos contemplando la inmensa sala. A lo largo de todo el perímetro había dos hileras de sofás con cojines en los que estaban sentados señoras y caballeros mayores, mientras otras hileras de bancos de madera ofrecían descanso a risueñas jovencitas y a sus galanes.

Del cielo raso colgaban yardas de cortinas de seda azul y plata cubriendo las estrechas ventanas altas, haciéndola sentirse como si estuviera en un país mágico en donde cualquier cosa era posible.

En realidad ya le parecía posible cualquier cosa, porque se encontraba en el salón de baile de las Upper Assembly Rooms, esperando que un apuesto vizconde la sacara a bailar.

Lady Viola por fin le soltó el brazo, y empezaba a darse una vuelta completa para admirar la pasmosa magnificencia del salón cuando rozó con la mano algo tibio y peludo. Desconcertada por no saber qué era eso, cogió el objeto e inconscientemente lo palpó. Entonces se giró del todo y se encontró ante lord Argyll, que vestía ropa muy hermosa pero totalmente pasada de moda, chaqueta, falda y..., ay, Dios, una maldita escarcela colgada justo encima de su... No, no puede ser.

No.

Por favor, que alguien me diga que no he pasado la mano por encima de su escarcela. Por encima de su...

Sintiendo arder las mejillas, cerró los ojos.

—Buenas noches, lady Genevieve —saludó él y, acercándose más, le hizo zumbar su profunda voz en los oídos—. Es sorprendente lo suave que es la piel de tejón, ¿verdad?

Capítulo 3

¡Qué vergüenza! ¡Qué humillante! ¿Vería alguien lo que hizo? ¿Palparle... la escarcela?

—Ah, lord Argyll —dijo entonces lady Letitia—. Qué bien que nos haya encontrado.

Jenny sintió los huesudos dedos de lady Viola en el brazo, sujetándola firmemente en el lugar, impidiéndole que saliera corriendo del salón.

—Vaya, lady Genevieve acababa de comentar lo mucho que le gustaría bailar, y aquí está usted. ¡Qué casualidad!

El escocés arqueó una oscura ceja.

—Nunca he sido aficionado al baile, pero por usted, lady Genevieve, me encantaría hacer una excepción.

Diciendo eso, le ofreció su musculoso brazo y ella, sin pensarlo, lo cogió.

¡Porras! ¿Pero qué iba a hacer? Seguro que la descubrirían en el instante en que comenzara la música.

Pero entonces el violinista inició la melodía y con inmenso placer vio que las parejas se preparaban en la pista para bailar una contradanza. Bueno, gracias a Dios, esa la sabía.

Después de sonreírle a lord Argyll, se quedó quieta contando hasta que llegara el compás que indicaría el comienzo de la danza, y dejó vagar los ojos por el magnífico salón.

Cielos. ¿Era su imaginación o estaban todos los ojos aristócratas fijos en ella? Siguió la dirección de la mirada de una señorita de ojos particularmente saltones. Bueno, daba la impresión de que la muchacha estaba mirando a lord Argyll, y no a ella.

Miró evaluadora a su pareja de baile. ¡Ah, pero claro! Lo más probable era que todos estuvieran mirando la escandalosa falda de lord Argyll.

Entonces el vizconde le cogió las manos y la llevó hacia la hilera de parejas. Juntos giraron en círculo, con lo que se levantó en un revuelo su falda por detrás, y la de él también.

Varias señoras mayores se quedaron atónitas. De todos modos, sus interesadas miradas siguieron al apuesto escocés por el otro lado de la columna, sus labios curvados en sardónicas sonrisas.

Jenny también sonrió, ya que su viva imaginación le creaba lo que sus ojos no tuvieron la suerte de ver.

Cáspita, sí que era placentero bailar. Debería hacerlo más a menudo. ¿Por qué demonios se había preocupado tanto? Los pasos eran los mismos que hacía en la sala de abajo en las ocasiones en que el señor Edgar aprobaba algún tipo de celebración, ocasiones que no eran muy frecuentes, por cierto, con todo el trabajo que se acumulaba en el instante en que alguien se descuidaba y desviaba la vista.

Observando los recatados movimientos de las demás damitas haciendo los giros y pasando por debajo del arco de brazos, le quedó claro que no debería haberse preocupado en absoluto. Vamos, si tuviera que emitir un juicio diría que su habilidad era muy superior a la de aquellas que habían estudiado el arte del baile. Hacían movimientos muy restringidos, demasiado formales. Señor, si ni siquiera sonreían.

Bueno, ellas se lo perdían, pensó, levantando alegremente los talones y corriendo por debajo del puente de manos cogidas.

Incluso lord Argyll notaba su afinidad natural con el baile. Vio en sus ojos su sonrisa divertida. Ellos sí se estaban divirtiendo, ¿y no iba de eso el baile?

Pero entonces terminó la música. Maldición. Y ahí estaba ella, justo cuando comenzaba a disfrutar de verdad.

Lord Argyll levantó el antebrazo para que se lo cogiera. En sus labios seguía jugueteando una sonrisa, y un destello travieso que ella nunca había visto le iluminó los ojos.

—¿Volvemos con las señoras?

—Si es preciso —suspiró ella, cuando él echaba a andar hacia las hermanas Featherton.

Malditas las reglas, pensó. Ansiaba volver a bailar.

—Espero que me pida otro baile, lord Argyll. Hay que reconocer que formamos una buena pareja. ¿Notó cómo todos nos miraban?

A él se le curvó la comisura de la boca. Justo en ese momento llegaron a reunirse con las ancianas Featherton y con Meredith, cerca de un extremo del salón.

—Sí, milady, lo noté —dijo él entonces.

—Y no creo que tuviera que ver con que usted no lleva nada debajo de la falda —añadió Jenny con la mayor naturalidad.

—Oh, cielos —gimió lady Viola meciéndose y apoyándose en su hermana—. El ataque...

Lord Argyll, bastante sorprendido, ayudó a lady Letitia a llevar a la frágil anciana hasta una de las sillas adosadas a la pared. Entonces Meredith se precipitó a coger a Jenny del brazo.

—Ven conmigo, por favor.

—¿Qué? ¿Pasa algo? —preguntó Jenny mientras Meredith la hacía pasar a toda prisa por la ancha puerta en dirección al vestíbulo octogonal.

—Jenny, en compañía decente sencillamente no se debe hablar de cosas como la ropa interior de los hombres, o su falta.

—Aaah, comprendo. Bueno, tiene toda la razón. Pero me parece que nadie se dio cuenta de mi metedura de pata, aparte de sus tías, ¿verdad?

—Ah, no, seguro que no. Tal vez sólo te oí yo. De todos modos me pareció que debía decírtelo.

—¿Y qué le pareció mi baile? No he recibido buena educación en baile, eso sí, pero me pareció que lo hice bastante bien.

—Sí, bailaste con mucho... esto... entusiasmo —tartamudeó Meredith.

Jenny sonrió agradecida.

—Gracias, señorita Meredith.

Cuando volvían al salón, Jenny vio horrorizada que la vecina, lady McCarthy, cerraba el único camino libre hacia el lugar donde estaban las ancianas Featherton con lord Argyll.

La viuda enseñó los dientes cuando reconoció a Meredith y se adelantó a saludarla.

Vaya fatalidad. A Jenny se le quedó atrapado el aire en la garganta. Seguro que la viuda la reconocería al instante; no habían pasado más de cuatro horas desde que la llamaron al salón a coserle el dobladillo. ¡Cuatro cochinas horas! Vamos, la sangre no había tenido tiempo de formar costra en la aguja.

Mientras Meredith y lady McCarthy conversaban de trivialidades, ella mantuvo la cara desviada y los ojos fijos en el suelo. Dios santo, tenía que salir de ahí. Levantó un pelín los ojos buscando la puerta principal. Pero justo entonces la viuda puso la atención en ella.

—Señorita Meredith, ¿me haría el gran honor de presentarme a su acompañante? —solicitó—. Creo que no he tenido el placer.

Jenny miró a Meredith horrorizada.

Meredith pareció algo desconcertada por la expresión de miedo que vio en la cara de Jenny, por lo que tardó unos segundos en encontrar la voz.

—Ah, lady McCarthy, ella es mi querida amiga...

—Del colegio de la señorita Belbury —añadió Jenny.

—Sí, del colegio, lady Genevieve d'en Bas.

Entonces Jenny miró a los ojos a la mujer, tan asustada que Meredith tuvo que darle un codazo para recordarle que le hiciera una media reverencia.

—Señora —dijo, flexionando las rodillas.

—Encantada. —La viuda estuvo un buen rato mirándola—. Lady Genevieve, ¿ha estado mucho tiempo en Bath? Tengo la clara impresión de que se han cruzado nuestros caminos.

Jenny se quedó sin habla.

Afortunadamente, lady Letitia se había fijado en el posible problema y llegó a toda prisa a tomar el asunto en sus manos.

—Ah, buenas noches, lady McCarthy. Veo que ha conocido a lady Genevieve. Pero tendrá que disculparme. Mi hermana ha caído presa de uno de sus ataques y vengo a buscar a la damita para que vaya a su lado. Haga el favor de perdonarnos.

Jenny sonrió feliz. Lady Letitia, como siempre tan ingeniosa, la había salvado, porque al segundo siguiente ya la iba alejando rápidamente de la muy curiosa viuda, dejando con ella a la señorita Meredith para que la distrajera.

El encuentro con la viuda podría haber sido un total desastre, aun a pesar de su muy convincente actuación como la refinada lady Genevieve. Aunque en realidad no era una actuación, ¿verdad? Si su padre le hubiera colocado el anillo en el dedo a su madre sería realmente lady Genevieve, no una cobarde impostora, sino una verdadera dama.

Lady Letitia dirigía la marcha a paso rápido hacia el lugar donde estaban su hermana y lord Argyll, pero no tan rápido que Jenny no alcanzara a oír al pasar un retazo de conversación entre dos señoras mayores.

—¡Falda! ¿Te puedes creer la cara que tiene ese escocés? Vamos, su padre se daría una vuelta en su tumba si se enterara de lo que hace el actual lord Argyll.

Jenny se detuvo a medio paso y giró la cabeza para mirar a las almidonadas mujeres. ¿Lo que hace el actual lord Argyll? Bueno, ¿eso era otra pieza del misterio, entonces?

Lady Letitia le cogió el brazo y la instó a continuar caminando.

—¿Oyó lo que dijo esa señora, milady? —le preguntó Jenny—. ¿Qué cree que quiso decir?

—Ah, no lo sé. Tal vez nada. La falda del vizconde está causando cierta conmoción, pero yo no veo nada escandaloso. Son simples cotilleos de Bath, supongo. De tanto en tanto hace falta una distracción para mantener a raya la locura en esta adormilada ciudad.

Jenny sonrió al oír eso. Al menos en su opinión, el vizconde escocés era una muy agradable distracción.

Sólo un momento después de llegar y ver que lady Viola estaba totalmente recuperada, se encontró con el brazo sobre el de lord Argyll y caminando hacia la pista de baile otra vez.

Este sería un vals. Casi no podía creerlo. Un vals en esa seria y formal ciudad. Además, no tenía idea de cómo empezar.

—No... no tengo permiso para bailar el vals —dijo atropelladamente.

Lord Argyll se echó a reír.

—¿Desde cuándo la preocupa tener permiso para hacer algo?

Ah, claro, el incidente del coche. Se le levantó la comisura de la boca en una sonrisita.

—Vamos, milord, no me conoce tan bien como para hacer ese comentario tan categórico y, a mi parecer, tan poco caballeroso. Se le podría tomar por un libertino.

—Los hay que me consideran así —repuso él, y arqueó una ceja en espera de su reacción.

—¿Sí?

¿Así que era un libertino reconocido? Una verdadera dama no dudaría en salir de la pista de baile al instante, pero sin saber por qué, su reconocimiento de que no era del todo un caballero le inspiró aún más curiosidad. La verdad sea dicha, le causó un ligero revuelo en el vientre.

—Bueno, decididamente yo no debería bailar el vals con un libertino reconocido.

—Pero este salón de fiestas no es la casa Almack.

Dicho eso, la cogió en sus brazos, mientras a ella la música le invadía los oídos.

Un estremecimiento de placer le bajó por todo el cuerpo cuando él deslizó la mano por su cintura y la colocó en su espalda y comenzaron a moverse. ¡Ah, sí, qué maravilloso es el vals!

De todos modos, comprendió por qué era necesario obtener permiso para bailarlo. Siendo ella una mujer de veintitrés años, sentía francamente intensificadas sus sensibilidades.

Pero era muy comprensible. ¿Quién podría culparla? Señor, se encontraba en los brazos de un apuesto y alto escocés, sintiendo el roce de su falda en un lugar que haría ruborizarse a una jovencita recién presentada en sociedad, sabiendo que entre ella y su... escarcela, sólo había una delicada capa de seda del grueso de un papel y otra de algodón ya desgastado. A causa de esa indecente idea se le inundaron de calor las mejillas, y otras partes también.

—Pero es que nunca he bailado el vals.

—Och, no se preocupe. Lo está haciendo muy bien. Simplemente afírmese en mí y déjese llevar.

Ella asintió aturdida y aumentó la presión de la mano en su musculoso brazo. Caracoles, incluso a través de la tela de su chaqueta lo sentía duro como un tronco para el fuego.

Mientras él la hacía girar por la pista, ella levantó el mentón y miró hacia arriba, y la sorprendió encontrarse con su ardiente mirada. Pero no apartó la vista; simplemente se sumergió en esos cálidos ojos, tan profundos y castaños como la boca de un río en primavera. Y continuó meciéndose, oyendo la música, apenas consciente de los grupos de personas aglomeradas alrededor de la pista; todo se fue haciendo borroso hasta que se desvaneció y sólo quedaron él y ella.

Y la sensación. Su cuerpo ardía por el contacto en todos los lugares donde él la tocaba con su cuerpo.

—Es usted hermosa —dijo él, con ese melodioso acento de las Highlands.

—Usted es un libertino.

—Sí, pero no miento —pareció quemarla con los ojos—, jamás.

Nuevamente a ella le subió la sangre a las mejillas, haciéndoselas arder.

—Este es nuestro último baile. Otro declararía más de lo que es mi intención... en este momento.

Jenny clavó en él su mirada. ¿En este momento? ¿Y qué quería decir con eso? Pero puesto que al parecer él esperaba una respuesta, asintió. Debía parecerle una idiota, siempre moviendo de arriba abajo la cabeza. Ay, cuánto desearía saber qué otra cosa hacer, qué decir. Estaba fuera de su elemento ahí, eso era más que evidente.

—¿Entonces cuándo podría visitarla?

—¿Visi...visitarme?

—Sí, si va a continuar en Bath otro tiempo más.

—Ah.

Nerviosa paseó la vista por el salón en busca de las señoras Featherton. Esa farsa era sólo por una noche. ¿Sería capaz de mantenerla más de unas pocas horas? ¿Podría?

Pero por Dios que era guapo. Vamos, si sólo mirarlo le producía revuelos en el vientre y le hacía temblar las piernas como si fueran de jalea. Pero él era un libertino; un libertino al que, por algún motivo, le gustaba ella.

Ahora bien, ¿con qué fin? Tenía que conceder que era muy posible que él la viera a través de su disfraz, viera que sólo era una criada, lo que era. Le bajó la angustia hasta la boca del estómago y se instaló ahí, tan pesada como el pastel de la cocinera para la Candelaria. Tal vez él la creía una mujer de costumbres livianas, con la cual podría saciar sus apetencias sexuales y luego alejarse sin volver a pensar en ella.

Como hiciera su padre con su madre.

¡Bah! ¿pero en qué estaba pensando? Eso era ridículo.

Además, razonó, después de esa noche las señoras ya se habrían divertido y seguro que para ellas ya habría perdido su encanto la novedad de vestirla como una princesa y llevarla al baile a encontrarse con el hermoso príncipe, eh... vizconde...

Vamos, maldición. No quería que acabara ese sueño de ser una verdadera dama. Había nacido para serlo. Su destino era ser una gran dama.

Entonces, repentinamente, cambió la expresión de lord Argyll; desapareció esa arrogante sonrisa de pícaro.

—Perdóneme, milady. He olvidado mis modales.

¿Qué? ¿A qué se refería? No había hecho nada malo. ¿O sería ella tan torpe que no lo veía? Lo mejor sería fingir desagrado. Sí, eso. Arrugó la cara hasta que le pareció que había conseguido una expresión consternada bastante convincente.

Pero al vizconde se le curvó la comisura de la boca, lo que la hizo pensar si no la habría descubierto.

—Debería haberles pedido permiso a las señoras para visitarla.

Sí. ¡Sí! Si él les pedía permiso a las señoras, si mostraba un cierto interés en ella, tal vez ellas considerarían la posibilidad de continuar con el juego, un poco tiempo más en todo caso.

Le sonrió alegremente.

—Me gustaría muchísimo una entrevista, pero claro, la decisión depende totalmente de las señoras Featherton. Mi futuro está en sus capaces manos.

Caracoles, si él supiera lo cierta que era esa afirmación.

Cuando terminó el vals y lord Argyll, el precioso lord Argyll, la acompañaba hacia el lugar donde estaban las Featherton y Meredith, el corazón le retumbaba más fuerte que el tambor de la orquesta.

Vamos, por favor, por favor, acepten su petición, canturreaba para sus adentros, como si haciendo eso pudiera obligar mentalmente a las dos ancianas chifladas a doblegarse a su voluntad.

Pero cuando llegaron al grupo, Meredith le cogió la mano y la alejó varios pasos. Jenny miró atrás cuando Argyll comenzaba a hablar con las señoras Letitia y Viola.

¡No, no! No podría oír nada desde donde estaban. Continuó mirando anhelante hacia las Featherton y Argyll.

—Jenny —le dijo Meredith en voz baja—, hablé con mis tías y, bueno, no lo creerás pero... —hizo una inspiración tan profunda y fuerte que se sintió el crujido de su corsé por encima del murmullo de voces de alrededor—. Han aceptado permitirte que continúes con lord Argyll.

Jenny la miró con los párpados entornados.

—¿Qué quiere decir con eso?

—Ven el afecto que ya os tenéis tú y el vizconde. Y bueno, ya sabes que armar matrimonios es su gran pasión en la vida.

Jenny asintió. Sí, el fervor de las ancianas para orquestar bodas era tan grande como el de ella para comprar.

—Y, bueno —continuó Meredith, con las pupilas tremendamente dilatadas—, se van a encargar de que os comprometáis.

—¿Ha dicho...?, bueno, seguro que no. —De pronto se sintió como si se fuera a desmayar—. ¿Comprometernos?

—Sí, comprometeros. ¿Te imaginas lo divertido que será? —Meredith se meció sobre los talones—. Pero claro, tenemos mucho que hacer. Tienes mucho que aprender. Ya hemos decidido que lo primero de la lista es un profesor de baile, pero sólo para perfeccionar lo que ya sabes. Y, lógicamente, necesitarás un guardarropa nuevo. Por lo menos tres vestidos para eventos nocturnos y uno o dos para paseo...

Después de la frase «un guardarropa nuevo» Jenny casi no oyó el resto. Bueno, a excepción de aquello de los tres vestidos de fiesta y uno o dos para paseo.

La recorrió un estremecimiento de emoción. ¿Sería cierto que estaba ocurriendo eso? ¿Se iban a hacer realidad sus grandiosos sueños, al menos por un tiempo?

No, seguro que estaba soñando. Mientras Meredith seguía hablando, se mordió un trocito de carne del interior del labio inferior.

—¡Aay!

Meredith se sobresaltó.

—¿Qué te pasa? ¿Te sientes mal?

Jenny dejó de morderse el labio y le sonrió.

—No, estoy muy bien.

¿Cómo podría no sentirse bien? Sin saber cómo, su sueño había salido de los límites de su imaginación y cobrado forma.

Sin dejar de sonreír, se giró y captó la mirada de lord Argyll.

—Pronto —susurró él.

Pronto, repitió ella para sus adentros, y sintió pasar un delicioso hormigueo por toda su piel.

A la mañana siguiente, Jenny estaba sentada en el salón esperando impaciente que empezaran a hablar las dos señoras Featherton, que la observaban desde el sofá. Nerviosa, se arregló la cofia, metiéndose dentro un rizo suelto, después alisó una arruga de la manga de su vestido de trabajo de batista gris. Tuvo que hacer un enorme esfuerzo para no tamborilear los dedos en la rodilla o morderse las uñas. Una dama tendría más dominio sobre sí misma, por lo tanto eso debía hacer ella.

—Jenny querida —dijo lady Viola entonces—. Lo que vamos a emprender está plagado de riesgos. Si no sigues nuestras instrucciones al pie de la letra se acabará nuestra empresa. La persona en que te vamos a convertir con sumo esmero se desmoronará y sin duda a todas nos expulsarán de Bath, a pesar de nuestra posición en la sociedad.

—A nadie le gusta hacer el tonto, y mucho menos a los miembros de la aristocracia —añadió lady Letitia, con bastante severidad.

Jenny tragó saliva.

—Comprendo, milady.

Lady Letitia arqueó una ceja y la miró fijamente.

—No te pedimos que comprendas, hija. Siempre has sido testaruda. No somos ciegas al hecho de que muchas veces consideras las reglas..., ¿flexibles, digamos?

—Querida —terció lady Viola—, lo que quiere decir mi hermana es que necesitamos la seguridad de que no vas a hacer nada sin nuestra guía.

—Exactamente, hija. Nada. No estás educada en los usos y costumbres de la sociedad. Lo que podría considerarse aceptable en la calle o en los cuartos de la servidumbre podría llevarte a hacer el ridículo entre la gente de alta alcurnia.

Jenny asintió.

—Comprendo, mis señoras, y prometo hacer lo que ustedes digan.

Por estúpido que pueda parecerme, añadió mentalmente.

Vamos, podían pedirle que asistiera a un baile con una jaula de pájaros en la cabeza y lo haría, porque sin ellas su sueño de convertirse en dama se quedaría en eso, en un sueño, una quimera inalcanzable.

Sonrisas de satisfacción se formaron en los labios pintados de las dos ancianas Featherton.

Lady Letitia separó su ancho trasero del sofá y, con la ayuda de su bastón, se puso de pie.

—Bueno, entonces, ¿comenzamos?

Jenny sintió un calorcillo interior, una energía que comenzó a propagarse por toda ella como la estela de una llama. Se levantó de un salto.

—Estoy lista —dijo, y no pudo reprimir una risa—. Es como si hubiera estado toda mi vida preparándome para esto.

En ese preciso instante entró Meredith en el salón, cargada hasta el mentón con vestidos, sombreros, chales y capas. Cuando llegó al centro de la sala lanzó todo al aire y las prendas cayeron en cascada sobre la alfombra Aubusson.

—Es inútil, tietas —dijo, entristecida—. Pensé que por lo menos algo podría servir para las necesidades de Jenny, pero no hay nada. Comprobadlo vosotras mismas.

Las dos ancianas arquearon las cejas y empezaron a hurgar entre el montón de ropa.

—¿Y ese vestido rubí?

Jenny cogió el vestido para examinarlo. Enseguida frunció el ceño:

—Con su perdón, milady, pero el corte es para una jovencita, no para una mujer adulta. —Al ver la mirada que intercambiaron las ancianas, se apresuró a enmendar—. Pero yo podría rehacerlo. Vamos, sólo necesitaría unos retazos de seda y uno o dos largos de cinta de satén.

Al instante sintió los brazos de Meredith alrededor de la cintura.

—Qué ingeniosa eres, Jenny. Y eso es excelente. Necesitas un guardarropa utilizable rápido, y poner a una modista a hacer la tarea nos llevará más tiempo del que disponemos.

A Jenny le bajó el ánimo al suelo. Toda la mañana había estado soñando con explorar las tiendas de tejidos y las sombrererías en busca de terciopelos y sedas, de los que se habría hecho vestidos a la moda, del tipo que veía en *La Belle Assemblée* y en los números sueltos de la *Ladies Monthly Magazine* a los que estaba suscritos lady Viola.

Entonces miró la vieja lady, que vestía en el color lavanda que era la marca de sello de las hermanas, pero un modelo que claramente habría estado de moda por lo menos diez años atrás. La verdad era que mirándola no se podía saber si alguna vez la anciana señorita puso tanta atención a la moda como ponía ella.

Involuntariamente esbozó una sonrisa al recordar una revista francesa que sobresalía por debajo del cojín del sofá, y de pronto todo adquirió sentido. A la gazmoña lady Viola le gustaba la ropa interior fina y bonita. No se equivocaba, seguro que no. Se lo preguntaría a su madre en la primera ocasión que tuviera, puesto que, por algún extraño motivo, era la única que ayudaba a la anciana a vestirse.

En ese momento entró Edgar en el salón con una brillante bandeja de plata y aunque mantuvo la mirada enfocada en lady Letitia, Jenny sintió la emanación de su fría desaprobación. No le sentaba nada bien ver que una criada estuviera sentada con las señoras de la casa, conversando con ellas como si fuera su igual.

No, seguro que eso no le sentaba bien a nadie del servicio doméstico. Que se los lleve el diablo; el diablo se los lleve a todos.

Su sangre era medio azul, ¿no? Se merecía esa oportunidad, caramba, mucho más que todos los de abajo. Y si alguien la desafiaba por eso, se lo diría francamente. Movió la cabeza en un firme gesto de asentimiento.

Cuando levantó la cabeza, vio que lady Letitia tenía sus impertinentes ante los ojos y estaba leyendo la tarjeta de papel vitela que le llevó Edgar. Su sonrisa se fue ensanchando a medida que leía. Después la miró a ella.

—Muy bien, causaste muy buena impresión a lord Argyll en el baile, mi querida Jenny. No ha perdido un instante en asegurarse la entrevista que nos solicitó. Vendrá a las cuatro de la tarde... mañana.

Jenny sintió bajar un temblor por todo el cuerpo.

—¿Mañana?

Mañana, Dios santo. Aun le faltaba muchísimo por hacer.

Edgar carraspeó y ella se sobresaltó al verlo delante poniéndole la bandeja de plata bajo las narices. Vacilante, cogió la misiva y la abrió.

Qué raro; estaba escrita con la letra del señor Edgar, aunque las letras no estaban bien trazadas, como si las hubiera escrito a toda prisa o incluso, cáspita, con rabia.

Annie y un lacayo la están esperando abajo. Procure bajar a verlos tan pronto como le sea posible.

Tímidamente miró a Edgar y le hizo un gesto de asentimiento. Algo debía estar terriblemente mal. Normalmente el señor Edgar no permitía que el personal recibiera visitas. Señor, ¿en qué estaría pensando Annie?

—¿Podrás estar preparada, Jenny? —le preguntó Meredith, levantando la manga del vestido rubí que ella tenía en la falda—. ¿Mañana a las cuatro?

—Bueno...

Tal vez le sería posible convertir el vestido en algo más a la moda y ponérselo para la entrevista. Pero necesitaría algunas cosas. Sí, los botones de granate. También necesitaría un trozo de satén crema, o tal vez una cinta dorada. Caracoles, tenía que ir a las tiendas, eso era lo que realmente necesitaba hacer, y darse prisa. ¿Quién podía saber el tiempo que le llevaría encontrar los tonos adecuados?

Miró dudosa el vestido y luego miró de reojo a lady Viola.

—Bueno —suspiró—, creo que podría arreglar el vestido, si no tuviera otros quehaceres esta tarde y mañana por la mañana. Pero claro, tengo muchísimo que hacer, entre el arreglo de la ropa de la señorita Meredith, la colada...

Lady Viola pasó su atención al señor Edgar, que estaba mirando a Jenny con los ojos como platos y sus delgados labios abiertos, horrorizado por su audacia.

—Jenny queda eximida de sus obligaciones hoy y mañana, señor Edgar. Por favor, vea si la señora Penny puede arreglárselas, y si no, contrate a una chica de la ciudad para que la ayude.

Edgar asintió y, lanzando una última y glacial mirada a Jenny, que le heló la piel, giró sobre sus talones y salió del salón.

Ese no era el Edgar que ella conocía y quería. No era el hombre que prácticamente la había criado junto con su madre. Pero claro, nunca antes ella había trastornado así la casa y el personal. ¿Por qué no podían sentirse todos felices por ella?

Se merecía esa oportunidad, caramba. ¡Se la merecía!

Lady Letitia le cogió la mano a su hermana y se la apretó entusiasmada, y despues fijó sus descoloridos ojos azules en Jenny.

—Ya está, todo está arreglado, hija. Ahora vete. Tienes mucho que coser si quieres estar preparada para recibir a Argyll mañana.

Jenny se levantó de un salto.

—Gracias, señoras, muchísimas gracias.

Sin saber qué otra cosa hacer les hizo una reverencia a cada una, lo que no tuvo el efecto deseado pues lo único que consiguió fue que a las ancianas les diera un ataque de risa.

Después salió, corrió por el corredor de servicio y bajó la escalera para ir a ver a qué había venido Annie.

Capítulo

Capítulo 4

—No pasa nada, cariño —dijo Annie entusiasmada—. Hoy voy a necesitar seis botes de la crema afrodisíaca y Horace va a necesitar dos.

Jenny se quedó pasmada.

—Pero es que... no me queda ninguno.

Se apagó el brillo en los ojos de Annie.

—Pero si yo estaba contigo ayer cuando compraste todo el material. Me dijiste que te ibas a poner a preparar la crema anoche.

Jenny miró el suelo.

—Lo sé, pero anoche... bueno, en lugar de hacerla fui al baile Fuego y Hielo y...

Annie rugió de risa.

—¿Fuiste al baile? ¿Y qué vestido te pusiste? ¿El negro o el marrón? Si quieres mi opinión, espero que hayas ido con el marrón. Te hace resaltar las pintitas verdes de los ojos.

Entonces Jenny la miró a los ojos.

—Me puse el vestido azafrán de la señorita Meredith.

Al instante se desvaneció la risa de Annie.

—¿No me estás tomando el pelo, verdad?

—No. Aah, no te lo podrás creer. Anoche se hizo realidad el más grandioso de mis sueños. Me convertí en una dama. Una verdadera dama.

Annie se dejó caer en el taburete.

—¿Pero cómo?

Jenny retiró otro taburete, se sentó y le explicó toda la cadena de acontecimientos que habían llevado a ese momento.

—Así que verás, Annie, sólo tengo hasta mañana para rehacer este vestido. No tengo tiempo para preparar crema esta noche. Lo siento.

Horace, que estaba de pie con el sombrero en las manos, cambió su peso de un pie al otro.

—Pero, Jenny, mi amo me envió a ver a Annie expresamente por la crema afrodisíaca. No puedo volver sin ella. Sencillamente no puedo.

Jenny le apoyó una mano en el hombro.

—Pero es que no me queda ningún bote.

Horace sacó una pequeña bolsa de debajo de la cinturilla de las calzas y la vació en la palma.

—Me dio dinero para pagar, ¿ves?

—Sí, pero...

Mirando el montón de monedas de oro en la mano del lacayo, Jenny sintió que se le encogía el cuero cabelludo. Con ese dinero podría comprar todas las cintas de satén y trozos de seda crema que necesitaba para rehacer el vestido.

Horace guardó las monedas en la bolsa, suspirando.

—Bueno, si no tienes ninguno...

De pronto ella recordó el bote de crema facial de menta que estaba sin abrir en el tocador de lady Letitia. La solución era sencilla. Podía coger ese y reponerlo dentro de uno o dos días. No faltaban botes y frascos en ese tocador. Lady Letitia no se daría ni cuenta. Una alegre sonrisa le iluminó la cara.

—Pensándolo bien, es posible que me quede uno. Vuelvo enseguida.

Acto seguido se levantó las faldas hasta las rodillas, voló escalera arriba y entró en el dormitorio de lady Letitia.

Con los oídos zumbándole, avanzó sigilosamente hasta el tocador de cerezo. Cielos, si la sorprendían fisgoneando ahí eso sería el final de su sueño.

Le temblaba la mano como un helecho golpeado por la lluvia cuando la alargó para coger el bote. Lo escondió en los pliegues del vestido de trabajo de batista.

Cuando iba bajando en puntillas la escalera, el sentimiento de culpa le retorcía las entrañas. Pero, razonó, lo hacía por las señoras. Si no se vestía adecuadamente, el juego casamentero de las Featherton fracasaría, ¿verdad?

Cuando llegó a la cocina sacó el bote de su escondite y lo tendió hacia el lacayo.

—Aquí tienes, Horace.

Sonriendo de oreja a oreja, el lacayo alargó la mano para cogerlo, pero ella lo retuvo en la mano cerrada.

—Recuerda, nadie debe saber dónde compraste la crema. ¿Entiendes? Esto debe quedar en secreto entre nosotros.

—Lo entiendo, Jenny. Annie ya me hizo jurar sobre la cabeza de mi madre, y la pobre ahora está acatarrada. Así que puedes tener la seguridad de que no te delataré.

—Muy bien, entonces.

Abrió la mano y dejó que él cogiera el bote de su palma.

—Ah, mis gracias, señorita. Mi amo estará muy contento —les hizo un guiño—, como también la señora.

Jenny se aclaró la garganta, arqueó una ceja y continuó con la mano extendida y la palma abierta.

—Ah, sí. Aquí tienes, Jenny.

Cerrando la mano sobre la bolsa de monedas, sonrió para sus adentros. Ahora podría comprar exactamente lo que necesitaba para el vestido. Abrió la bolsa y miró despreocupadamente dentro. Estuvo pensativa un momento y luego sacó una corona.

—Ten, Horace, para tu madre.

El lacayo agrandó los ojos y aceptó el dinero.

—Gracias, señorita, ¡Muchísimas gracias!

Jenny se encogió de hombros.

—Te lo has ganado. Me has traído negocio después de todo.

Annie cruzó los brazos sobre su amplio pecho.

—¿Y qué pasa con mis botes, Jenny? Yo te he traído negocio también.

—Supongo que tendré que preparar más crema. Esta noche, una vez que se acuesten las señoras —suspiró.

¡Rayos y centellas! La producción de crema le llevaría horas.

Abatida, se sentó en un taburete y apoyó la cara en las manos. Cielo santo, esa iba a ser una noche larguísima.

—¡Ah, estás aquí! Levántate, Jen. Ya son las siete y estás aquí durmiendo.

Jenny levantó la cabeza de la mesa del cuarto de trabajo y miró pestañeando a su madre, que la estaba mirando enfadada.

—¿Las siete? —Levantó los brazos por encima de la cabeza, desperezándose, y bostezó—. ¿Ya?

Su madre le puso delante varios sobres. Jenny los miró sin comprender.

—¿Qué son estos?

—Sabes muy bien qué son. Los cogí de la bandeja de correspondencia de milady antes que los viera.

Jenny miró las direcciones y vio que ninguno estaba dirigido a ella, sino a lady Letitia.

—Qué cosas se te ocurren, madre. No puedo abrir las cartas de lady Letitia.

—Bueno, pues, será mejor que las abras y hagas algo respecto a lo que está escrito dentro. ¿Y si yo no hubiera estado ahí para cogerlas? ¿Y si ella las hubiera leído?

Con toda parsimonia, Jenny abrió la primera carta, observando de paso que el remitente le resultaba conocido.

Miró el encabezamiento. Vaya, era de Smith and Company. Leyó la carta y un súbito escalofrío le puso la carne de gallina. Miró horrorizada a su madre.

—No puede ser. ¡Oh, no!

—Cuántas veces te he dicho que tus excesos te van a meter en problemas. Ahora ha ocurrido. Envían tus facturas sin pagar a tu empleadora, para que las pague. Y no es sólo una. Hay otras dos además de esa.

Jenny miró los remitentes de los otros dos sobres.

—La sombrerería Marlbury's. Ay, Dios. Pero espera un momento. ¿Y esta qué es? ¿Darnfield Ironworks?—Miró algo engreída a su madre—. Esta no es para mí, está claro. Nunca he entrado en ese establecimiento.

La señora Penny le arrebató la carta y la abrió.

—Un par de chanclos. —Aún sonaban sus palabras cuando le pasó la factura—. Tuya.

¿Chanclos? Pensó un momento y de repente se acordó de los días del mes anterior cuando parecía que llovería eternamente. Vamos, echó a perder dos pares de zapatos esa sola semana. Habría arruinado otros más si no hubiera puesto esos chanclos en cuenta.

—Ah, ahora lo recuerdo. Estaba equivocada.

La señora Penny se cruzó de brazos.

—¿Qué vas a hacer, pues, con tus deudas? Yo no puedo impedir eternamente que estas facturas lleguen a las señoras.

Quitándose una frágil hoja de menta seca del enredado pelo, Jenny hizo un gesto hacia los veinte botes de crema alineados en el extremo de la mesa.

—Muy sencillo. Venderé esos botes y pagaré mi deuda en Smith and Company.

—¿Y para qué va a querer alguien tu crema facial casera, mmm?

Jenny levantó los hombros y los dejó caer.

—No sabría decirlo, pero por algún motivo, la alta sociedad está empezando a aficionarse a ella. Mi crema se ha hecho muy popular. De hecho, hasta el momento, he vendido todos los botes.

Y alguno más, añadió en silencio, haciendo un mal gesto, al recordar el bote que le debía a lady Letitia.

La señora Penny alzó la ceja en actitud dudosa.

—Entonces, por el amor de Dios, véndelas hoy mismo, si es que puedes, y paga tus deudas.

Dicho eso, salió pisando fuerte.

—Sí, madre.

Inclinando hacia atrás el taburete y afirmándose en la mesa con una mano, tiró las cartas en el mortecino fuego.

Un fuerte golpe en la puerta la hizo levantar la vista. Era Erma, una de las horrendas fregonas.

—Tienes visitas —le espetó, haciéndole una burlona reverencia—, milady.

Mirándola enfurruñada, Jenny se levantó y pasó junto a la maldita.

Cuando llegó a la puerta de la cocina, la sorprendió encontrar no sólo a Annie sino a otras tres criadas y dos lacayos, todos de las mejores casas de Bath.

Supuso que no todos vendrían por crema, pero entonces vio las pequeñas bolsas que llevaban en las manos. Le dio un vuelco el corazón. Intentó una expresión de serenidad.

—¿De qué va esto? —preguntó, mirando a Annie.

Annie se miró una bota, al parecer muy interesada en un arañazo que tenía en el borde.

—Hemos venido a comprar crema, es decir, si tienes más.

Jenny le cogió el brazo y la hizo entrar un poco en la cocina.

—¿Qué le ocurrió a nuestro secreto? —le susurró al oído—. ¡Tienes a todo el maldito Bath en la puerta!

—No fui yo, te lo juro. Sólo se lo dije a Gretchen —reconoció, indicando con un gesto a la chica rolliza de rizos rojos.

Horace avanzó un paso.

—Yo sólo se lo dije a Tom.

Entonces avanzó un hombre mayor.

—Annie me dijo que el precio era media guinea. Pero yo le dije a mi amo que la crema vale una guinea. Pensé que podría embolsarme la mitad.

Jenny miró a Annie desconcertada, y esta agitó las cejas, instándola a seguir el juego.

—Yo esperaba hacer lo mismo —graznó Gretchen.

Jenny se puso rígida. En realidad no le había puesto precio a su crema, pero si ellos podían obtener fácilmente una guinea...

—Los botes valen una guinea cada uno —dijo, antes de darse tiempo para pensar.

Se oyó un gemido colectivo, y el grupo se apiñó en un círculo a discutir el asunto. De pronto Jenny pensó si no habría pedido demasiado. Estaba a punto de bajar el precio a tres coronas cuando Annie volvió a ponerse al frente del grupo.

—Una guinea, entonces —dijo, y añadió—: Pero sólo venderás los botes a través de los criados. Y nosotros decidiremos en cuánto los vendemos a nuestros señores. ¿Te va bien eso, Jenny?

Jenny se mordió un labio, luego el otro y tuvo que reprimirse para no lanzar un grito de alegría. Asintió y se disculpó para ir a buscar los botes que tenía preparados. Tuvo buen cuidado de apartar uno para reponer el que había cogido del tocador de lady Letitia. Rápidamente los puso en su cesta de compras y volvió a toda prisa a la puerta.

Se le escapó una risita por la emoción cuando Annie le entregó un buen puñado de monedas por los seis botes de crema que le debía. Después fue a satisfacer los pedidos de los otros criados. Pasado un minuto la cesta estaba casi vacía, sólo quedaban cuatro botes de crema, pero tenía las manos llenas... de dinero.

Iba a ser rica, ¡rica! Vamos, si sólo ese día ya había ganado quince libras y quince chelines. ¡Una fortuna!

No tardaría nada en pagar todas sus deudas. Muy pronto las tiendas volverían a abrirle las puertas. Y teniendo el monedero lleno, seguro que los dependientes le ofrecerían una taza de té o una copa de jerez, como hacían cuando entraba en su establecimiento alguien de la aristocracia. Y ella bebería sosegadamente lo que le sirvieran mientras hacían desfilar ante ella los tejidos de última moda.

Sí, ya lo tenía todo muy claro.

Sería una dama, a su manera. Si no por nacimiento o matrimonio, porque era ridículo creer que el plan de las Featherton para comprometerla con el vizconde sobreviviera a la luz del día, pues lo sería por ella misma.

Encantada con esa idea, se sintió muy feliz.

Jenny abrió el cajón de su mesilla de noche y hurgó dentro en busca de sus guantes, pero lo único que encontró fue un cabo de vela enredado en trozos de hilo escarlata, tres botones de nácar de su vestido gris de mañana y una galleta, ya deshecha, que se guardó furtivamente en el bolso durante el baile Fuego y Hielo.

¡Porras! ¿Dónde estaban sus guantes? No podían haber salido caminando del cajón.

Ah, tuvo que ser una de esas malditas fregonas. Sencillamente lo sabía. Seguro que Erma entró a escondidas la tarde anterior y se los robó, cuando ella estaba fuera comprando la cinta que necesitaba.

Se dirigió a la puerta, dispuesta a ir a retorcerle el pezcuezo a la idiota, y al abrirla se encontró con Meredith.

—¡Ha llegado! —exclamó Meredith, casi saltando en las puntas de los pies, sin poder contenerse.

—¿Ya? Pero si todavía no son las cuatro.

—Pero ya llegó. Está en el salón con mis tías. Pero no te preocupes, Jenny, han prometido que una vez que te presentes desaparecerán por un rato.

—Pero no puedo verle ahora. Esas fregonas me han birlado los guantes.

A Meredith le brillaron los ojos de picardía.

—¿No encuentras tus guantes? —Le enseñó un paquete que había tenido escondido a la espalda—. Entonces tal vez te sirvan estos.

—¿Qué ha hecho, señorita Meredith?

Sonriendo, Jenny cogió el paquete, fue a sentarse en la cama y lo abrió. Casi no podía dar crédito a sus ojos. Sobre el papel estaban los guantes más hermosos que había visto en su vida, de cabritilla color marfil, sin duda suavísimos. Miró a Meredith sintiendo que los ojos le ardían por las calientes lágrimas que derramaba.

—Oh, señorita Meredith, son preciosos.

—Lamento que hayas creído que las criadas te cogieron los guantes. Tuve que cogerlos para ver tu talla, para que te quedaran bien. —Sonrió de oreja a oreja—. Pero no ha ocurrido nada malo, ¿verdad?

Jenny se echó a reír, y se enfundó las manos en los guantes forrados en satén.

—No, nada.

Meredith la puso de pie y alisó el vestido de color rojo vivo que estaba extendido sobre la cama.

—Es increíble lo que has hecho con este vestido. Si no lo supiera, creería que fue confeccionado en Francia.

—Bueno, no lo examine con demasiada atención. No he tenido tiempo para hacerlo todo bien. Las piezas están cosidas lo justo para que no se desarme.

Meredith retiró las manos.

—Entonces será mejor que no te muevas mucho.

—Exactamente lo que pensaba.

Viendo la sonrisa de Meredith comprendió que esta esperaba que se riera, pero no lo logró. La aterraba pensar que el vestido se le descosiera delante del vizconde.

Levantando con sumo cuidado el vestido, Meredith la miró.

—¿Necesitas ayuda para vestirte?

Aunque la divirtió la ironía de que una dama se ofreciera a vestir a su doncella, negó con la cabeza.

—No tendré ningún problema, de verdad. Pero, gracias.

—Te esperaré arriba. Procura darte prisa en subir. No te conviene hacer esperar a lord Argyll.

Con el corazón acelerado, Jenny se puso el vestido, después se pellizcó las dos mejillas, se miró una última vez en su espejo oval y salió en dirección a la escalera.

Meredith la estaba esperando en el vestíbulo.

—¡Mucho más apropiado! —comentó—. Te dejo aquí entonces. —Se le acercó a darle un rápido beso en la mejilla—. Simplemente procura que este sea el único beso que recibes, jovencita.

Jenny asintió y se quedó observándola hasta que desapareció por el corredor. Entonces puso la mano en la manilla de la puerta, y estaba a punto de entrar en el salón cuando oyó la profunda voz del vizconde:

—Sé que hace mucho tiempo, pero si pudieran recordar algo, cualquier cosa, podría tener algún significado para mí. Ella era pariente de ustedes, tiene que haber venido a visitarlas.

Jenny bajó la manilla y entreabrió la puerta lo justo para mirar.

Al parecer, la petición había hecho palidecer a lady Viola. En el tiempo que a ella le llevó entreabrir la puerta, la cara de la anciana se había puesto tan blanca como su níveo pelo.

Justo en ese momento Edgar, que sin que ella se diera cuenta había aparecido detrás de ella, levantó la mano por encima de su cabeza y abrió del todo la puerta.

Jenny lo miró y ahogó una exclamación al ver la expresión de sus ojos. La había sorprendido espiando a las señoras. Seguro que se lo diría a su madre. Como si no tuviera ya suficientes problemas con su madre.

Cuando se abrió la puerta, lady Letitia vio a Jenny y aprovechó para cambiar el tema de conversación.

—Lady Genevieve, lord Argyll ha venido a hacerte una visita. Entra, hija, y toma asiento.

Al instante lord Argyll se levantó del sillón y la miró a los ojos, con tanto interés que ella se ruborizó.

—Sí, señora —musitó Jenny y echó a caminar hacia el sofá.

A los pocos segundos estaba Edgar delante de ella con una bandeja de plata con copas de jerez; sus cansados ojos echaban chispas. Jenny miró a lady Viola, quien asintió haciendo un gesto hacia las diminutas copas.

Jenny cogió el pie de la copa de cristal entre los dedos, se echó el líquido ámbar por la garganta y dejó la copa vacía en la bandeja, sonriendo. Enseguida se le desvaneció la sonrisa al ver las caras horrorizadas de las hermanas Featherton.

Pero por el rabillo del ojo vio curvarse la boca del vizconde, como si algo le divirtiera; entonces pensó que tal vez su metedura de pata no había sido tan terrible.

Lady Letitia hizo un exagerado ademán mirando hacia todos lados del salón.

—Ay, querida, la botella de jerez ya está casi agotada. ¿Me acompañarías, hermana, a buscar una de las botellas del jerez especial que guardaba nuestro padre?

—¿No podría Edgar...?

—Ah, no, no. No sabría a cuál me refiero, hermana. Aunque sí podría traerla él cuando hayamos localizado la botella.

Diciendo eso lady Letitia agitó sus gruesas cejas blancas y miró significativamente hacia lord Argyll.

—Ah, claro, tienes toda la razón —exclamó lady Viola, y se volvió hacia el vizconde—. ¿Cómo va a saber Edgar a cuál botella te refieres? Qué tonta soy.

El vizconde volvió a fruncir la comisura de la boca, pero asintió y se puso de pie cuando las señoras salieron del salón con Edgar. Cuando se cerró la puerta tras el trío, se volvió hacia Jenny con un brillo decididamente pícaro en los ojos.

—Solos por fin, mi bonita muchacha.

Bueno, no ha tardado mucho, pensó Jenny. ¿Es que se creía que la iba a amilanar? Pues, estaba lamentablemente equivocado. Había mantenido a raya a lacayos más frescos cuando tenía catorce años. No, el desafío que él le presentaba sería puro juego, diversión. Porque ella tenía la ventaja; él la creía una verdadera dama, una damita inocente, algo que ella, para bien o para mal, no era. Además, no había la menor posibilidad en el mundo de que el vizconde le hiciera una propuesta de matrimonio, ¿entonces por qué no divertirse un poco?

Agitó las pestañas.

—Modere sus palabras, por favor, milord, las señoras van a volver aquí en cualquier momento.

—Un momento es lo único que necesito, muchacha.

Para mantener la farsa planeada por las señoras debería desmayarse o como mínimo apartarse bruscamente, horrorizada por esa franca declaración. Pero entonces se le descosería el vestido. Y al mirarlo a los ojos y verlos brillar con las chispas de pasión que ansiaba encender, simplemente dejó de importarle la farsa.

Tal vez fue que el jerez le calentó el vientre o tal vez era su crianza en la planta de los criados, pero algo la hizo olvidar el más mínimo decoro, y al instante siguiente levantó los brazos y con sumo cuidado los pasó alrededor del cuello del vizconde. Y además presionó sus húmedos labios sobre los de él.

Medio esperaba que su descaro lo horrorizara, lo repeliera. Pero no ocurrió ninguna de las dos cosas.

Él le pasó los brazos por la cintura y deslizó lentamente una mano por su espalda hasta dejarla apoyada en la nuca. Le retuvo la boca, deslizando la punta de la lengua por el borde de su labio superior y luego por el lleno labio inferior. Después se la introdujo en la boca, le exploró el suave interior y la hizo girar alrededor de su lengua, hasta que ella se estremeció y sintió que se le abría la costura de debajo del pecho.

Se apartó bruscamente y se apresuró a cruzar los brazos por debajo de los pechos, cogiendo disimuladamente la parte descosida entre el pulgar y el índice.

—Usted no es... no es el caballero que simula ser, milord.

Él se echó a reír perversamente y el sonido de su ronca risa le puso la carne de gallina en todo el cuerpo.

—Tú tampoco eres la dama que simulas ser.

Ay, Dios, ¿es que su impulsividad había puesto fin al juego tan rápido?

La angustia la embargó.

—¿Me permite preguntarle qué ha querido decir con eso, milord?

Él volvió a reírse.

—Ah, no te preocupes, querida mía. No dudo de tu linaje. Pero dentro de ti hay una pasión muy impropia de una dama, esperando ser liberada.

Jenny hizo un esfuerzo por parecer consternada, tal como debía estar.

—Se pasa de la raya, milord.

—Puedes llamarme Callum —le dijo él con esa voz baja, ronca—. Todas mis amantes me tutean.

—Callum —musitó ella, con la voz ronca, sin querer.

—¿Y cómo debo llamarte yo?

Y nuevamente se le escapó la palabra, sin haber sido invitada:

—Jenny.

Santo cielo, ¿qué he dicho? Lo miró fijamente, como si lo viera por primera vez; y era cierto.

—No... no tengo ninguna intención de convertirme en su... en su amante.

—¿No, Jenny? Tu beso me ha dicho otra cosa.

Sin dejar de sujetarse la parte abierta de la costura con la mano izquierda, extendió el índice de la mano derecha y se lo clavó en el musculoso pecho, y lo aprovechó como palanca para empujarlo y apartarlo.

—Es usted un libertino de primera clase.

—Sí, pero ya te dije eso cuando nos conocimos. Y creo que sabes, porque también te lo dije, que nunca miento.

Justo entonces se abrió la puerta y aparecieron las hermanas Featherton procedentes del corredor.

—Aquí estamos con el jerez especial —canturreó lady Viola.

Callum se giró a mirarlas.

—Me temo que debo marcharme, porque tengo que atender unos asuntos.

Un suspiro al unísono salió de las bocas de las ancianas.

—¿Nos volveremos a encontrar, milord? —le preguntó lady Viola dulcemente—. Iremos a tomar las aguas mañana a la una, un poco más tarde que de costumbre. ¿Tal vez le veremos ahí, entonces?

Callum esbozó una sonrisa sesgada.

—Podría ser, milady, podría ser.

Y puesto que estaba a punto de marcharse, salió bruscamente sin añadir ni una sola palabra más.

De buena me he librado, pensó Jenny. No iba a permitir que un sinvergüenza de sangre azul le arruinara la vida, como le ocurrió a su madre. Y cuanto más tiempo estuviera él en su presencia, más probabilidades había de que le ocurriera.

Ojalá no fuera tan condenadamente guapo.

Capítulo 5

¡*I*mposible! ¿Caballeros y damas bañándose juntos? ¿Lo sabría su madre?, pensó Jenny. ¡O el señor Edgar! Tal vez si él supiera que la alta sociedad no veía nada malo en que se bañaran hombres y mujeres juntos dejaría de amenazar con despedir a las chicas de la cocina simplemente por besar a los lacayos.

Vestidas con uniformes de baño que Jenny suponía eran apropiados, unos trajes amarillos parecidos a sacos, ceñidos por un cordón bajo los pechos, ella y Meredith llevaron en silla de ruedas a lady Letitia hasta los peldaños, la ayudaron a meterse en la humeante agua y luego se metieron ellas, encantadas.

Aunque el traje de baño que Meredith le había prestado le producía picor en la piel, encontraba maravillosamente agradable el agua caliente, sobre todo ese día en que hacía tanto frío. Aunque tenía que reconocer que se sentía bastante tonta caminando con el agua hasta el pecho, con una bandeja de mimbre con hierbas y flores medicinales flotando delante de ella, sujeta a su cuello por una ancha cinta. Y para perfeccionar la ridícula apariencia, llevaba su mejor papalina en la cabeza. Todas las damas las llevaban. Y la mayoría de los caballeros llevaban sus sombreros de copa. En su opinión, todo ese asunto rayaba en la idiotez.

¿Y se suponía que ese «tratamiento» curaba las dolencias? ¡Bah!, qué tontería. Alguien les estaba tomando el pelo en grande a los aristócratas, y ellos pagaban por el privilegio.

De todos modos, lady Letitia acudía a los baños varias veces a la semana, sin falta, por su gota. En realidad, ese era justamente el motivo de que hubieran dejado la casa de Londres para venir a Bath, por las aguas supuestamente medicinales.

Comer un poco menos sería un remedio mucho mejor, pensaba ella. No podía hacerle bien a la señora andar por ahí acarreando todo ese peso.

La estela dejada por una pareja al pasar casi le volcó la bandeja, pero recordando las instrucciones de sus señoras, continuó tan serena y gentil como si estuviera en el salón de baile de las Upper Assembly Rooms y no metida hasta el pecho en un agua que olía a huevos hervidos.

Sintió una cálida mano en la espalda, casi acariciándosela; sonriendo se giró esperando ver a Meredith. Pero a medio giro vio que la jovencita estaba sentada en la orilla moviendo los pies y salpicando agua, fastidiando a todas las personas que estaban cerca.

—Me gusta cómo se te pega el traje de baño mojado, muchacha. Eso hace más fácil imaginarte cómo te hizo el buen Dios.

—Usted —gruñó Jenny.

Se giró bruscamente y el remolino que formó le subió el traje hasta los muslos. Tironeándolo lo bajó hasta las turbias profundidades.

—Acordamos que me tutearías y me llamarías Callum —le susurró él al oído.

—Váyase, por favor. Seguro que las señoras le van a ver.

—Y creo que se sentirían muy complacidas. No puede ser un secreto para ti que desean un matrimonio por amor entre nosotros.

—Puede que sí, pero usted, milord, no tiene la menor intención de proponerme matrimonio. —Lo miró indignada—. No soy tan ingenua como me cree. Conozco sus verdaderas intenciones, y estas tienen que ver con una cama, no con un anillo.

Callum sonrió al oír la acusación, pero esta no sirvió para hacer aflorar al caballero que había en su interior. En lugar de eso, ella sintió una ancha mano ahuecada en sus nalgas. Se le escapó una exclamación ahogada, sin saber qué hacer, mientras él la empujaba por el agua a una velocidad que dejaba una honda estela detrás de ellos, hasta que llegaron a una ancha columna cerca de una esquina del estanque.

Entonces el pícaro vizconde desapareció de su vista. La asaltó un pensamiento horroroso así que miró el agua, tratando de ver hasta el fondo; arrastró los pies, levantó las piernas golpeando el agua. Pero él no estaba ahí.

Desconfiada, levantó la vista hacia la columna y se acercó lentamente para asomarse a mirar al otro lado. Entonces sintió el sonido de agua chorreando, como si fuera de una manga de camisa mojada; ese sonido le dijo que lo había encontrado. Bueno, de ninguna manera se iba a acercar. Sabiendo que estaba ahí, simplemente retrocedería en silencio.

Puso un pie atrás y apoyó el peso en él. Entonces salió una mano y le cogió la muñeca y la acercó a la columna.

Asustada, lanzó un grito. Mientras tanto él la apoyó en la parte lateral de la columna, justo en un rincón donde no los veía nadie; al mismo tiempo le cubrió la boca con la mano, volcando la bandeja con flores y soltando la cinta que se la sujetaba al cuello.

Con los ojos desorbitados y la respiración agitada, con la mano de él tapándole la boca, sentía subir y bajar los pechos apretados contra la dura superficie del pecho del conde, que la tenía bien sujeta apoyada en la columna de piedra.

Entonces él le sonrió. Ah, esa sonrisa, la que se podía esperar de un Don Juan de Bath, del gran seductor de mujeres.

Logró calmar la respiración, y cuando por fin él quitó la mano de su boca, lo miró con una ceja arqueada.

—¿Qué juego es este, Argyll?

Él también arqueó una ceja.

—No es ningún juego. Me gustó muchísimo tu beso ayer, y se me ocurrió obtener otro.

—¿Ah, sí? —Sintió un inesperado hormigueo en la piel y horrorizada sintió duros los pezones rozando la áspera tela del traje de baño mojado—. Pues bien, milord, no lo obsequiaré con otro.

—No era un obsequio lo que te pedí.

La miró fijamente a los ojos y ella volvió a respirar agitadamente.

Entonces él se pasó la lengua por el labio superior y se inclinó con la cabeza ladeada para besarla.

Aaay, Dios... salve al rey. De repente se le estremecieron los muslos y sin darse cuenta lo rodeó con los brazos. Cerró las manos en su camisa amarilla empapada y luego las subió hasta sus anchos hombros.

Bajo el agua sintió su miembro duro presionándola y, sin pensar, levantó una pierna y la apoyó en la corva de la rodilla de él, al mismo tiempo apretándolo más firme contra ella.

Entonces él apartó la boca y la miró sorprendido.

Jenny se sintió invadida por una humillante vergüenza, pero de ninguna manera le iba a dar la satisfacción de saberlo, por lo tanto alzó el mentón y arqueando una impertinente ceja lo obsequió con una sonrisa triunfal.

Él sonrió.

—Vaya, lady Genevieve, eres toda una paradoja. Muy interesante.

Jenny sintió un pequeño temblor, pero no tardó en recuperar el aplomo.

—Simplemente quise darle a probar... —se le acercó a rozarle suavemente la boca con sus labios y lo oyó suspirar—, lo que nunca tendrá.

Acto seguido, emitiendo una risa forzada, le plantó las manos en el pecho y lo empujó, haciéndolo caer bajo el agua.

—Buen día, milord —dijo entonces con toda frescura y, saliendo de ese rincón formado por la columna, echó a caminar por el agua en dirección a la señorita Meredith.

Al cabo de una hora las damas ya se habían vestido e iban caminando por la Pump Room para beber las aguas.

Cuando llegaron al lugar donde estaba la fuente, Jenny puso en la palma del encargado la corona que le había dado lady Letitia. Pasó una taza con el agua a cada una de las hermanas Featherton, otra a Meredith y luego cogió la suya y se la llevó a los labios.

Primero la olió, sintiendo el aroma a sal, después bebió un sorbo del agua tibia, la que al instante le produjo bascas involuntarias. ¡Qué asquerosidad!

Miró a las dos ancianas y luego a Meredith, quien tenía cogida la nariz entre los dedos para poder tragarse el agua.

¿Cómo podían beber esa porquería las señoras Featherton? Sabía a agua de mar tibia; un agua de mar densa, tibia, que olía a huevos. Muy bien, pues, no bebería ni una sola gota más, y le importaba un bledo que costara tres peniques la taza de lata.

Esbozando una recatada sonrisa caminó hacia una ventana y al pasar junto a una palma plantada en una maceta la regó subrepticiamente con el agua más cara de todo Bath.

Al girarse no pudo dejar de maravillarse al contemplar la enorme sala. O mejor dicho a las personas que estaban dentro. Damas y caballeros muy adinerados y de evidente refinamiento se mezclaban entre ellos bebiendo el agua. Y ni una sola persona hacía un mal gesto ni se encogía por el asqueroso sabor. Extraordinario.

Pero más extraordinarias aún eran las vestimentas de las mujeres, porque, si no se equivocaba, lady Marshall llevaba una prenda sobre la que acababa de leer en la revista *Mirror of Fashion*,* un capote o gabán, que podía ser de lana o piel, forrado en seda, al que en Inglaterra llamaban *witzchoura*.

Este era de una lana superfina lila con blanco y estaba forrado por lo que parecía ser la más fina seda china. Su finalidad era proteger a su dueña de las inclemencias del tiempo y evitar que se arrugara el vestido que llevaba debajo. La maravilló la exquisita apariencia de lady Marshall, porque el witzchoura era una prenda de abrigo muy elegante para el día e incluso para fiestas nocturnas.

Escasamente había tenido el tiempo para analizar la utilidad del witzchoura cuando vio a otra mujer que llevaba el sombrero más divino que había visto, en forma de cucurucho, de terciopelo y seda escarlata adornado con encajes.

Vamos, ¿por qué no se le ocurrió traer su libreta para tomar apuntes? Era como si *La Belle Assemblée* hubiera cobrado vida en la Pump Room, y ahí estaba ella sin los medios para poner por escrito sus observaciones.

* *Mirror of Fashion: Espejo de la moda. (N. de la T.)*

Entonces fue cuando lo vio y al instante comprendió que debía tenerlo. Cerca de ella pasó una jovencita escasamente mayor que Meredith con un vestido de vaporosa organza estampada adornado con vueltas y vueltas de cordones de suave piel blanca y negra. La falda era de un largo moderado pues dejaba a la vista los zapatos de satén blanco a juego con los guantes de cabritilla. Las mangas anchas parecían deslizarse desde los hombros dejando al descubierto el escote y parte de la espalda de la chica, escote de buen gusto, por supuesto. La estuvo mirando todo el tiempo que le permitía el decoro, fijándose en cada mínimo detalle y tratando de memorizarlo todo.

—Te quedaría mucho mejor a ti, querida —le dijo una voz en el interior de la cabeza.

—Lo sé —contestó, soñadora, antes de caer en la cuenta de que la voz no había sonado dentro de su cabeza sino que provenía del pícaro vizconde, que estaba a su lado.

Recogiéndose las faldas para separarlas unos dedos del suelo, caminó hasta una de las magníficas ventanas y se asomó a mirar la calle, con la esperanza de que si no le hacía caso, el escocés la dejaría en paz. Tal vez incluso podría fijar la mirada en alguna otra presa digna.

Pero a pesar de su intención de no hacerle caso, le retumbaba el corazón en el pecho y se le hacía cada vez más terriblemente difícil obedecer a su orden de no girarse a mirarlo. Eso le daría aliento y lo haría ver su incomodidad; por lo tanto continuó mirando hacia fuera.

Allí fuera, a unos cuantos palmos de la ventana, estaba un hombre muy bajito, que le llegaría a ella a la mitad del muslo.

Bueno, ese sí era un hombre único, ¿no?

Apoyó la frente en el frío cristal para observarlo mejor. Llevaba la ropa arrugada y manchada, pero no se veía ningún roto en ella. Brillando a la tenue luz, un diminuto sombrero de copa le cubría la cabeza muy grande para su tamaño, una cabeza de forma bastante rara, parecida a un globo que vio una vez en ascenso en el Hyde Park de Londres.

Pero tal vez lo más extraordinario del hombrecillo era que les estaba prácticamente ladrando a tres aristócratas, quienes lo miraban sonriendo burlones.

Fascinada observó a esas tres personas elegantemente vestidas pasar cerca del hombrecillo y entrar en la Pump Room. Dos eran petimetres con sus bastones y la otra una mujer con un brillante turbante color escarlata.

Les encontró algo raro a esas tres personas. Cuando oyó abrirse la puerta se sintió impulsada a girarse para mirarlas, pero al hacerlo se encontró con Callum delante de ella, que la estaba mirando con esa engreída sonrisa sesgada.

Haciendo un mal gesto, ladeó la cabeza para mirar al trío. Los tres iban caminando hacia la fuente. Al observarlos más de cerca notó que no eran tan elegantes como le pareció al principio. El vestido de la mujer había estado muy de moda, por lo menos unos cinco años atrás, y las joyas que le brillaban en el cuello y la muñeca eran claramente bisutería. Pero fueron sus zapatos, o mejor dicho sus botas, las que la hicieron pensar. No eran en absoluto finas; en realidad, las fregonas de la casa Featherton llevaban botas de piel más fina.

Pasando por un lado de Callum siguió distraídamente a los extraños personajes, observándolos y analizándolos.

—¿Me vas a dejar por otro, muchacha? —preguntó entonces la ronca voz del escocés.

Jenny lo miró y entonces se le ocurrió la idea. Llamaría menos la atención observando a los recién llegados si iba del brazo de lord Argyll, por lo tanto lo obsequió con su más radiante sonrisa y le tocó delicadamente la manga de la chaqueta, a la altura del antebrazo, teniendo buen cuidado esta vez de no rozarle por casualidad la escarcela de piel de tejón.

Pero al pasar por su cabeza ese pensamiento, sin darse cuenta sus ojos miraron hacia la escarcela que le colgaba bajo la cintura.

Callum arqueó las cejas, divertido.

—¿Te apetece ver lo que llevo dentro, milady? Tal vez así quede bien saciada tu curiosidad.

Jenny sintió arder las mejillas y se apresuró a buscar con la vista a Meredith y a las señoras. Las divisó en el otro lado de la sala, observándolos. Entonces lo miró sonriéndole.

—Preferiría dar una vuelta por el salón, milord, si me hace el favor de acompañarme.

Le agradó que, sin hacer ninguna réplica ingeniosa ni un gesto engreído, él levantara el brazo y amablemente lo flexionara para que ella se cogiera.

Cuando iban caminando lentamente por el salón de elevado cielo raso y pisando la suerte de tablero de ajedrez formado por los claros y sombras creados por la luz que entraba por los paneles de las ventanas, Jenny cayó en la cuenta de que se sentía totalmente cómoda en compañía del pícaro vizconde.

Eso era raro, porque él la provocaba más que cualquier otro hombre que hubiera conocido. Y aún cuando en su tiempo había besado a unos cuantos ayudas de cámara y lacayos, sólo los besos de Callum le alborotaban los sentidos.

Vamos, déjate de pensar en besos y cosas de esas, se regañó. Esos pensamientos podrían tentarla a actuar de modo lascivo, y no quería arriesgarse a repetir el error de su madre y quedar en situación apurada: con un hijo y sin los medios para mantenerlo.

Pero cuando Callum cerró la mano izquierda sobre la suya en gesto protector, y el costado de su pecho quedó firmemente apoyado en su sólido brazo, en lo único que se le ocurrió pensar fue en quitarle la chaqueta y la camisa para verlo con el pecho desnudo, sólo con la falda, tal como lo había visto en sus sueños esas últimas noches.

Pues, al parecer tenía mucha sangre de su madre en ella; el tipo de sangre que hace a una chica desear cosas que no debe hacer. En realidad, no la sorprendería nada descubrir que era en parte gitana o incluso medio francesa. Porque esa gente sí era apasionada, ¿no?

Cuanto más lo pensaba, más lógica le encontraba. Seguro que era francesa. Eso explicaría mucho: su fascinación por los vestidos elegantes y de última moda... su deseo de hombres, o por lo menos de uno.

El que iba caminando a su lado.

En la frente comenzaron a acumulársele gotitas de sudor, como perlas en semilla, mientras trataba de pensar en algo, en cualquier cosa que no fuera Callum con sólo su falda. Maldito el hombre. Seguro que sabía lo que hacía a una mujer la vista de sus musculosas piernas y, siendo el libertino que era, también sabía las turbulencias que esa visión causaba debajo de las enaguas.

—¿Por qué vamos al paso de la mujer de rojo? —le preguntó Callum en voz baja.

—¿Qué? —Jenny cayó en la cuenta de que sin querer se había situado paralela al hombre amigo de la dama sospechosa—. Ah, ella. Me gustó su vestido y quería mirarlo mejor.

Pero la mujer se había dado cuenta del examen de Jenny y la estaba mirando con la cara congestionada por el fastidio.

¿Tan indiscreta he sido?, pensó Jenny, desviando la cara. Sonriéndole alegremente a Callum, le tironeó el brazo para que giraran a la derecha.

—Pero ahora que lo he visto de cerca me doy cuenta de que no me gustaría para mí —dijo.

Callum arqueó una oscura ceja y giró la cabeza para mirar a la mujer por encima del hombro. La mujer los estaba mirando sin el menor disimulo.

La descarada.

Repentinamente un chillido rompió la relativa quietud del salón.

Jenny giró la cabeza y vio a una anciana con una larga asa de bolso en la mano.

—¡Mi bolso! ¡Me han robado el bolso! —exclamó la anciana, levantando el asa rota para que todos la vieran—. ¿Lo veis? Lo han cortado.

Al instante Jenny buscó con la vista a la mujer de rojo. Esta estaba con uno de los caballeros con los que entró, con expresión horrorizada.

¿Y dónde estaba el otro caballero, el más afeminado, el más acicalado como petimetre? Lo buscó por entre el gentío, pero no lo vio por ninguna parte.

Soltando el brazo de Callum, corrió hacia una de las altas ventanas y miró fuera. Ahí, justo al otro lado de la calle, estaba el hombre pequeño. Al verla, él levantó su sombrero e inclinó la cabeza, a modo de saludo que a ella le pareció burlón.

Entonces tuvo la seguridad de que él estaba implicado. Tenía que decírselo a alguien. Se giró rápidamente y estuvo a punto de chocar con Meredith.

—Ah, gracias a Dios. Mire, Meredith —dijo, llevándola hasta la ventana—. Creo que él podría haber robado el bolso.

Al oír esas palabras, por la cara de Callum pasó una expresión de resolución. Cuando él salió corriendo por la puerta en dirección a la abadía, moviendo enérgicamente sus musculosas piernas, Jenny sintió pasar un estremecimiento de excitación por todo el cuerpo.

¡Qué humillante! Con sólo ver un ligero revuelo de su falda se le alborotaba el corazón.

Mientras tanto Meredith movía la cabeza de un lado al otro, con los ojos agrandados.

—¿A quién te refieres Jenny? Yo no veo a nadie.

—¿Qué quiere decir? ¡A él! —exclamó Jenny apuntando, pero al seguir la dirección de su dedo no vio otra cosa que el sucio panel de la ventana—. ¡Pero si estaba ahí! Un hombre muy pequeño, apenas le llegará más arriba de la rodilla a lord Argyll, y llevaba un inmenso sombrero de copa.

Meredith se echó a reír.

—Uy, Jenny, me estás tomando el pelo. Y pensar que por un momento te creí. —Acercándose para hablarle al oído, añadió—. No debes jugar con esto. Todos están muy afectados por el robo. Tenemos a un ladrón en nuestro redil, ¿sabes?

Jenny asintió.

—Sí, por supuesto, tiene razón. Aunque el alboroto es bastante divertido, ¿verdad?

Meredith se puso un dedo en la boca, riendo como una niñita de seis años.

—He de reconocer que lo es.

—Vamos, vamos, niñas —exclamó entonces lady Letitia caminando lentamente hacia ellas, dando palmadas con las manos enguantadas y haciendo un ruido parecido al de cascos de un caballo al galope—. Se acabó el alboroto y yo, por mi parte, estoy totalmente agotada con todo esto. Será mejor que nos vayamos.

Lady Viola se dio una vuelta en círculo apoyada en su bastón.

—No veo a lord Argyll. ¿Adónde podría haber ido?

—Creo que tal vez vio al ladrón, porque salió corriendo del salón sin siquiera echar una mirada atrás —explicó Jenny—. Es posible que haya seguido al pequeño hombrecillo. No era más grande que un elfo.

Lady Letitia la miró como si creyera que se había vuelto loca.

—Bueno, si su presa es tan pequeña no tendrá ninguna dificultad en darle alcance. De todos modos, no siento ninguna inclinación a esperar que aparezca con... un elfo. —Hizo un guiño a su hermana, giró sobre sus talones y lanzó su imponente figura en dirección a la puerta—. Además —añadió cuando ya iban caminando—, sin duda ya han llamado a la policía y seguro que todo se arreglará en un santiamén. Este es Bath, después de todo, y nada, absolutamente nada nefasto ocurre aquí.

Jenny miró de reojo a Meredith.

—Tiene razón, nunca ocurre nada en Bath.

Meredith le sonrió con gesto de complicidad.

Cuando las señoras Featherton salieron y comenzaron a instalarse en sus sillas de manos como de costumbre, Jenny se atrevió a mirar atrás por encima del hombro, por si veía a la mujer de rojo.

Santo cielo. Le costó creerlo. La mujer la estaba mirando a ella... todavía. Se le agrandaron los ojos por la sorpresa cuando la mujer se inclinó en una torpe reverencia hacia ella y el hombre que la acompañaba hizo un amplio gesto con un brazo y luego se inclinó por la cintura.

—¿Y eso? —preguntó Meredith, pasándole el brazo bajo el codo y llevándola hasta la puerta.

—La verdad es que no lo sé —contestó Jenny, mirando nuevamente al par por encima del hombro y entrecerrando los ojos—. Pero es mi intención descubrirlo antes que acabe esta semana.

Jenny bajó a la planta de la servidumbre con la intención de cambiarse el vestido de día, porque no quería ensuciarlo en sus quehaceres domésticos. Pero antes de llegar al último peldaño se encontró con su madre, cruzada de brazos y con expresión molesta.

—¿Oyes eso, Jenny? ¿Lo oyes?

—¿Oigo qué?

Pero antes de que acabaran de salirle esas dos palabras por la boca oyó algo. Un cacareo de risas femeninas mezcladas con roncas voces masculinas. Procedían de la cocina.

—Entra ahí inmediatamente y encárgate de solucionar esto. Le prometí al señor Edgar que no volvería a ocurrir y no volverá a ocurrir. ¿Me entiendes, hija?

Jenny no tenía idea de a qué se refería su madre, pero todo le quedó claro en el instante en que entró en la cocina.

Annie.

Y por lo menos una buena docena de fraile de criados de casas de todo Bath.

En el instante en que la vieron se abalanzaron todos dejándola atrapada contra el tajo.

—¡Esperad un momento! —gritó—. Dadme un momento, por favor.

Todos retrocedieron, criadas y lacayos (incluso había un mayordomo, de la residencia Oliver nada menos) y el vocerío disminuyó a un simple murmullo.

—Eso está mejor —dijo Jenny tranquilamente—. ¿He de suponer que todos habéis venido a comprar un bote de la crema afrodisíaca? Simplemente asentid si es así.

Les miró las caras y todos asintieron, a excepción del mayordomo de la casa Oliver.

—Y usted, señor, ¿no ha venido por un bote?

—No —zumbó el hombre—, he venido por tres botes.

Se elevaron risitas en el grupo.

—Sólo tengo cuatro...

Aún no terminaba la frase cuando todos volvieron a abalanzarse sobre ella. Por todos lados recibía codazos y pinchazos con las esquinas de cestas, y ante su cara fueron apareciendo bolsas con monedas, pues todos los criados rivalizaban por llevarse los cuatro botes que le quedaban.

Cáspita, su madre tenía razón; eso no podía continuar. Pero no estaba dispuesta a renunciar al dinero; lo necesitaba muchísimo.

—¡Basta! —gritó, al formarse repentinamente un plan en su cabeza—. Satisfaré vuestros pedidos muy pronto, pero debéis guardar silencio. Por favor.

Cuando todas las lenguas se quedaron quietas, fue a coger la canasta con calabazas de invierno, le quitó las calabazas y la puso sobre el tajo.

—Cada noche dejaré esta canasta fuera de la puerta de servicio. Si deseáis comprar un bote, poned una piedra dentro. Por la mañana dejaré un bote por cada piedra. Os lleváis el bote y dejáis una guinea por bote. Tenéis que respetar este sistema. Si no encuentro una guinea por bote dejaré de satisfacer pedidos. ¿Está claro?

Annie se puso las manos en las caderas.

—La habéis oído. Nadie entra aquí, y ni siquiera golpea la puerta. Colocáis los pedidos en la canasta o no recibís nada. Decidlo a todos los demás.

Y todo quedó convenido. Así sería mucho más fácil.

O al menos eso pensaba Jenny, hasta esa noche, ya tarde, cuando se asomó a mirar la canasta y encontró veintiséis piedras dentro.

Capítulo 6

*U*na tenue luz grisácea entraba por la ventana cuadrada de la despensa de trabajo dejando en la sombra la mesa en que Jenny tenía apoyada la cabeza. Abrió los ojos notando sólo a medias las campanadas del enorme reloj de arriba anunciando las seis.

—Ay, la mañana, ya —gimió.

Levantó con esfuerzo la cabeza, dominada por el agotamiento. Al retirar el taburete de la mesa para ponerse de pie, rozó con la mano uno de los treinta botes de crema de menta que había logrado preparar durante la noche. Bostezando, se desperezó lentamente, estirando los brazos por encima de la cabeza para desentumecer los doloridos músculos.

Señor, qué cansada estaba. ¿Cuánto rato había dormido? ¿Una hora tal vez?

Por el rabillo del ojo vio el vestido color lavanda que debía rehacer, tirado lastimosamente sin tocar sobre su cesta de costura. Ese vestido era otro desechado por Meredith, y le daría bastante trabajo convertirlo en algo medianamente elegante, pero era angustiosa su necesidad de tener otro vestido si quería continuar con su disfraz de dama.

Exhaló un largo suspiro. El día simplemente no tenía horas suficientes para cumplir sus obligaciones como doncella de señora, preparar y envasar la crema y atender a sus necesidades como lady Genevieve.

Con gran diligencia metió los treinta botes en la amplia canasta y se dispuso a abrir la puerta para colocarla fuera. Retrocedió bruscamente al sentir el golpe de aire frío y ver a cinco miembros de la servidumbre de Bath que estaban esperando pacientemente en el minúsculo patio.

—¡Buenos días, Jenny! —la saludó una camarera de salón, con una voz tan alegre como una guinea dorada.

Cielos, debo tener un aspecto desastroso, pensó Jenny, apresurándose a recogerse el pelo suelto que le caía sobre la cara.

—He hecho cuatro extras —anunció sin más—, por si alguno necesita más de lo que ha pedido.

—Yo esperaba sacarte otro con halagos —dijo Horace, el lacayo dentudo, avanzando unos pasos y vaciando su bolsa de piel en la bien dispuesta mano de Jenny.

Dos guineas, ¡dos!, y el día aún estaba por empezar. Se sintió casi mareada. Aún no habían pasado más de tres minutos cuando dejó los dos botes sin vender en la canasta y entró con veintiocho guineas en las manos.

Era rica, ¡rica!

Entró casi saltando en la cocina, con el ánimo tan ligero como una sobrefalda de tul.

Bueno, lo celebraría ese día convenciendo a la señora Russell de hacerle un vestido de inspiración francesa. Incluso se lo pagaría por adelantado para que trabajara rápido, pues, Dios sabía, podía permitirse ese gasto extra. Al fin y al cabo todavía tenía material para una semana de trabajo en la preparación de la crema, y siempre podría pagar las deudas en las tiendas después. ¿Qué importancia podían tener unos pocos días más?

Además, apresurar la confección del vestido no era simplemente por darse un gusto. Era una necesidad absoluta, imperiosa, maldita sea, porque ¿quién podía saber en qué momento se cansarían del juego las señoras Featherton y pondrían fin a sus incursiones en la sociedad?

Sus ojos se posaron en el juvenil vestido lavanda que estaba encima de su costurero. Sería mejor que empezara inmediatamente el arreglo de ese vestido. Cuando cogió la cesta de costura, al instante recordó su cansancio, porque con cada paso que daba, el escaso peso de la cesta le producía dolorosas contracciones en la espalda.

Entonces una idea le golpeó la mente como un rayo luminoso. ¡Pero claro! Ahora que tenía un par de guineas, tal vez podría robarle un poco de tiempo a la costurera de la viuda McCarthy, de la casa vecina. Sí, podría pagarle para que le rehiciera el vestido, según sus especificaciones, lógicamente.

Cuando abrió la puerta de su pequeño dormitorio no se atrevió a mirar la cama, no fuera que la tentara a meterse bajo las calentitas mantas. Simplemente cogió su cepillo de cerdas de jabalí y su pequeño espejo con la intención de arreglarse un poco. Pero cuando sonrió al espejo se le evaporó toda la alegría y ánimo ligero al ver las oscuras ojeras y la enfermiza palidez de su piel.

Caracoles, estaba decididamente horrible. ¿Por qué no se quedó uno de los botes de crema facial? Sin duda nadie necesitaba más que ella sus efectos rejuvenecedores esa mañana.

Salió corriendo del dormitorio, pasó por la cocina, abrió la puerta de servicio y miró la canasta.

¡Porras! Los dos botes habían desaparecido.

En su lugar había dos bolsas de tela casera con monedas, además de nueve piedras. ¡Nueve! Dios santo, ¡no más pedidos!

Gimió al pensar en otra noche sin dormir.

Cogiendo el asa de la canasta, entró en la cocina, pasó por un lado de las fisgonas fregonas y entró en su dormitorio.

No sobreviviría. Vamos, si sus párpados parecían estar esperando que los cerrara para pestañear para continuar cerrados unas buenas cuatro horas.

¿A quién se le hubiera ocurrido pensar que ser una dama sería tan difícil?

Cuando el reloj dio las diez, Meredith ya estaba por fin vestida y sentada a la mesa del comedor desayunando con las dos señoras Featherton. Aunque conversaban en susurros, con sólo un pequeño esfuerzo Jenny lograba oír lo bastante para saber que las casamenteras estaban urdiendo un plan para atraer a lord Argyll a su casa.

A las diez y media Jenny ya había acabado de planchar, o por lo menos esa era la impresión que daría si alguien se acercaba a mirar. La verdad era que sólo había planchado tres enaguas de Meredith y las había aprovechado para cubrir la ropa arrugada que seguía en la cesta.

De todos modos, no la volverían a necesitar hasta un poco antes del té, por lo tanto decidió aprovechar ese excepcional tiempo entre obligaciones para ocuparse de sus muy urgentes necesidades relativas a la elegancia.

Mirando recelosa alrededor, cogió la capa de lana de su madre del perchero cercano a la puerta de servicio y se la puso sobre los hombros.

La capa le producía picor en los brazos y en el cuello como un ejército de hormigas. Pero tenía que ponérsela, porque con ella podría ocultar el enorme paquete que contenía el vestido lavanda desarmado el tiempo suficiente para llegar a la puerta de servicio de la casa vecina.

Vaya por Dios, la capa era horrible, no soportaría verse con ella. Por lo tanto, antes de salir, fue a su dormitorio y sacó del ropero la caja de satén de la sombrerería Matilda's y se puso la papalina de terciopelo más espléndida que poseía. Así, razonó, si alguien la veía, la hermosa papalina atraería su mirada y no se fijaría en la horrenda capa.

Por fin salió y con el mayor sigilo llegó hasta la puerta de servicio de la casa vecina y entró. Allí se encontró con Molly, la chica costurera de la viuda, la que, tal como había esperado, se mostró muy entusiasmada por poder ganarse unas cuantas monedas a escondidas de su señora.

Realizada esa tarea, se dirigió a Trim Street para encargarle el vestido a la señora Russell, y después se encaminó por fin al centro de Bath.

La verdad sea dicha, no veía las horas de estar cerca de la Pump Room. No iba a entrar, lógicamente, vestida con esa capa raída; sólo tenía la intención de vagar un poco por los alrededores, para esperar y observar.

Se había convencido de que estarían ahí la misteriosa mujer de rojo, la de las botas desgastadas, y sus dos caballeros amigos, con algún malvado plan de robar a la gente más rica de Bath.

Cuando iba pasando junto a la Pump Room se detuvo a mirar por una de las ventanas, pero no vio señales del terrible trío.

Muy decepcionada por no haber tenido entretenimiento, finalmente giró sobre sus talones y echó a andar en dirección a Royal Crescent. Tenía que terminar de planchar, luego limpiar zapatos, y preparar crema en el cuarto de trabajo, en secreto, claro. Esas tareas tendrían que darle la diversión del día.

De pronto se abrió el cielo y comenzó a caer una lluvia fría como para congelar hasta la médula de los huesos. Se arrebujó la capa de lana de su madre.

En realidad era un aguacero el que caía, así que a los pocos minutos estaba empapada hasta la camisola. Entonces sintió mal olor. Olfateó y comprendió que el hedor procedía de ella.

Vamos, fatalidad, la capa empapada la hacía apestar como ovejas mojadas.

Enfadada miró hacia el cielo nublado y atravesó chapoteando el patio de la abadía. No había ni un asomo de color azul en ninguna parte del cielo así que si no buscaba un refugio pronto no tardaría en coger un horrendo catarro. Y ese sería el fin de la grandiosa lady Genevieve.

Toda la servidumbre de Bath iría a sus funerales, pensó. Irían, seguro, y durante su entierro no se plancharía ni una sola camisa en la ciudad ni se prepararía ni una sola comida ni se encendería un hogar. La idea la hizo sonreír, y apresuró el paso.

Los aristócratas se sentirían desconcertados y ultrajados por ese paro en el trabajo, y se despertaría la curiosidad del misterioso columnista de cotilleo.

Frunció el entrecejo al pensar eso, porque ese acontecimiento desencadenaría su caída. Siendo del tipo curioso, sin duda el columnista investigaría el silenciado pasado de esa gran dama tan admirada por todos los criados. El columnista haría averiguaciones y husmearía por todas partes. Y al final revelaría la verdad, lo que ella era en realidad. ¡Qué horror!

¿Qué pensaría Callum de ella entonces?

Entrecerrando los ojos miró alrededor, buscando un posible refugio. Justo ahí estaba la abadía, aunque la cortina gris de la fría lluvia ocultaba sus elevadas agujas. Era un truco de la luz y la niebla, seguro, pero parecía que ese día los ángeles tallados en piedra, que subían por las escaleras hacia el cielo tenían por fin la oportunidad de llegar a su destino.

Puesto que ya había acabado hacía dos horas el servicio religioso de esa mañana, entró en la iglesia con el fin de prevenir su muerte y su desenmascaramiento final como doncella de señora.

Sus botas resonaban fuerte al avanzar por el largo pasillo. Silenciosa se sentó en un banco lateral y contempló maravillada y sonriente la magnífica bóveda en abanico y los coloridos y luminosos vitrales de los ventanales del fondo y del triforio.

Qué paz más deliciosa, y qué silencio. Ahí podría estar sola con sus pensamientos más íntimos y sagrados, y de paso pensar en el corte de su próximo vestido de baile, porque seguro que necesitaría otro pronto.

El sonido de una tos atrajo su mirada hacia la entrada de la iglesia. Al otro lado de uno de los arcos, casi oculto en la oscuridad bajo los grandes vitrales, estaba de pie un hombre muy alto.

Buen Dios, pensó, inclinándose para ver mejor. ¿Llevaba falda?

Se levantó muy lentamente y caminando de puntillas para que el ruido de los tacones no anunciara su aproximación, pasó bajo el arco. Él le daba la espalda, pero cuando ya estaba más cerca no le cupo la menor duda de que ese hombre de anchos y fuertes hombros y muy musculosas piernas era Argyll.

Se detuvo y lo observó con curiosidad mientras él iba pasando una mano temblorosa por los nombres grabados en las losas de mármol montadas en la pared.

De pronto él detuvo la mano sobre una frase inscrita debajo de la delicada figura en relieve de un ángel, que quedaba justo en la parte de arriba de la abertura de las cortinas. Avanzó unos cuantos pasos para alcanzar a leer lo que tanto le interesaba a él:

En memoria de Olivia Burnett Campbell,
lady de Argyll, de Argyll, Escocia,
que abandonó este mundo en la flor de su vida
en Bath el 3 de enero de 1802

—Su madre —dijo involuntariamente.

Callum se giró y la quedó mirando. Su penetrante mirada era dura, y tenía la cara y el pelo empapados, igual que ella.

Alargó la mano hacia él con el deseo de consolarlo, pero él levantó la mano y le cogió la muñeca violentamente, impidiendo la tierna caricia.

Continuaron mirándose, la mirada de él dura e inflexible, la de ella compasiva, y ninguno de los dos se movió.

Entonces pareció romperse algo en el interior del enorme highlandés. Le soltó la muñeca, desapareció la ferocidad de su mirada y bajó la mano temblorosa hacia el costado.

Eso era justo lo que necesitaba Jenny. Abrió los brazos y él se echó en ellos, tan necesitado del abrazo como ella de ofrecerle consuelo.

Jenny cerró los ojos y lo estrechó en sus brazos, apretándose tanto a él que sentía los fuertes latidos de su corazón a través de la chaqueta de él y la capa de ella.

Continuaron así abrazados en la nave de la derecha de la iglesia, con las ropas empapadas chorreando y formando charcos en el suelo de mármol.

En ese momento Jenny sintió hincharse algo dentro que le produjo calor. Encontraba bien y correcto tener a Callum en sus brazos. A él.

Poniéndole las manos en las mejillas, le giró la cara para obligarlo a mirarla a los ojos. De los mechones de pelo pegado a la frente cayeron gotas de agua y le bajaron por la cara cuando ella se puso de puntillas y lo besó suavemente en los labios.

A pesar del frío y la humedad y de los tiritones de los dos, la boca de él estaba cálida al corresponderle el beso. Se besaron larga y dulcemente, y a Jenny se le calentó el cuerpo en los lugares donde se tocaban, como si hubiera estado junto a un hogar encendido.

Pusieron fin al beso y los dos hicieron una rápida inspiración.

Mirándola fijamente, Callum movió los labios como si quisiera decirle algo, pero no le salió ninguna palabra. Al final no dijo nada, volvió a estrecharla en sus brazos y le besó la coronilla de la cabeza. Jenny cerró los ojos y apoyó la mejilla en su chaqueta empapada, comprendiendo que tan pronto como lo soltara, se desvanecería ese momento, esa conexión.

Y no deseaba que acabara jamás.

Como si ese pensamiento hubiera conjurado la separación, en el fondo de la iglesia sonó el conocido carraspeo del reverendo.

—Ya ha dejado de llover, hijos míos.

Callum se apartó de ella y la miró como si recién en ese momento la viera. Con una expresión de sorpresa en los ojos, retrocedió, se dio media vuelta y salió a toda prisa de la abadía, dejándola sola en el pasillo de esa nave.

Jenny le sonrió amablemente al reverendo e inclinó la cabeza al pasar junto a él para salir.

Cuando iba saliendo por la puerta en arco se tocó los labios con los dedos enguantados y revivió mentalmente el beso de Callum.

¿Qué acababa de ocurrir? Aunque no encontró la palabra para calificarlo, algo había cambiado en lo más profundo de su alma y sabía de cierto que las cosas no volverían a ser como antes entre ellos.

Cuando llegó a la esquina, unos rayitos de sol se filtraban por entre las nubes y marcaban un camino por el empedrado. Acababa de saltar a la mojada acera cuando un movimiento a la derecha captó su atención.

Apoyado en la esquina de un edificio, estaba el hombre enano. Tenía la ropa seca y estaba comiendo perezosamente un trozo de pan de centeno.

Jenny se detuvo. Vaya, el hombrecillo le estaba sonriendo.

—Buenas tardes —lo saludó tímidamente.

Pero el hombrecillo no dijo nada, sólo se levantó el sombrero de su rara cabeza y lo inclinó hacia ella. Después apoyó el peso en una pierna y desapareció al otro lado de la esquina cojeando ligeramente.

Jenny lo siguió, deseosa de aventura después de todo. Pero cuando dio la vuelta a la esquina se quedó absolutamente pasmada. Miró a ambos lados de la calle pero el hombrecillo no se veía por ninguna parte.

—¿Y dónde has estado? —le preguntó su madre en el instante en que abrió la puerta de servicio y entró en la cocina.

Jenny se quitó la capa mojada, con la esperanza de que su madre no se diera cuenta de que era la de ella, y fue a colgarla en una percha cerca del fogón para que se secara. No se atrevía a decirle dónde había estado, ni que se había encontrado con Callum. Eso no le gustaría nada.

—Tenía que hacer algunos recados y me pilló la lluvia. Tuve que esperar que dejara de llover.

—Bueno, ve a ponerte tu uniforme y sube. Las señoras desean hablar contigo, inmediatamente.

—¿Conmigo? ¿Dijeron de qué?

Su madre se cruzó de brazos.

—¿Y por qué me lo iban a decir a mí? Simplemente date prisa si quieres mantener tu puesto, hija. Las señoras ya llevan tres cuartos de hora esperándote.

Una mezcla de recelo y miedo le atenazaba el estómago a Jenny cuando unos minutos después golpeó la puerta del salón y esperó la orden de entrar.

—Entra, hija, y toma asiento —ordenó lady Letitia—. Te hemos estado esperando toda la mañana para hablar contigo de un asunto muy importante.

Jenny obedeció y fue a sentarse nerviosa frente a las dos hermanas.

Lady Viola se inclinó hacia ella.

—Hija, ¿nos sigues el juego porque te gusta alternar con la sociedad o porque sientes cierto afecto por el vizconde?

Jenny desvió la mirada hacia la derecha. Existía una respuesta correcta, la contestación perfecta para tranquilizarlas lo bastante para que continuaran el juego... pero no lograba encontrarla.

—No, hija, no quiero que medites la pregunta y nos digas lo que crees que nos gustaría oír —dijo lady Letitia, inclinándose también—. Escucha a tu corazón.

Contra lo que le dictaba el juicio, Jenny levantó la vista y contestó sin pensar en las consecuencias:

—Me encanta representar a una dama. Para mí es un sueño hecho realidad.

Lady Viola se echó hacia atrás suspirando entristecida.

Jenny se levantó, caminó hasta el hogar y mirando pensativa las llamas abrió su corazón:

—Pero hoy, bueno... algo cambió en mi interior.

Lady Letitia se levantó y fue a ponerle una mano en el hombro.

—¿Qué quieres decir, hija? ¿Qué ocurrió hoy?

Jenny se giró a mirarlas y a regañadientes les contó su breve pero emotivo encuentro con Callum en la abadía.

Cuando acabó de hablar, a lady Viola le corrían gruesas lágrimas por las mejillas, dejándole surcos blancos en la densa capa de polvos y colorete.

—Le amas —dijo lady Letitia con los labios curvados en una sonrisa maliciosa.

Jenny la miró y negó con la cabeza.

—No he dicho eso.

—No tenías para qué decirlo, querida mía. —Lady Viola sorbió por la nariz y se secó las lágrimas con el pañuelo que le pasó su hermana—. Pero está claro. Puede que ni tú lo sepas todavía, Jenny, pero por lo que nos has contado, vuestros corazones se encontraron en la abadía. Un solo momento tal vez, pero no será la última vez, te lo prometo. —Se inclinó hacia ella y le clavó una potente mirada—. Vamos, creo que os estáis enamorando.

Jenny se encogió al oír eso. Ridículo. Sólo habían compartido un momento de ternura; ella le alivió la pena. Entonces lo pensó un momento. ¿Habría algo más? ¿Se estaría enamorando de Callum?

El sonido de palmadas llevó su mirada hacia lady Letitia, que se estaba paseando alegremente por el salón, con la agilidad que le permitían su considerable peso y sus tobillos hinchados.

—Esto es exactamente lo que esperábamos, hermana. Un matrimonio por amor en preparación, ¡un verdadero matrimonio por amor!

Se oyó ruido en la puerta y luego esta se abrió y entró Meredith retrocediendo con un enorme paquete en las manos.

—Aquí está, tietas. ¡Venid a ver!

Al instante las señoras dejaron de lado el tema de Jenny y su atracción por Callum, con gran alivio para aquella. Lady Viola se levantó con dificultad y las tres fueron a reunirse con Meredith alrededor de la brillante mesa de caoba del centro, mientras esta abría el envoltorio de muselina.

Ahogando una exclamación de placer, Jenny miró lo que tenía ante sus ojos; el envoltorio de muselina contenía el vestido de noche más hermoso que había visto en su vida.

No pudo contenerse; tuvo que tocarlo.

Después lo cogió, lo sacudió para extenderlo y lo contempló maravillada. Era de seda finísima azul medianoche sobre satén blanco hielo. El corte era de talle alto, de acuerdo a todas las revistas de última moda y el corpiño tenía un atrevido escote. Las mangas largas comenzaban en los hombros dejando un delicioso escote en la espalda, y el talle alto iba ceñido por una cinta de satén azul cogido a la espalda en un pequeño lazo.

Si se pusiera ese vestido nadie podría quitarle los ojos de encima, y mucho menos Callum.

Pegó un salto de sorpresa. ¿Callum? ¿De dónde le vino esa idea? Le vino como caída del cielo, ¿no?

Relegando el molesto pensamiento a un recoveco de la mente, se sujetó el vestido de los hombros para mirarlo con más atención. La falda suavemente acampanada estaba adornada por hileras de cintas de tul y de satén fruncidas, que le darían un leve aspecto etéreo, en especial cuando Callum la hiciera girar en la pista de baile. Señor, nuevamente él en sus pensamientos.

Volvió a desechar el pensamiento y centró la atencion en su nuevo vestido. Caracoles, eso suponiendo que el vestido fuera para ella.

Ah, pues sí que tenía que ser para ella. Tenía que ser. Era el vestido más precioso que había visto en su vida.

Bueno, no estaba dispuesta a esperar para descubrirlo, mientras su corazón ya lo consideraba suyo.

—Es muy hermoso su vestido, señorita Meredith. Pero creo —añadió astutamente, mirando a Meredith de reojo—, que yo no habría elegido este matiz de azul para usted.

Meredith se echó a reír.

—No tonta. Tía Viola mandó a hacer este vestido especialmente para ti.

—¿Para mí?

—Vamos, hija —dijo lady Letitia riendo—, sabes muy bien que lo necesitas.

—No somos tan viejas como para no recordar el deseo de estar atractiva para un galán —añadió lady Viola sonriendo afectuosamente.

Jenny sintió un vuelco en las entrañas. Eso era demasiado maravilloso para ser cierto. El vestido era de ella, ¡de ella!

—Oh, gracias, mis señoras. Muchísimas gracias.

—No tienes por qué agradecernos, hija mía. No tienes idea de la felicidad que nos traes.

Entonces lady Viola agrandó los ojos y se golpeó la boca.

Esa extraña reacción no pasó desapercibida a Jenny; era como si la anciana hubiera cometido un error diciendo algo que no debía decir. Pero no se le ocurrió qué podía ser.

Lady Letitia se acercó a abrazar a su hermana.

—Vamos, Viola, no has hecho nada malo al reconocer la dicha que nos causa ver florecer el amor.

Lady Viola sonrió dulcemente y asintió.

—Tienes razón.

De todos modos, Jenny le observó atentamente la cara. Había algo que ocultaban. Ay, cuánto le gustaría tener el valor para explorar más. Pero tenía que recordar su lugar. En la casa ella era una doncella de señora, nada más.

Miró nuevamente el vestido y sonrió encantada.

Meredith le dio un codazo.

—Venga, corre a ponértelo. Ya no puedo esperar más para vértelo puesto.

Jenny sonrió de oreja a oreja, una sonrisa tan ancha que se le tensaron las mejillas. Con el vestido apretado contra el pecho, salió y bajó corriendo la escalera.

Aún no había transcurrido un día entero cuando a Jenny se le presentó la oportunidad de ponerse el vestido azul medianoche. Lady Viola había enviado una invitación a lord Argyll para que las acompañara a ellas, Meredith y lady Genevieve en su palco particular del Teatro Real.

Si bien ella había visto la imponente entrada del teatro en Beaufort Square, jamás había soñado que pudiera asistir a una obra representada allí. Y mucho menos con un vestido que habría inspirado toda una página de descripciones en *La Belle Assemblée*.

Esa noche el grupo entró en el palco de las Featherton, uno de sólo veintiséis, observó Jenny, orgullosa, por una puerta especial para los dueños de palcos, que comunicaba con una casa contigua al teatro. Esta casa era un conjunto de saloncitos para descansar, cuartos de aseo y tocador y un lujoso salón para servirse refrigerios, al que se podía acceder cómodamente desde los palcos.

Con caballerosa cortesía, lord Argyll acompañó a las dos señoras Featherton hasta sus asientos. Una vez allí, lady Letitia movió su regordete dedo ordenándole a Meredith que se sentara entre ellas, sin duda con el fin de controlar mejor la indómita conducta de la jovencita.

Sólo entonces Jenny cayó en la cuenta de que ella y Callum se iban a sentar detrás, fuera del alcance de los vigilantes ojos de las ancianas.

Si esa hubiera sido cualquiera otra ocasión, esa posición le habría gustado muchísimo. Pero no esa noche, porque a pesar de que iba ataviada con el vestido más exquisito de todo Bath, Callum casi no la había mirado.

No le resultaba difícil comprender por qué, después de ese emotivo encuentro en la abadía. De todos modos, entender sus motivos no le hacía más fácil soportar su falta de atención, porque justo cuando más deseaba que se fijara en ella, él prácticamente hacía caso omiso de ella.

Unas ridículas lágrimas empezaron a agolpársele en los ojos, así que desvió la cara y, fingiendo sentir un enorme interés, se puso a observar las rejas doradas que separaban el palco de las Featherton del siguiente. Pero cuando comenzó la obra dejó de servirle ese ardid, por lo que fijó los empañados ojos en los pilares de hierro forjado de los extremos del palco. Las lágrimas no tardaron mucho en comenzar a abrirse paso y se vio obligada a observar atentamente las fantasiosas pinturas del cielo raso para conservar su dignidad.

¡Bah! Qué tontería. ¿Por qué actuaba como una estúpida? Debería secarse los ojos y concentrarse en la obra que estaban representando en el escenario. Al fin y al cabo jamás había visto una antes y le iría bien empaparse de cultura, ¿no?

Así pues, sin dejar de mirar hacia el magnífico cielo raso, soltó el cordón de su bolso y metió la mano en busca del pañuelo. Por desgracia, sus guantes de cabritilla, nuevos y por lo tanto rígidos, prácticamente le anulaban el tacto, por lo que se vio obligada a quitarse el guante para encontrar el pañuelo.

Entonces él la tocó.

La mano de Callum, sin guante, le cogió la de ella y se la apretó, en gesto tranquilizador. Sin recordar las lágrimas que tenía en las pestañas, ella desvió la vista del cielo raso y lo miró asombrada.

Con el movimiento salieron de sus ojos dos gruesas lágrimas y le bajaron por las mejillas.

De pronto Callum le puso delante su pañuelo de lino, y ella lo cogió agradecida. Lo sintió cálido y lo presionó sobre los ojos para secarlos.

Ah, no.

¿No sacó el pañuelo de su...? Lo miró de reojo, a tiempo para verlo abrochar la hebilla de plata de su escarcela. Ay, Dios de los cielos, sí que lo sacó de ahí.

Cuando levantó la vista vio que él había seguido su mirada. Entonces él le sonrió y le acarició el lado de la mano con el pulgar.

Jenny hizo una inspiración entrecortada, tal vez un poco fuerte, porque Meredith giró la cabeza para mirarlos por encima del hombro y al ver sus manos cogidas, sin guante, emitió una risita.

Jenny sintió que sus mejillas se teñían de carmesí, y tuvo la absoluta certeza de que, incluso a la tenue luz, se le vería la cara roja de azoramiento.

No, eso no podría soportarlo. Tantas ilusiones que se había hecho para esa hermosa noche en el teatro.

Ya no le cabía duda. Tenía que salir del palco para ir a serenarse, aunque fuera unos minutos. Se giró a mirar la puerta y planeó la escapada. A nadie le importará, se dijo. Volveré enseguida. Sólo necesito un rato de soledad para recobrar el sentido común, nada más.

—¿Me disculpa? —musitó, soltándole la mano a Callum para que volviera a ponerla en su propia rodilla. Antes de que él se levantara, salió discretamente del palco.

Vagó sin rumbo por las salas hasta que encontró un pequeño salón con una puerta que daba a lo que supuso sería el tocador de las señoras. Ya dentro del salón cerró los ojos, exhaló un largo suspiro y se permitió sentarse en un sillón de orejas, donde pensaba pasar unos cinco minutos tratando de despejar su liada cabeza y devolver algo de normalidad a su vida.

—Es muy difícil obtenerla —dijo una voz femenina detrás del sillón.

Por el volumen, Jenny calculó que la mujer debía estar justo al otro lado de la puerta de la sala tocador.

—Yo sólo he logrado conseguir un bote de la crema de menta —continuó la mujer—, pero sólo porque le dije a mi ama de llaves que pagaría hasta diez guineas si era necesario.

Jenny enderezó la espalda y agrandó los ojos. ¿Pagaría diez guineas? Y ella que sólo cobraba una.

—Bueno, sencillamente he de tener un bote —dijo otra voz femenina.

—¿Sabes?, dicen que la crema la prepara una gran señora. Lady Eros la llama el personal de servicio. He oído, de fuente muy fidedigna, oye, que las hierbas que usa para el extracto sólo se pueden recoger con luna llena. Eso es lo que le da esa potencia para... ya sabes... para excitar. Por desgracia ese es también el motivo de que sea tan difícil de adquirir.

¿Sólo se pueden recoger con luna llena?, repitió Jenny riéndose silenciosamente. Tenía que reconocerles la creatividad a los criados. Se le formó un rictus en los labios. Y reconocerles la codicia también: ¡diez guineas!

Santo cielo, no estaba dispuesta a pasar toda la noche sin dormir por una miserable guinea cuando los aristócratas estaban dispuestos a pagar diez. ¿O pagarían más aún?

Se levantó, dio la vuelta al sillón y fue a abrir la puerta del tocador.

—Tengan la amabilidad de perdonarme, pero no pude dejar de oír lo que hablaban de la crema de... esto... la crema de lady Eros.

Las dos señoras mayores la miraron desconfiadas.

Jenny hizo un giro brusco, con la intención de que le revolotearan las faldas alrededor de las piernas, a ver si la vista de la belleza y calidad del vestido convencía a esas damas de que ella era... bueno, su igual.

—Se me ocurrió... ¿creen que si yo ofreciera... tal vez quince guineas, podría adquirir un bote?

—Pero, querida —dijo la mayor de las mujeres—, ¿para qué necesita la crema? Seguro que una persona tan joven como usted...

Jenny levantó la mano para silenciarla y musitó en tono muy seguro:

—Ah, ¿entonces no lo saben? Hace su magia en los caballeros también.

Las dos mujeres agrandaron los ojos e intercambiaron sonrisas entusiasmadas.

—No, no lo sabíamos —dijo la más joven—. Pero gracias por darnos esa información. —Se volvió hacia su acompañante—. A mi William le vendría muy bien un toque de esa crema. ¿Crees que tu criada podría comprarme un bote?

—No lo sé, pero podría pedírselo. Muchas veces he pensado por qué los botes sólo los pueden comprar los sirvientes. ¿No podría ser que los roban?

Cuando las señoras se giraron y echaron a andar hacia su palco, Jenny se hizo la misma pregunta. Si eran tan ambicionados los botes de crema, tal vez debería considerar la posibilidad de pedirle al señor Bartleby que los vendiera en su tienda de Milsom Street.

Entonces ya no tendría a lacayos y criadas dejando piedras en su canasta todas las horas del día y la noche. Porque si eso continuaba, sin duda las señoras Featherton se enterarían de su secreto.

Rayos y centellas.

Capítulo 7

—¿*M*e han llamado, señoras?

Jenny se quedó muy quieta junto a la mesa del desayuno, tratando de centrar la atención en las hermanas y no mirar a su madre, que estaba también junto a la mesa con una humeante tetera de chocolate en la mano.

—Sí, hija. —Lady Letitia dejó *The Bath Herald* en la mesa y puso sus impertinentes encima—. Estábamos comentando con mi hermana un artículo muy interesante de la columna de cotilleos de esta mañana. La columna «Raro pero cierto», ¿sabes?, la que escribe ese columnista anónimo, secreto.

—¿Sí, milady?

—Sí, y debido a tus actividades en la cocina pensamos que podrías encontrarlo interesante.

Lady Letitia volvió a calarse los impertinentes, levantó el diario hasta sus ojos y leyó:

—«Según una cierta lady D y una cierta lady A, la aristocracia de Bath, como también la de Cheltenham, ha caído bajo el hechizo de una misteriosa *crème d'amour*, la que, según se dice, la produce una de su clase, una muy respetada aunque anónima dama que ha decidido hacerse llamar simplemente "lady Eros". ¿Quién es esta dama, desearía averiguar este columnista, y cuál es el ingrediente mágico de esa codiciada crema afrodisíaca que convierte a damas y caballeros por igual en sumisos súbditos de lady Eros?»

Sin darse cuenta Jenny miró de reojo a su madre, la que en ese momento tenía la cara tan blanca como el mantel de lino que cubría la mesa.

Lady Letitia dejó el diario en la mesa y miró a Jenny.

—No... no sé qué decir, milady —tartamudeó Jenny.

—Se nos ocurrió que esa crema afrodisíaca se parece muchísimo a tu pomada facial de menta —gorjeó lady Viola.

Jenny tuvo que tragar saliva.

—¿S-sí?

La tetera con chocolate comenzó a temblar visiblemente en la mano de su madre.

—Ah, ¿más chocolate, señoras? —dijo esta, como si con esa interrupción fuera a rescatar a Jenny del desastre.

¡Como si algo pudiera rescatarla!

Lady Letitia agitó la mano rechazando el ofrecimiento de la señora Penny.

—Como el columnista, nosotras también deseamos conocer con qué extractos y aceites se hace esa crema. Hemos intentado comprar un bote por los canales indicados.

—Sí —continuó lady Viola—. Hemos encargado a Edgar y a tu madre la tarea, pero hasta el momento no hemos logrado conseguir ni un solo bote.

—¿Quiere decir que desea que yo les consiga uno, milady? —preguntó Jenny, con la esperanza de desviar la culpa de ella.

—Sí, pero hay más —dijo lady Viola en tono confidencial. Le indicó que se acercara más, hasta que entre ellas quedó una distancia menor al diámetro de una taza—. Queremos que nos encuentres un bote, pero también queremos que analices la crema para saber cuáles son sus componentes y descubrir la receta.

—Aaah, comprendo.

—Entonces querríamos que prepararas dos botes —añadió lady Letitia—, uno para mi hermana y otro para mí. Claro que tus actividades deben quedar en secreto, porque la crema, comprendes, ha de aplicarse... «abajo», si entiendes lo que quiero decir.

Jenny asintió, incómoda.

—Lo entiendo, milady. Puede contar con mi discreción.

—Muy bien, entonces, todo arreglado —dijo lady Viola sonriendo—. ¿Cuándo puedes empezar?

—Ahora mismo, milady. Pero claro... —arqueó una ceja—, ya tengo muchísimo que hacer hoy, pues es necesario planchar la ropa de la señorita Meredith, limpiar sus zapatos... ah..., y los remiendos.

Lady Viola cogió una diminuta campanilla de plata que tenía junto al plato y la agitó.

Entró entonces el señor Edgar, en respuesta a la llamada, y le sonrió alegremente a lady Viola, cuya cara adquirió un atractivo rubor, visible incluso bajo los polvos.

—Jenny queda eximida de sus obligaciones hoy y mañana —le dijo la frágil anciana.

A Jenny no le pasaron desapercibidas las muecas de molestia que aparecieron en las caras del señor Edgar y de su madre.

—¿Mañana también? —preguntó entonces, tratando de reprimir la sonrisa que pugnaba por formársele en la boca.

Bueno, las cosas estaban resultando bastante bien, ¿no?

Lady Letitia la miró sonriendo.

—Sí, hija. Después de disfrutar tanto en el Teatro Real —agitó las cejas significativamente—, lord Argyll nos ha invitado a todas a un paseo por Dyrham Park mañana, y si el tiempo mejora como han pronosticado, un almuerzo al aire libre también.

¿Así que lord Argyll dijo que había disfrutado? Al pensar en él, Jenny sintió un hormigueo por todo el cuerpo, como si se hubiera puesto un poco de esa crema.

Sí, después de hacer el ridículo más absoluto esa noche en el teatro, le iría bien aprovechar un despreocupado paseo con Callum para intentar enmendar la situación.

—Estaba pensando, hija —añadió lady Viola—, que ese vestido lavanda de Meredith de la temporada pasada, podría ser el que te conviene para la ocasión. Te lo dio, ¿verdad?

Jenny comenzó a morderse una cutícula, pensando. El vestido estaba en la casa vecina, pues Molly se lo estaba arreglando. Era posible que la chica ya lo hubiera terminado; le había parecido muy deseosa de la guinea que le prometió por el trabajo.

—Hay mucho que hacer, ¿verdad? —dijo, exhalando un exagerado suspiro—, pero me las arreglaré de alguna manera, milady, porque ese paseo es muy buena idea, de verdad.

Tal como se esperaba, el día estaba bastante templado, tanto que a Jenny le parecía más un día de comienzos de primavera que uno de invierno.

Cuando el suntuoso carruaje de lord Argyll avanzaba por el polvoriento camino, seguido de cerca por el de las señoras Featherton, Jenny se desabrochó muy orgullosa su witzchoura nuevo y se lo echó hacia los lados para dejar visible su vestido lavanda rehecho. Tenía que agradecer a Annie el witzchoura, porque ella fue la que lo vio en el escaparate de la señora Russell esa misma mañana, y haciendo gala de todo su poder de persuasión convenció a la modista de ponerlo en su cuenta.

Después miró a lord Argyll, que iba sentado al frente de ella y de Meredith, la que se había quedado dormida hacía unos diez minutos debido a los vaivenes del coche y en ese momento le caía baba por la comisura de la boca entreabierta.

Pero nada de eso le importaba a ella. Mientras Meredith estuviera contando ovejas de Suffolk en sus sueños, ella estaría muy a gusto a solas con el guapo escocés. Aunque esta vez estaba decidida a dominar sus emociones y a refrenar cualquier estallido nervioso de miedo.

—Vaya, hace bastante calor aquí, ¿verdad?

Se echó hacia atrás el capote para lucir mejor el favorecedor escote de su vestido de paseo.

—Tal vez no tanto como aseguras. Todavía hay un vigorizador frío en el aire, muchacha. Eso lo sabes. —Se inclinó hacia ella, miró hacia Meredith y continuó en voz más baja—. Pero no es del tiempo que hablamos. Quieres saber si pienso que te favorece ese vestido, ¿verdad?

Jenny lo miró pasmada.

—¿Siempre tienes que ser tan francote, milord?

Giró la cabeza y comenzó a mirar el campo que pasaba por la ventanilla.

—No soporto las mentiras, y siempre trato de decir la verdad. Y para decir la verdad, tu vestido te sienta casi tan bien como el azul que llevabas anoche en el teatro.

A ella se le encendió una chispa de entusiasmo.

—Quiere decir el azul medianoche. Es nuevo, ¿sabes? Fue un regalo de las señoras Featherton. Ah, es precioso, ¿verdad?

A Callum lo hizo reír su exuberancia.

—Ni la mitad tan hermoso como la mujer que lo llevaba puesto.

Jenny sintió un calorcillo por dentro. Él la consideraba hermosa. Lo decía él mismo después de todo, y siempre decía la verdad.

Trató de controlar la sonrisa que le entreabrió los labios; no quería que su sonrisa complacida de dama se ensanchara tanto como la sonrisa idiota de aldeana que expresaría de verdad su alegría.

Nuevamente lo miró, deseando poder decir también exactamente lo que pensaba, sin preocuparse por las consecuencias.

En primer lugar le diría que si insistía en llevar falda debería aprender a mantener las piernas juntas. Y no era que ella pudiera ver nada escandaloso, porque no se permitía mirar en esas profundidades oscuras. Pero quedaba el hecho de que sí podría ver lo que había debajo de su escarcela si no desviaba los ojos. Era una dama después de todo.

O al menos simulaba ser una.

Miró sus amables ojos castaños y su cara tan excesivamente hermosa. Aunque aún no acababa la mañana, ya se veían los primeros asomos de barba oscureciéndole la mandíbula, el mentón, las mejillas y encima del labio superior. Pero eso sólo lo hacía más atractivo porque encajaba totalmente con su vigorosa naturaleza escocesa.

Y si tuviera que expresar sus pensamientos en ese momento, le diría que lo encontraba más hermoso que la papalina color zafiro con la pluma plateada que vio en Bartleby's.

Y que bajo su ropa, a juzgar por lo que había tenido el lascivo placer de sentir, estaba segura de que encontraría un cuerpo bien musculoso, de hechura más perfecta que la piedra del centro de un anillo de diamantes, aquel de la segunda vitrina de la derecha de Smith and Company.

Callum arqueó una ceja, sorprendido, y ella comprendió que se había dado cuenta de su mirada escrutadora y de la evaluación que estaba haciendo de su persona.

Sintió arder los lóbulos de las orejas, y de pronto deseó llevar la papalina de paja con las cintas anchas de seda que le cubrían las orejas.

Él sonrió al notar su azoramiento.

—Bueno, creo que te gusto, Jenny.

Jenny tragó saliva para pasar el nudo que se le formó en la garganta.

—No está bien decirle eso a una dama, milord.

Él la miró atentamente un momento y luego dijo:

—Och, no te preocupes. Está muy bien, porque a mí me gustas tú también. Pero eso ya lo sabes.

A Jenny la fastidió sentirse tan desequilibrada.

—Sospecho que, siendo el libertino que eres, te han gustado muchas mujeres a lo largo de los años.

Él se echó a reír.

—Te encuentro muy atractiva, es cierto, pero también me inspiras curiosidad. Eres muy diferente, lady Genevieve, a todas las damas que he tenido el placer de conocer.

Jenny se sintió como si una mano fría le apretara las entrañas. ¿La encontraba diferente? Bueno, claro, es que era diferente.

—¿Qué quieres decir, milord? —logró preguntar.

—No sé exactamente qué quiero decir. —Guardó silencio unos segundos, al parecer pensando la respuesta, y volvió a mirarla—. Eres... como este día, como una cálida brisa de primavera, deseada y bienvenida, pero muy fuera de lugar a mitad del invierno.

Caramba, eso era muy bonito. Tuvo que reconocer que le gustó especialmente eso de «deseada». Eso le gustó muchísimo.

Ay, ojalá Meredith estuviera despierta, pensó, para que hubiera oído lo que él acababa de decir, para estar segura de que no se lo había inventado todo.

Esbozó una sonrisa recatada, especial para él.

—Qué amable compararme con una brisa de primavera.

—No lo dije para ser amable ni para adularte, sólo lo dije para explicarme yo mismo.

Entonces se ruborizó un poco y miró hacia la ventanilla, lo cual a Jenny se le antojó totalmente raro en un hombre tan fuerte e imponente.

—Lo comprendo... Callum.

En el instante en que la oyó decir su nombre de pila él se giró a mirarla, con los ojos brillantes, como iluminados por un fuego interior, haciéndole revolotear el corazón.

Caramba, si no se equivocaba, el vizconde acababa de arriar su bandera de libertino e izar la verdadera.

Casi no lograba creerlo.

—Falta poco para llegar —dijo él, entonces, y tranquilamente le cogió las manos y la miró a los ojos, penetrándolos hasta lo más profundo—. Vamos a dar un paseo solos, si las señoras lo permiten, lógicamente. Quiero explicarte lo que ocurrió en la abadía de Bath.

—Sí, por supuesto —dijo ella, y notó que la voz le salía muy aguda y ahogada por los nervios—. Lo que quieras.

Aún no habían pasado cinco minutos cuando el coche aminoró la marcha y se detuvo, pero el corazón de Jenny continuaba galopando a velocidad peligrosa.

—Hemos llegado. Dyrham Park —anunció Callum mientras el lacayo bajaba los peldaños.

Entonces bajó prácticamente de un salto y al instante hizo una inspiración asombrosamente profunda del fresco aire del campo.

Algo recelosa, porque jamás había puesto un pie fuera de las ciudades de Bath o Londres, Jenny cogió la mano que le ofrecía Callum y bajó los peldaños. Tan pronto como sus pies tocaron el suelo comprendió que su recelo no tenía ninguna justificación porque el paisaje que se extendía ante sus ojos era el más maravilloso que había visto en su vida.

Exuberantes jardines subían hacia una casa señorial a la izquierda y a la derecha una amplia extensión de césped bajaba en suaves ondulaciones hacia algo que en la distancia parecía ser un jardín acuático.

Debía costar muchísimo dinero mantener algo así. Porque era sencillamente precioso y estaban en pleno invierno.

En ese momento bajó Meredith del coche, pestañeando adormilada, y fue a ponerse al lado de Jenny.

—Ah, qué maravilla. Plantas, cargamentos de plantas. Vas a estar en el paraíso, Jenny.

Eso llamó la atención a Callum.

—¿Estudias la flora?

Jenny abrió la boca para contestar, pero Meredith se le adelantó:

—Lady Genevieve es toda una botánica. Siempre está manoseando una planta u otra.

El vizconde se volvió a mirarla asombrado.

—No tenía idea de que entre sus intereses estuviera la botánica.

Jenny se encogió de hombros y, esbozando una leve sonrisa, desvió la cara. No se iba a poner a hablar de sus experimentos con extractos de plantas. Eso sería lo único que necesitaría para que Callum la conectara con la lady Eros de la columna de cotilleos del diario.

Caminó hasta el borde del camino, se agachó e identificó diversas variedades de hierbas y arbustos.

Ese lugar era increíble. Vamos, no lograba imaginarse un jardín en primavera y ahí se veían flores por todas partes. Ah, tendría que volver; tenía que encontrar la manera.

Su entusiasmo estalló en una exultante risita y tuvo que controlarse para no levantarse las faldas y echar a correr por la amplia extensión de césped.

Un momento después se detuvo el coche de las Featherton y las dos ancianas descendieron.

—Precioso, sencillamente precioso —exclamó lady Viola.

Dos lacayos dieron la vuelta al coche cargados con varias cestas, esteras y mantas, y miraron a las señoras para recibir sus órdenes.

—Ahí diría yo —dijo lady Letitia, apuntando hacia un montículo bajo de piedra bañado por el sol—. Curioso, ¿verdad? Un día de enero tan templado como para una merienda campestre. Tal vez después de nuestra comida, lord Argyll podría tener la amabilidad de enseñarle a lady Genevieve el exterior de la casa señorial. Recuerdo que su estructura es muy imponente. Bueno, yo por mi parte estoy muerta de hambre. Por mi mente han estado dando vueltas el pastel de pichón y el pudín de manzanas que preparó la cocinera. —Al mismo tiempo el estómago de lady Letitia emitió un fuerte gruñido, lo que produjo a las dos hermanas un ataque de risa—. ¿Lo veis? —logró decir entre risa y risa—. ¿Qué os dije? Incluso mi estómago está clamando por el pastel. Venga, vamos a comer.

Mientras lady Viola discutía la prudencia de que su hermana se sirviera una tercera ración de pudín de manzanas, Meredith se alejó hacia el jardín acuático y Jenny y Callum caminaron hacia la casa señorial.

De pronto, cuando iban dando la vuelta a un seto de boj, de entre los árboles salió un enorme animal moteado y con unos inmensos cuernos que parecía dirigirse hacia ellos.

Asustada, Jenny lanzó un grito y levantándose las faldas hasta las rodillas echó a correr camino abajo.

—¡Jenny, para! ¿Qué te pasa? —gritó Callum.

Aunque oía sus rápidos pasos, no se atrevió a mirar atrás, puesto que la seguía también ese animal.

Pasado un momento él le cogió el brazo izquierdo, la detuvo y la giró.

—¿Por qué has huido? Sólo es un ciervo pequeño.

Jenny miró hacia el animal y vio que estaba paciendo en la hierba que parecía acabada de brotar de la fría tierra. ¿Estaba ciego? No era, en absoluto, un animal pequeño.

Cuando se le calmó la respiración, contempló la graciosa figura del animal. Así que ese era un ciervo. Señor, debía parecer una idiota. ¿Pero cómo se podía esperar que supiera cómo es un ciervo? Se había pasado toda la vida en ciudades, en Londres y en Bath. En realidad, el único ciervo que había visto fue uno asado en el espetón de la cocina.

Callum la estaba mirando con las cejas arqueadas.

—¿Les tienes miedo a los ciervos?

—No seas tonto, claro que no. —Sacó las manos de las mangas de su witzchoura y se cruzó de brazos—. Simplemente la bestia me... me sorprendió.

—La bestia. Och, comprendo.

Callum se seguía burlando, pero amablemente dejó el tema y se puso a contemplar las ondulantes colinas en la distancia hasta que ella se serenó totalmente.

Entonces volvió a ofrecerle el brazo y reanduvieron el camino hacia la casa señorial.

—Es hermoso este lugar, ¿verdad?

—Sí, es casi como estar en casa, en las Highlands.

Al decir eso hizo una honda inspiración como para llenarse los pulmones, casi como si esperara sentir el aroma del brezo en el aire de Dyrham.

—¿Echas de menos Escocia?

—Sí, pero tengo trabajo aquí y mientras no lo acabe no volveré a casa.

—¿Sí? —Esa era la introducción a la conversación que estaba esperando, la oportunidad de armar las piezas del misterio de lord Argyll—. ¿Qué tipo de trabajo?

Callum se detuvo, la hizo girar para que lo mirara a la cara y exhaló un largo suspiro.

—He venido a Bath a hacer averiguaciones acerca de mi madre.

Jenny comprendió que era mejor guardar silencio porque si no podría poner fin a la disposición de él a darle más información.

Callum le cogió el codo y la llevó hasta un muro de contención bajo, donde estarían fuera de la vista de las Featherton. El muro les llegaba a la cintura, de modo que la levantó y la sentó encima.

—Cuando yo sólo era un muchachito, un día al despertar descubrí que mi madre se iba a marchar. Vi que todos sus baúles y maletas los tenía llenos con sus cosas. —Las palabras le salían lentas y tranquilas—. Comprendí que no iba a volver así que corrí hacia ella llorando y le supliqué que no se marchara, o que por lo menos me llevara con ella. Pero todo fue en vano. —La emoción se acumuló en sus ojos y la voz le salió ronca—: Me dijo que volvería, que vendría a buscarme. Pero tenía los ojos rojos, como si se hubiera pasado toda la noche llorando.

De pie ante ella, le cogió las manos a Jenny y se las apretó fuerte. Tragó saliva, pero no añadió nada más.

—¿Y volvió? —preguntó entonces ella, con voz débil.

—No. Nunca más volví a verla.

Dijo eso en voz tan baja que Jenny apenas lo escuchó.

—Pasadas unas semanas, mi padre me dijo que había muerto.

—Qué terrible para ti.

—Terrible, sí. Pero no era cierto. —Fijó la mirada en el horizonte—. Una noche encontré una carta dirigida a mí en la habitación de él; pasado un mes encontré otra, y entonces tuve la seguridad de que me había mentido.

A Jenny se le escapó una exclamación sin poder evitarlo, pero él continuó:

—Aunque todavía era un niño, le dije que era un mentiroso y le arrojé las cartas a la cara. Entonces fue cuando me golpeó, y su sello de lord Lyon me hirió la cara.

Sin darse cuenta se pasó el dorso de la mano por el pómulo. Cuando bajó la mano ella vio por primera vez una cicatriz blanquecina justo encima del pómulo.

—No lloré ni retiré mis palabras. Así que volvió a golpearme hasta que me hizo sangrar. Y así continuaron las cosas a lo largo de los años. Hasta que un día llegué a creer en sus palabras porque mi madre no habría permitido nunca que él me hiciera sufrir durante tanto tiempo.

Nuevamente le cogió las manos. Jenny sintió lágrimas calientes en los ojos. Retirando la mano derecha de las de él, le tocó la mejilla y pasó las yemas de los dedos por la cicatriz. Acercó la cara con la única intención de besarle la cicatriz, pero él retrocedió bruscamente y desvió la cara.

Qué deseos sentía de abrazarlo y aliviarle el sufrimiento con besos, pero estaba claro que él no deseaba su compasión, y ni siquiera su consuelo.

—¿Callum?

Él giró lentamente la cabeza y la miró con los ojos enrojecidos.

—El día que te encontré en la abadía...

Él suspiró y fijó la vista en una piedra gris que estaba cerca de su bota.

—Aun después de todos estos años, aunque no tenía ningún motivo para creerlo, algo en mi interior seguía aferrado a la esperanza de que continuara viva.

Bruscamente retrocedió otros pasos, enderezó la espalda y como preparándose para lo que iba a decir, le soltó la mano izquierda, que todavía le tenía cogida, y se la dejó en la rodilla.

—Mi padre murió a fines del año pasado. Cuando fui a Argyll a ordenar sus asuntos y papeles, encontré un paquete de cartas escondido en su escritorio. Tres años de cartas ¡Tres años!

Jenny se bajó del muro y se le acercó un paso. Callum levantó una mano y desvió la cara de su entristecida mirada.

—Déjame terminar.

Jenny asintió y él continuó:

—En las cartas me contaba acerca de su vida en Bath, de las visitas a la Pump Room, de los tés con las Featherton, pero poco más, aparte de que tenía muchas esperanzas de volver pronto a casa.

De pronto le vino una idea luminosa a Jenny.

—Estaba enferma. Se estaba muriendo.

—Eso es lo que creo.

—Pero nunca te lo dijo. ¿Nunca se lo dijo a tu padre?

—Nunca me lo dijo a mí, pero yo era poco más que un crío. Pero mi padre lo sabía. En varias de las cartas me decía que esperaba que mi padre me explicara, de una manera comprensible para un niño pequeño, su motivo para marcharse de casa.

—Pero nunca te lo explicó —dijo ella, al ver que él guardaba silencio—. En lugar de eso te dijo que había muerto.

—Sí. —Retrocedió otros pasos y por fin la volvió a mirar y después miró hacia la curva del camino donde estaban sentadas las hermanas Featherton—. Cuando entraste en la abadía para protegerte de la lluvia y me encontraste ahí, acababa de encontrar la lápida en memoria de mi madre.

Jenny comprendió.

—Y por fin supiste de cierto que había muerto. —Sin hacer caso de lo que él deseaba, corrió hacia él y lo abrazó fuertemente—. Oh, Callum, cuánto lo siento.

Él enderezó los hombros y suavemente trató de apartarla y desprenderse de sus brazos, pero ella no se lo permitió. No podía permitírselo en ese momento.

¿Por qué, si no, le contó lo que le acababa de contar? Necesitaba su consuelo. Lo comprendiera o no, la necesitaba a ella.

Lentamente él levantó los brazos y la rodeó con ellos y sus anchas manos le presionaron la espalda, apretándola fuertemente a él. Jenny apartó la cara de su ancho pecho y la levantó para mirarlo.

Él la estaba mirando y lo que vio en sus ojos la hizo temblar por dentro. En toda su vida, nunca había visto a una persona más vulnerable.

Como si él hubiera percibido esa comprensión de su estado emotivo, ahuecó la palma en su mentón y le cubrió la boca con sus labios. La besó violentamente, una especie de beso de castigo, el tipo de beso que daría un libertino, pero ella no se apartó.

Porque sabía lo que él pretendía. Deseaba levantar el muro a su alrededor otra vez y superar su sentimiento de debilidad alejándola.

Pero no le daría resultado.

—No me iré a ninguna parte, Callum. Estoy aquí para ti y no puedes alejarme. Ya es demasiado tarde para eso. —Lo miró a los ojos—. Sé que no eres el libertino que pretendes ser.

Liberándola de sus brazos, él la miró fijamente, incrédulo.

—No pretendo nada. La verdad y la sinceridad lo son todo para mí. Así es como he decidido vivir.

—Entonces sé sincero contigo mismo. —Lo clavó con la mirada y se mantuvo firme, pues sabía que lo que iba a decir los estremecería a los dos—. Me necesitas y estoy aquí para ti, pero a diferencia de otras personas a las que has querido en tu vida, no te abandonaré.

Como un rayo cegador caído del cielo, sus palabras parecieron destrozarlo hasta el fondo del alma. La miró sorprendido por lo que acababa de decir y luego giró sobre sus talones y echó a caminar solo hacia la casa señorial.

¿Qué había hecho?

Volviéndose hacia el muro, dobló los brazos encima y apoyó la cabeza en ellos. Cuando le dijo a Callum que no lo abandonaría, lo dijo de todo corazón. Pero a pesar de sus intenciones puras, acababa de comprender, demasiado tarde, su error al decir esas palabras.

Porque aunque ella podía tener la intención de mantenerse junto a él, de consolarlo, de atreverse a pensar que lo amaba, él no la aceptaría nunca.

No podía aceptarla, puesto que su relación estaba basada en una mentira, lo único que él no soportaba.

Levantó la cabeza, se apartó de los ojos un mechón de pelo y se sorprendió al sentir frías las mejillas mojadas por las lágrimas que el aire enfriaba.

¿Sería demasiado tarde para confesarlo todo y esperar que él la perdonara? ¿O sería demasiado pronto? Porque aunque se estaba enamorando de él, no podía estar segura de que los sentimientos de él por ella fueran igual de profundos.

Ay, Dios, ¿qué debía hacer?

—Jenny, ¿qué te pasa?

Giró la cabeza y se encontró con Meredith, que estaba detrás de ella, sus cabellos cobrizos brillantes a la luz del sol.

Esbozó una sonrisa tratando de que fuera esperanzada. No debía decirles nada a Meredith ni a las señoras Featherton; ellas querrían ayudar, cada una a su manera equivocada.

No, ella tenía que encontrar la manera si quería salvar alguna parte de su naciente relación con Callum.

Por lo tanto, sin decir palabra, pasó el brazo por el de Meredith y juntas bajaron lentamente el camino en dirección a los coches.

El viaje de vuelta a Bath a primera hora de la tarde fue un sufrimiento, al menos para Jenny. Debido a una delgada franja de nubes grises que aparecieron en el horizonte, Callum sugirió que pusieran fin al paseo. Lógicamente ella sabía que la supuesta tormenta inminente era sólo un pretexto para poner fin al paseo del día. Las nubes eran tan delgadas como las desgastadas blondas de su camisola, y era imposible que trajeran el tipo de tormenta que él anunció a las hermanas Featherton.

Y si le hubiera quedado alguna duda acerca de sus verdaderas intenciones, él lo dejó todo muy claro al anunciar que viajaría en el pescante con el cochero, dejándolas solas a ella y a Meredith en el interior del coche.

Cuando llegaron a la casa Featherton, lord Argyll se despidió de ella con un educado adiós y enseguida subió a su coche para volver a su casa.

—¿Está todo bien entre vosotros? —le preguntó lady Viola cuando iban entrando en la casa, y le entregaron sus capas y chales a los lacayos.

Jenny miró a las dos ancianas, que estaban esperando ansiosas su respuesta. Conociendo su predilección por inventar ardides casamenteros creativos de la naturaleza más extrema, de ninguna manera podía decirles la verdad, pero no deseaba mentir, por lo tanto se decidió por lo segundo mejor: una verdad a medias.

—Me... me besó —dijo, con el mayor recato posible—. Supongo que todavía estoy un poco conmocionada.

Las Featherton se giraron para mirarse, las dos con las caras iluminadas por anchas sonrisas de placer.

—Tienes que venir al salón con nosotras para contárnoslo todo —dijo lady Viola, cogiéndola del brazo y tratando de hacerla avanzar.

Jenny se mantuvo firme.

—No, milady, por favor. Todavía estoy un poco aturdida. Necesito un tiempo para entender las intensas emociones que siento. ¿Le importaría que habláramos después, cuando yo haya tenido un tiempo para reflexionar?

Lady Letitia avanzó apoyada en su bastón y la abrazó.

—Claro que sí, hija. La primera cata del amor suele ser algo difícil de digerir. Tómate tiempo para que se sosieguen tus sentimientos. Pero cuando estés preparada, te estaremos esperando.

Y sin duda lo estarían, pensó Jenny.

Pero cuando bajó la escalera, impaciente por estar sola con sus pensamientos, ya había alguien esperándola: su madre.

—Bueno, me alegra que hayas vuelto porque hay algo para ti fuera de la puerta. Ve a echar una mirada.

Con las cejas arqueadas y los labios fruncidos, la señora Penny golpeó impaciente el suelo con el pie, mientras Jenny caminaba hasta la puerta de servicio y bajaba la manilla.

Dentro de la canasta había..., misericordia, Señor.

—No tienes para qué contarlas. Ya las conté yo. Hay treinta y dos.

Treinta y dos piedras. Treinta y dos pedidos que debía satisfacer esa noche.

Tuvo que respirar profundamente para calmar el sofoco.

Capítulo 8

Caminando por Milsom Street unas horas después, Jenny se quitó el guante de la mano derecha y se puso el frío dorso en una mejilla y luego en la otra.

—Tócame la cabeza, Annie. ¿Te parece muy caliente?

—Francamente, Jenny, le das demasiada importancia a eso.

Las dos se detuvieron en la acera.

Mientras se quitaba el guante, en preparación para comprobar si tenía fiebre, Annie puso en blanco los ojos, gesto que no pasó desapercibido a Jenny. Después le puso la palma en la frente.

—No, cariño, estás bien.

Jenny exhaló un largo suspiro.

—Bueno pues, me pasa algo. Fíjate, ando aquí de compras, con dinero de sobra en el bolso, y no siento nada. Nada.

Annie la miró algo preocupada.

—¿Nada? ¿Ni siquiera un poco de entusiasmo? ¿Un estremecimiento de expectación? Ya casi hemos llegado a Bartleby's.

—Sí, lo sé. Pero mira, fíjate —apuntó a sus botas—, ni siquiera he apresurado el paso, ni un poquito.

—Bueno, eso sí que no es normal. Al menos en ti.

Y en realidad eso no era normal en ella, en absoluto. Le fascinaba comprar. En sus sueños se veía comprando. Vivía para comprar. Pero ese día no podría importarle menos ir de compras por las tiendas de Bath.

—Tal vez simplemente estás distraída —aventuró Annie—. ¿Cuántos botes tienes que preparar esta noche?

—Treinta y dos.

Annie sonrió.

—Eso es, entonces. Simplemente estás preocupada por ese pedido tan grande. Estarás toda la noche en pie, me imagino.

—Supongo que podrías tener algo de razón —masculló Jenny.

Pero claro, Annie no tenía razón. El trabajo, si bien agotador, no era lo que le pesaba en la mente. No era eso lo que la distraía tanto que no podía disfrutar de las visitas a las tiendas de Milsom Street.

Su mente estaba fijada en Callum y en la mentira más grande que todas las mentiras que amenazaba con poner fin a toda posibilidad de amor entre ellos.

Peor aún, todavía no tenía la más mínima idea sobre cómo arreglar la situación.

Si le confesaba la mentira ya, antes de que el amor estuviera firme, lo perdería.

Pero si esperaba a que el amor creciera, a que estuvieran unidos sus corazones, lo perdería de todos modos. Fatalidad, ¿qué debía hacer?

Se había imaginado que le bastaría pasar las yemas de los dedos por las telas y chucherías para distraerse de sus pensamientos, porque nunca antes le había fallado eso, pero esta vez no la distraía. Nada nada.

—Oye, Jenny. ¿Jenny?

Levantó la vista y vio a Annie sujetándole la puerta abierta de Bartleby's para que entrara.

—Estás con el ánimo bajo —comentó Annie, moviendo la cabeza mientras Jenny entraba—. Vamos, casi pasaste de largo por tu tienda favorita.

Suspirando tristemente, Jenny miró sin ver un escaparate lleno de fulares y pañuelos de seda.

—Son muy bonitos, ¿verdad? —comentó Annie, y añadió—. Exactamente tu estilo. Y mira ahí, el letrero. Los acaban de traer de Londres.

Jenny asintió. En realidad, debería tener uno, aun cuando en ese momento no sintiera el menor deseo de comparar y elegir. Tenía el dinero, después de todo. Pero al mirar con más atención, no le atrajo la atención ninguno.

Bueno, sí, el rojo con bordes color marfil sí era bonito. Podría irle bien ese. Y tal vez, sólo tal vez, el sencillo acto de comprar algo sería como una sacudida para quitarse de encima ese ánimo melancólico.

En ese momento llegó hasta ellas el señor Bartleby, el dueño de la tienda, y Jenny le indicó el fular rojo y abrió la boca para hablar, pero otra clienta la interrumpió groseramente:

—Llevaré el rojo.

El señor Bartleby se agachó y tocó el fular rosa de la izquierda.

—No, ese no. ¡Ese! —exclamó la mujer tocando con el dedo el cristal.

Jenny no podía creerlo. El tendero iba a coger el fular rojo con bordes marfil.

—¡Pare! —exclamó, casi gritando—. Ese es mío. Yo lo vi primero y yo era la siguiente en la cola para que me atendieran.

Se giró a mirar a la grosera mujer que estaba detrás, con la expresión ya furiosa. Pero cuando se encontraron sus ojos, casi se le doblaron las piernas.

Era la mujer vestida de rojo que viera en la Pump Room solo hacía unos días.

—Usted —siseó.

La mujer, que era una cabeza más alta que ella, la miró altivamente.

—Yo pedí el fular primero. Es mío.

Jenny giró la cabeza, le arrebató el fular al señor Bartleby con la mano izquierda y metió la derecha en su bolso en busca de una moneda. Después le entregó ambas cosas.

—Aquí tiene, señor. Puede envolverlo. Lo llevaré ahora mismo.

Ante su inmenso asombro, el hombre se limitó a negar con la cabeza.

—Le dije que no volviera aquí sin todo el dinero que me debe para liquidar su cuenta.

Jenny levantó el bolso.

—Pero ya le he pagado el fular.

—¿Puede liquidar su cuenta? —contestó él, con una voz rara que la hizo pensar que tenía la nariz tapada.

¡Porras! Llevaba muchísimo dinero, pero no lo suficiente para pagar todo lo que debía ahí.

—No totalmente, pero sí puedo...

El señor Bartleby sonrió y empezó a envolver el fular en un trozo de papel marrón.

Jenny se giró a mirar a la mujer que tenía detrás y la obsequió con una sonrisa satisfecha.

Pero entonces el tendero hizo lo inconcebible. Por encima de su cabeza le pasó el paquete a la mujer de la Pump Room.

—Ah, gracias —dijo la mujer y miró risueña a Jenny mientras le pasaba una moneda de oro al señor Bartleby.

Jenny mostró su incredulidad. Se le aflojaron los músculos de la cara y abrió la boca.

—Vuelva con todo lo que me debe —dijo entonces el tendero— y con mucho gusto volveré a hacer negocio con usted. Mientras tanto, descontaré de su deuda la guinea que me ha dado.

—¡Bah! —exclamó Jenny, cogiéndose del brazo de Annie y echando a andar hacia la puerta—. Pues bien, ¡jamás!

—Ya sé que jamás... paga —gritó el tendero emitiendo una odiosa risa, mientras Jenny salía de la tienda.

Después de pasar a la botica a comprar el material que necesitaba para la crema, Jenny tomó la dirección de Royal Crescent. Cuando al atardecer llegó a la casa se encontró con dieciocho piedras más amontonadas en la canasta. Estuvo a punto de echarse a llorar al ver el montón.

Al amanecer del día siguiente estaba absolutamente agotada, después de pasar toda la noche trabajando junto al humeante caldero y luego llenando nada menos que cincuenta y dos botes con la mezcla de crema hidratante y aceites esenciales.

De todos modos, a la hora debida fue a sentarse en el salón con sus empleadoras, a esperar pacientemente, con las manos cogidas en la falda, la llegada del profesor de baile.

Lady Letitia la miró a través de su monóculo, que llevaba cogido de una cadenilla de oro colgada al cuello.

—Cielos, hija, estás decididamente cenicienta esta mañana. ¿No has dormido nada?

—Vamos, hermana, qué insensible eres a veces —dijo lady Viola—. Es evidente que no ha dormido, ¿y no es comprensible? Lord Argyll la besó ayer. El primer beso de una chica es una ocasión especialmente importante.

Al oír eso, el señor Edgar, que acababa de dejar en la mesita una bandeja con té y galletas, carraspeó fuerte, como para aclararse la garganta.

—Les ruego me disculpen, señoras —musitó—. Sentí un picor en la garganta reseca.

Les ruego me disculpen y un cuerno, pensó Jenny, mirándolo con un ceño apenas disimulado. Venga, señor Edgar, adelante, dígales a las señoras que su protegida ha besado por lo menos a media docena de lacayos sólo aquí en Royal Crescent. Seguro que eso les interesará muchísimo.

—Lo comprendo —dijo Letitia, sonriéndole a Jenny con simpatía—. ¿Te sientes lo bastante bien para la clase de baile de esta mañana?

—Ah, sí, milady. No me perdería la clase por nada del mundo, porque no deseo avergonzar ni a ustedes ni a lord Argyll.

Las ancianas se miraron complacidas.

—Lord Argyll es un muy, muy buen partido, que lo digo yo —la informó lady Viola—. Su padre era lord Lyon, ¿sabes?

Jenny notó que se le arrugaba la piel de la frente.

—Pero Callum Campbell es el sexto vizconde de Argyll. Argyll, no Lyon. ¿Qué es lo que no entiendo?

De los labios de lady Letitia salió una risita gutural, la que fue causa de que su hermana derramara un buen poco de té caliente en la bandeja de plata.

—No, no, hija —explicó lady Viola—. El título «lord Lyon» es un puesto elegido, y muy valorado en Escocia. Este elegido lord Lyon es el que registra y controla la heráldica y gobierna a la nobleza de Escocia.

—El padre de Callum, lord Argyll, trabajó años por conseguir ese puesto —continuó lady Letitia—, lo que afligía y consternaba mucho a su esposa Olivia, te diré. Y al final la asamblea lo eligió por unanimidad.

—Ah, eso es un gran honor —comentó Jenny.

Pero en esa revelación había algo que no encajaba con la opinión de Callum sobre su padre. Por lo tanto aprovechó la oportunidad que se le presentaba para averiguar algo más dobre la historia de la familia Argyll.

—Por lo tanto su familia debe de haber sido muy importante para lord Lyon.

—El apellido de su familia más bien —bufó lady Letitia—. La importancia y la continuidad del apellido Argyll fue siempre lo principal para él. De hecho, su más ardiente deseo era que su hijo se casara y produjera un heredero antes de que él muriera.

—Y como todos sabemos, eso no ha ocurrido —continuó lady Viola, pasándole una taza de té a su hermana con la mano temblorosa—. Ah, Jenny querida, no pienses que al vizconde no le interesa el matrimonio, porque no creo que sea así.

—Eso es cierto —terció lady Letitia—. Simplemente no te había conocido a ti, hija.

Entonces le vino otro ataque de risa y estuvo a punto de derramar el té en su anticuado vestido lavanda.

Cuando lady Viola le pasó la taza de té, Jenny la cogió de buena gana y no olvidó sonreír afablemente a las dos ancianas como si estuviera de acuerdo con su evaluación de la situación.

Pero su intuición le decía que había algo más, que era otro el motivo de la prolongada soltería de Callum. Recordó a las dos mujeres que oyó en el baile Fuego y Hielo comentando que el anterior lord Argyll se daría una vuelta en su tumba si se enteraba de la conducta de Callum.

No, había algo más acerca de Callum que lo que decían las señoras Featherton.

Y tenía la intención de enterarse de qué era.

Al salir por la mañana a mirar la canasta todavía quedaban diez botes en ella. ¡Diez! Volvió a entrar en la cocina y cerró de un portazo. Justo en ese momento vio a las dos fregonas sonriendo de oreja a oreja.

—¿Vosotras pusisteis esas piedras extras en mi canasta?

Ellas se limitaron a reírse alegremente y, cogiendo sus baldes grises, salieron corriendo.

Hirviendo de rabia, Jenny colocó de un golpe la canasta sobre la mesa. Valía más que huyeran esas malditas intrigantes. Le habían gastado una pesada broma, haciéndola quedarse en pie dos horas más por la noche preparando botes no pedidos.

¡Uy, qué rabia! Estaba hirviendo de rabia. Vamos, sin duda estaría en su derecho si les retorciera sus gruesos pezcuezos.

Pero no era ese un día para que una doncella de señora hiciera cosas tontas y peligrosas. Ya hacía casi dos días que tenía el ánimo más negro que el hollín, porque desde el paseo a Dyrham Park no había llegado ninguna tarjeta ni comunicación de Callum de ningún tipo. Nada.

Afortunadamente para ella, las señoras estaban muy conscientes de eso, y ya habían tomado el asunto en sus manos.

El día anterior habían enviado invitaciones para una cena íntima. Lord Argyll era el primero de su lista de invitados. Según le explicaron, habían decidido hacer extensiva su hospitalidad por lo menos a una persona más, pues no debía parecer que la fiesta era simplemente un ardid para poner a Callum ante Jenny nuevamente. Que lo era, claro.

Habían contratado a un cuarteto de cuerdas y a un músico que tocaba la espineta, con el fin de tener música para que ella exhibiera los pasos de baile que acababa de aprender. Sí, las señoras se habían tomado bastante trabajo para reunirla con Callum.

Lo más pasmoso, sin embargo, era el vestido nuevo que acababa de llegar de Bristol.

Cuando abrió el paquete tuvo que aplaudir el gusto clásico de lady Viola, aún cuando la anciana nunca lo aprovechara para ella. El suntuoso vestido era de una seda finísima color gris paloma, con mangas cortas abullonadas, tan ligero y luminoso como una nube de verano; iba todo recubierto por un tul con tramas de hilo plateado y adornado con diminutas perlas, que brillaban y destellaban a la luz de las velas.

Lo más sorprendente de todo era que ese vestido tan maravilloso no contribuyó mucho a elevarle el ánimo. Y ella sabía que nada se lo elevaría mientras no supiera de cierto en qué situación estaba con Callum.

Cruzándose de brazos contempló los diez botes de crema, al principio fastidiada, pero de pronto se le alegró la expresión. Entrando a toda prisa en su dormitorio, abrió el cajón de la mesilla de noche y sacó un papel tamaño folio que tenía ligeramente dobladas las esquinas, pero utilizable, luego una pluma medio ajada y un tintero de vidrio. No tardó mucho en escribir el mensaje:

Lady E. lamenta informar que no podrá atender más de diez pedidos esta noche.

Sonriendo por primera vez en el día, enrolló el papel en el asa de la canasta de pedidos, de modo que quedara a visible el mensaje y salió a dejarla fuera de la puerta de la cocina.

Volvió casi saltando a su dormitorio y se arrojó sobre la cama. Por fin podría dormir unas horas esa noche.

Tendida de espaldas alargó la mano, cogió su espejo ovalado y se miró.

Santo cielo, tenía la cara tan gris como un nubarrón cargado de lluvia. No podría ponerse el vestido gris paloma esa noche. La apariencia «recién levantada de la tumba» no era apta para reconquistar a Callum.

¿Qué podía hacer?

De pronto se sentó casi de un salto al ocurrírsele la solución: la crema.

Cogiendo la pluma bien mojada en tinta, salió corriendo hasta fuera de la puerta de la cocina, tachó la palabra «diez» del mensaje y encima escribió «nueve».

Después cogió un bote de crema y se lo llevó al dormitorio. Si una pequeña cantidad cogida con un dedo le devolvía el vigor juvenil a las caras de las ancianas hermanas Featherton, una cantidad cogida con todos los dedos era justo lo que necesitaba para salir del reino de los muertos.

Alegremente se llenó la palma con crema y se la extendió por las mejillas, por las oscuras ojeras que delataban la falta de sueño y por la frente. Puesto que no podía salir a hacer sus quehaceres diarios con la crema afrodisíaca que parecía crestas de olas en toda la cara, decidió echarse en la cama y descansar diez minutos, para darle tiempo a la crema de obrar su magia.

¿Quién podría echarla en falta en sólo diez minutos?

—¿Qué haces, hija, por el amor del rey? No puedes pasarte todo el día durmiendo cuando tienes que preparar una fiesta para esta noche.

Jenny abrió los párpados. Caracoles. Le ardían tremendamente los ojos. Debió entrarles un poco de la crema.

—Cielo santo, Jenny, ¿qué te has puesto en toda la cara?

—Ah, un poco de mi crema. Pensé que le podría poner un poco de buen color a mis mejillas para la fiesta de esta noche.

Pero la horrorizada expresión que vio en la cara de su madre le dijo que la crema había hecho mucho más que eso.

Al instante cogió el espejo ovalado y se miró. Mirándola desde el espejo había una cara roja, toda hinchada, como la cara de una bestia que no había visto nunca antes. El espejo se le cayó de la mano y se estrelló en el suelo.

—Ay, madre, ¿qué puedo hacer?

El ama de llaves negó con la cabeza.

—No lo sé. Tú eres la química. Pero decidas lo que decidas, será mejor que te des prisa. Las señoras... me han enviado a buscarte.

Lady Viola emitió una exclamación fuerte cuando Jenny entró en el salón.

—El Señor tenga piedad, hija, ¿qué te has hecho en la cara?

—Quería... quería probar la mezcla que hice para la crema. La crema... para «abajo», ¿sabe?

Poniéndose el monóculo ante el ojo, que lo hacía parecer un ojo de pescado, lady Letitia le miró atentamente la cara de cerca.

—Ay, Dios. Esto no tiene buen aspecto, no tiene buen aspecto, en absoluto. ¿Has probado con agua fría para bajar la hinchazón?

Jenny asintió.

—Sí, claro que lo has probado —gimió lady Letitia, disgustada, y volvió a sentarse en el sofá junto a su hermana.

Lady Viola frunció el ceño y se mordió el labio inferior.

—¿Pero por qué la probaste en la cara?

Eso, ¿por qué?, pensó Jenny.

—Mmm... verá... ¡Ah! Me asomé al caldero cuando el extracto estaba humeando. Sí, eso fue. No tenía idea de que la mezcla fuera tan potente.

—Ah, claro —gorjearon las dos ancianas al unísono.

Jenny miró hacia el sillón lacado que estaba junto al hogar y lady Letitia le indicó con un gesto que fuera a sentarse en él.

—No puedo ver a lord Argyll así —dijo, ya sentada, en tono quejumbroso—. Sencillamente no puedo.

Lady Viola se levantó del sofá que compartía con su hermana y se le acercó apoyándose en su bastón.

—Pero, querida mía, es demasiado tarde para cancelar las invitaciones. Nuestros invitados van a llegar dentro de unas pocas horas.

Lady Letitia manifestó su acuerdo asintiendo con la cabeza.

—La cocinera ya tiene casi lista la comida. Creo que la fiesta debe comenzar tal como se ha planeado, hija.

A lady Viola se le iluminaron los ojos.

—Tal vez sí es posible hacer algo. La fiesta puede ser al estilo Mil y Una Noches y todas podemos ponernos velo.

Diciendo eso agrandó los ojos y movió la cabeza de arriba abajo, ilusionada, como esperando que acogieran bien su sugerencia.

—No seas tonta, Viola. —Lady Letitia hizo un gesto con la mano hacia Jenny—. Mírale lo ojos hinchados. Un velo no se los ocultaría. Además, ¿cómo comeríamos?

—Bueno, no oigo ninguna solución que venga de ti —masculló lady Viola, en tono de sentirse muy herida.

—Dame un momento, por favor. —Separando su ancho trasero del sofá, lady Letitia comenzó a pasearse—. La oscuridad es nuestra única opción, el único velo que le ocultará la cara.

—¿Qué? —exclamó Jenny—. Con su perdón, milady, ¿cómo puede alguien divertirse en la oscuridad? —preguntó, porque por lo que veía, esa no era una posibilidad en absoluto.

Lady Letitia sonrió traviesa y emitió una risa ronca, como salida del fondo del vientre.

—Ah, sí que hay una manera. No lo dudes.

Un estremecimiento premonitorio le erizó el vello de los antebrazos a Jenny.

¿Qué descabellado plan se le habría metido en la cabeza a la anciana esta vez?

Jenny, cuyos ojos ya se habían acostumbrado a la oscuridad casi total, observó impotente cuando el señor Edgar fue a abrirle la puerta a lord Argyll, el que enseguida entró a tropezones en el vestíbulo.

—¿No te sobra una vela, mi buen hombre? —le preguntó, mirando hacia el salón, donde ardía una sola vela.

Lady Letitia salió de las sombras y repentinamente apareció detrás de él.

—Bienvenido a nuestra noche de misterio y al mundo de lo metafísico.

Callum se giró, visiblemente sobresaltado.

—Lady Letitia. Buenas noches. ¿Una noche de... de qué ha dicho?

Entonces apareció lady Viola a su lado, vestida de blanco como un fantasma, haciéndolo pegar un salto.

—Lo metafísico, milord.

Acto seguido lo cogió del brazo y, después de echar una rápida mirada a Jenny, que seguía oculta en un oscuro rincón, acompañó a su señoría al salón.

Ah, pues, no podría seguirlos. Cielos, con todo el polvo y colorete mezclados con pomada con que le habían embadurnado la cara las señoras tenía que tener un aspecto fantasmal, incluso en la oscuridad.

—Vamos —susurró Meredith a su lado—. Voy a decirle la suerte a lord Argyll. No veo las horas de verle la cara que va a poner cuando le diga que tú eres su futura esposa.

Jenny exhaló un suspiro de exasperación.

—Ah, sí, seguro que va a creer que la idea le vino a consecuencia del contacto con el infinito.

—He estado veinte minutos practicando mi trance ante el espejo grande. ¿Quieres verlo? Pongo los ojos en blanco y entonces...

Ay, santo cielo, ¿no acabaría nunca esa noche?

Cuando miró hacia el salón sólo logró distinguir a lady Letitia haciéndole un gesto para que entrara. Por lo tanto hizo lo único que podía hacer, simular que no la había visto y no hacerle caso.

—Ah, estás ahí, lady Genevieve —llamó entonces lady Letitia—. Vamos, entra. Tú también, Meredith, porque nuestro lord Argyll ha llegado.

Entonces Jenny entró y al sonreír sintió crujir la mezcla de polvos y crema en la cara y comprendió que se le había agrietado, incluso se le cayó un borde. Uy, no, se le empezaba a caer la cara.

Callum se giró a mirarla y a la tenue luz ella no vio que él se había inclinado en una reverencia y continuó caminando.

—¡Aay! —chilló cuando él levantó la cabeza y le empujó los pechos hacia arriba.

—Le ruego me perdone, lady Genevieve. Qué torpe soy. ¿No le hice daño, espero?

Jenny sintió sus manos enguantadas en los brazos y notó que la estaba mirando de arriba abajo.

—Estoy muy bien, milord. No tiene por qué preocuparse por mí.

Justo entonces sonó la aldaba de bronce en la puerta de calle, y todos se giraron a mirar para ver quién había llegado.

El señor Edgar cogió la capa de la invitada y le indicó que entrara en el salón.

—Buenas noches —saludó una voz conocida—. He llegado.

Jenny se quedó absolutamente inmóvil donde estaba. Eso era inconcebible. ¿Pero en qué estaban pensando las señoras Featherton?

Era la antipática y repugnante viuda de la casa vecina. Bueno, pues, ya estaba completa su noche de horror. Ninguna otra cosa podía ir mal. Ya no quedaba nada, ¿verdad?

En ese momento apareció en la puerta una de las fregonas, vela en mano, y dobló un dedo haciéndole un gesto a ella.

El señor Edgar echó a caminar a toda prisa en dirección a la criada con unas zancadas extraordinariamente largas. Incluso en esa oscuridad Jenny vio que la chica estaba preocupada; sin duda no se habría atrevido ni a acercarse al salón si no hubiera ocurrido algo terrible.

Corriendo llegó a la puerta antes que Edgar y empujó a la criada por el corredor hasta la escalera de servicio.

—Uy, Jenny, ahora sí que estás en dificultades —dijo la chica con los ojos agrandados.

—¿Qué pasa, Erma? —se apresuró a preguntar Jenny, no fuera que las alcanzara el señor Edgar y empujara a la chica escalera abajo antes que contestara.

—Está el señor Bartleby, de la tienda. Entró por la puerta de la cocina y te está esperando abajo.

Jenny se quedó paralizada.

—Dijo que si yo no te encontraba y te llevaba a verlo él subiría a buscarte.

—Seguro que quiso tomarte el pelo.

Entonces sonó una ronca voz gangosa detrás de ella, en la oscuridad, que le heló la piel:

—Le aseguro que no bromeaba, lady Eros.

Capítulo 9

Jenny empezó a sentir un doloroso martilleo bajo la delicada piel de las sienes.

—¿Lady Eros? —preguntó.

Al oír las palabras de Bartleby, Erma se había dado media vuelta y bajado corriendo la escalera, llevándose la única fuente de luz. A la luz de la vela que se alejaba, Jenny sólo logró ver una blanca cara borrosa de hombre delante de ella. Sintió pasar un hormigueo de miedo por el cuero cabelludo, el que le erizó la raíz de los cabellos.

—No sé a quién se refiere —logró añadir, pero ella misma notó que la voz le salió muy débil y temblorosa y apenas se oyeron sus palabras.

—Creo que sí lo sabe —contestó Bartleby tranquilamente.

El alto y desmadejado señor Edgar se introdujo bruscamente entre ellos. Entonces se giró a mirar a Jenny, protegiéndola con su cuerpo del grosero tendero.

—Milady, la necesitan en el salón.

—Gracias, señor Edgar. Iré enseguida.

Entonces el señor Edgar se dio media vuelta lentamente y se quedó mirando varios segundos al hombre, que era bastante más bajo que él. A los oídos de Jenny llegó el sonido que hizo Bartleby al mojarse los labios nervioso, mientras Edgar lo miraba, imponente.

Después Edgar se apartó y echó a caminar de vuelta al salón.

—Señor Bartleby, como ve, estoy ocupada —dijo Jenny entonces, combatiendo el infantil deseo de bajar corriendo la escalera para ir a esconderse debajo de su cama. Tenía que lograr que el tendero saliera de la casa antes que atrajera la atención y se lo estropeara todo—. Si no le importa, mañana a primera hora iré a su tienda a hablar de lo que sea que considera tan importante.

Esperando contra toda esperanza que Bartleby simplemente se marchara, se giró para seguir a Edgar hasta el salón, pero entonces el tendero le cogió el brazo y se lo apretó con fuerza.

—¡Señor, olvida sus modales! —chilló.

Al parecer chilló algo más fuerte de lo que hubiera debido, porque al instante siguiente estaba a su lado su caballero de la brillante armadura.

—¿Me permite que la auxilie, lady Genevieve? —preguntó Callum, soltando con un fuerte golpe la mano del tendero del brazo de Jenny.

Después adelantó su gigantesco cuerpo hasta dejarlo a menos de un palmo de Bartleby, obligándolo a sostener su penetrante mirada.

Bartleby comenzó a farfullar y su tono amenazador se fue reduciendo hasta quedar en un chillido de ratón.

—Sólo quería... esto... bueno, su señoría admiró un fular en mi establecimiento, pero otra persona lo compró antes que ella pudiera comprarlo. Sólo quería comunicarle que este fin de semana recibiré otro y que se lo guardaré si ella sigue interesada en comprarlo.

Jenny no pudo dejar de admirar la rapidez de Bartleby para inventar una mentira, pero consideró que eso no disculpaba su descarada y agresiva conducta de esa noche.

Colocó la mano en la manga de la chaqueta de Callum y él giró medio cuerpo hacia ella.

—No pasa nada. Ya informé al señor Bartleby que mañana procuraré ir a su tienda. —Situándose a un lado de Callum, pasó el brazo bajo su codo y se dirigió a Bartleby—: Si eso es todo, señor Bartleby, ¿me haría el favor de disculparme para poder volver a la fiesta?

El señor Bartleby se apresuró a hacer una nerviosa venia y desapareció en la escalera que llevaba a la cocina.

Cuando iban pasando por la puerta abierta del salón, Callum acercó la boca a su oído y le preguntó:

—¿De qué iba todo eso?

Jenny exhaló un suspiro, pero giró la cabeza y le sonrió:

—Sinceramente, milord, no lo sé... con exactitud. Pero expulsemos eso de nuestras mentes, porque le tenemos reservada una gran sorpresa.

—Pues sí que la tenemos —exclamó Meredith corriendo hasta la puerta. Una vez allí, le cogió la mano a Callum—. Venga conmigo, Argyll, y le leeré el futuro. Ah, vamos, no se erice. Mis predicciones del futuro son increíblemente acertadas. Ya lo verá.

Ni siquiera a la tenue luz de una sola vela podría nadie haber dejado de ver el pronunciado guiño hacia Jenny que hizo Meredith.

Después de cenar ciervo asado, opción culinaria de la que Jenny podría haber prescindido después de ver un ciervo en su paseo a Dyrham, el pequeño grupo volvió al salón a ver una demostración de lo metafísico supuestamente conmovedora. O mejor dicho, se instalaron a ver la actuación de Meredith con su bolsa de insípidos trucos para fiesta.

De todos modos Jenny agradecía eso, porque sin la buena disposición de Meredith para actuar, en ese momento las lámparas araña estarían iluminando su cara roja e hinchada.

Mientras Meredith hacía sentar a la viuda en uno de los sillones lacados, preparándose para intentar el famoso control de la mente del doctor Mesmer, Callum condujo a Jenny hasta el sofá, lo cual le convenía a ella, porque así su cara acalorada y crujiente quedaría justo fuera de la luz de la vela.

En realidad, los dos quedaron sentados en la más absoluta oscuridad.

Pero en lugar de causarle preocupación, la idea de que nadie podía verlos le resultó de lo más estimulante.

Como cuando entra el sol por una ventana, sentía el agradable calor del cuerpo de Callum en el costado, oía su pausada respiración, y al mismo tiempo no lo veía. Pero tampoco lo veía ninguna otra persona, hecho del cual él estaba muy consciente, porque le cogió la mano, se la giró y, por encima del guante le frotó la palma con el pulgar, hasta las yemas de cada dedo.

Jenny se estremeció, y después la avergonzó esa reacción visceral.

—Jenny —musitó él, en voz muy, muy baja.

El sonido le vibró en la oreja y le hizo cosquillas, lo que la incitó a esbozar una sonrisa.

—Siento mucho haberme alejado de ti en el parque. Sé que no es disculpa, pero no estaba preparado para oír las verdades que me dijiste. ¿Puedes perdonarme?

Ella giró la cara hacia él para contestar y, no habiéndose dado cuenta de que él había acercado la suya, se sorprendió al sentir el roce de sus labios sobre el firme labio superior de él.

No supo si él quería o no que sus bocas se tocaran, ni si la estaba instando a acercar más la cara para besarlo de verdad. Pero en realidad eso no importaba. Ella deseaba experimentar su beso otra vez.

Lo necesitaba.

Y en ese salón oscuro como el ébano, lo haría.

Miró recelosa hacia el otro lado del salón, donde estaban sentadas las señoras Featherton bajo el círculo luminoso creado por la vela.

Ya segura de que no los veían, acercó más el cuerpo hacia Callum, subió la mano por su ancho pecho y luego la pasó por su mandíbula áspera por la naciente barba. Deslizó la mano izquierda por su pelo mal peinado y sin ninguna consideración al decoro, la apoyó en su nuca y le inclinó la cabeza para acercar su boca a la de ella.

Callum retuvo el aliento y, tardíamente, ella comprendió que su osadía lo había sorprendido, aunque, sin saber por qué, en lo más profundo de su ser eso le agradó inmensamente y le infundió más osadía aún.

De pronto se sintió rodeada por unas manos fuertes y grandes que la levantaron sin el menor esfuerzo. Aunque sin poder ver nada, se sorprendió al comprender que él la había sentado en su regazo. Pero no podía protestar; la oscuridad podía ocultar incluso los actos más salaces, pero no silenciar las palabras.

Entonces le tocó a ella retener el aliento, al notar el bulto duro sobre el que estaba sentada.

—Esto es indecoroso, Callum —susurró—. No estamos solos.

Pero al instante olvidó su conmoción cuando él le pasó la punta de la lengua por un labio, haciéndola sentirse drogada y extrañamente adormilada.

—Chss, no nos ve nadie, muchacha.

Más que oír sus palabras, las sintió en su aliento caliente sobre sus labios, lo que la obligó a abrir la boca para captarlas.

Al instante se sintió obsesionada por el deseo de palpar los contornos de su cuerpo. Se apoyó en él firmemente, apretándose más y más contra él mientras él introducía la lengua en su boca.

Sintió el impaciente movimiento de sus manos sobre su cintura y la invadió la excitación al imaginarse sus manos acariciándola por todas partes. Entonces, como si ella hubiera ordenado que ocurriera eso, él empezó a subir lentamente la mano por su corpiño.

Cuando él ahuecó su ancha mano en su pecho, deseó gemir, y habría emitido un gemido fuerte si él no se hubiera apoderado de su boca silenciando el sonido antes que se le escapara.

Callum movía la mano con una lentitud desesperante, abriendo los dedos por encima de la seda gris, hasta que al fin juntó el pulgar y el índice alrededor del pezón y se lo apretó suavemente.

Abrió bruscamente los ojos, se apartó, bajándose de su regazo, y se alejó hasta el otro extremo del sofá. Él había supuesto demasiado.

Después de todo, había otras personas en el salón y sólo un verdadero libertino podía atreverse a intentar algo tan escandaloso.

Ay, Dios, ¿por qué no lo comprendió antes? Sintió subir el calor a las mejillas.

Había creído que él era sincero, auténtico; que le había permitido intimar con él, que sentía algo por ella.

Pero se había equivocado, ¿no?

Los muros que rodeaban su corazón seguían tan sólidos y firmes como siempre. El libertino había vuelto a su castillo.

Pero entonces él volvió a cogerle la mano y le dio un tranquilizador apretón.

—Lo siento, Jenny. Mis pasiones me dominaron y lo lamento. Te deseo, te deseo terriblemente, pero no quiero perderte.

Ella giró la cabeza para mirarlo, para ver si brillaba la verdad en sus ojos, pero sólo vio oscuridad. De todos modos pensó si por un instante no lo habría juzgado injustamente.

Tal vez, con toda sinceridad, él sentía algo por ella, algo más que vana lujuria.

Pero eso no era amor. No debía engañarse en eso.

No debía, de ninguna manera.

Para gran alivio de Jenny, afortunadamente la velada terminó temprano, debido a que la actuación de Meredith fue un lamentable fracaso porque no impresionó a nadie.

Mientras a la viuda McCarthy y a Callum les entregaban sus sombreros y capas a la luz de una sola vela, Jenny se instaló nuevamente en el rincón oscuro del vestíbulo.

—Lord Argyll —dijo la viuda McCarthy, pasando su huesudo brazo por el de él—, ¿tendría la amabilidad de acompañarme hasta la puerta de mi casa, que es la vecina de esta? Estando sola como estoy me da miedo aventurarme a salir a la oscuridad de la noche. Temo a los ladrones, ¿sabe? Sólo esta mañana atacaron a la señora Potswallow. Me han dicho que sólo le robaron el monedero, pero le dejaron un chichón en la cabeza del tamaño de un puño. —Fingió un estremecimiento agitando todo el cuerpo—. Confieso que temo que puedan estar esperando fuera para aprovecharse de una pobre mujer indefensa.

Protegida como estaba por la oscuridad, Jenny casi le gruñó a la viuda. Incluso a la tenue luz de una sola vela veía cómo sus ojos saltones devoraban a Callum con codicia. Arqueó una ceja hacia ella, segura de que si se aprovechaban de alguien esa noche sería de lord Argyll.

También vio con claridad la expresión irónica de Callum.

—Pero por supuesto, será un honor para mí.

La viuda y Callum se despidieron de Meredith y de las señoras Featherton deseándoles las buenas noches. Al acercarse a la puerta, la desparejada pareja se detuvo ante Jenny.

La viuda entrecerró los ojos y se le acercó, como si quisiera verla mejor.

—Mis disculpas, por no haber tenido oportunidad para conocernos mejor esta noche.

Desesperada y con la respiración agitada, Jenny apoyó la cabeza en la juntura entre las dos paredes, con el fin de ocultar la cara en esa parte más oscura del vestíbulo.

La viuda guardó silencio un momento, como si estuviera considerando alguna posibilidad.

—Creo que si consintiera en venir a mi casa a tomar el té el viernes por la tarde, tal vez juntas podríamos descubrir dónde la he visto antes. Porque su cara me resulta conocida, y yo jamás olvido una cara.

A Jenny le saltó el corazón como una piedra plana por la superficie de un estanque. De ninguna manera podía tomar el té con la viuda. Vamos, la astuta mujer descubriría su identidad si fijaba la mirada en ella otro minuto ininterrumpido.

Su silencio, ya incómodo, impulsó a Callum a intervenir.

—Lady Genevieve ha aceptado acompañarme en un paseo por Sydney Gardens el viernes.

Jenny expulsó lentamente el aliento que tenía retenido en los pulmones sin haberse dado cuenta..

—Sí, lo siento, lady McCarthy. ¿Tal vez en otra ocasión?

Los ojos de la viuda se empequeñecieron hasta parecer puntas de clavos.

—¿A Sydney Gardens... en invierno? Mmmm. Bueno, supongo que podríamos tomar el té el...

Callum aplastó el brazo de la viuda contra sus costillas y el fin de la frase quedó en suspenso un momento, hasta ser reemplazado por una risita de niña pequeña cuando él la instó a caminar hacia la puerta.

—Vamos, señora, si me hace el favor. Se está haciendo tarde y confieso que tengo una cita mañana a primera hora.

—Ah, por supuesto, milord.

Cuando Callum iba saliendo con ella, la viuda lanzó una engreída mirada por encima del hombro, sin duda dirigida a Jenny.

Una vez que el señor Edgar cerró la puerta y su madre encendió a toda prisa las velas del salón y las de los candelabros del vestíbulo, Jenny fue a mirarse en el espejo de marco dorado.

La imagen que vio le produjo un violento estremecimiento que le bajó hasta los zapatos. Su cara estaba toda moteada por las manchas blancas de la mezcla de pomada con polvos y los trozos de piel roja en los lugares donde la mascarilla se había secado y agrietado como yeso en una pared vieja.

Lady Letitia le puso una mano en el hombro.

—Limitar las velas a una era la única manera, pero creo que la velada ha sido todo un éxito. —Miró hacia atrás a lady Viola—. ¿No estás de acuerdo, hermana?

Lady Viola se les acercó golpeando el suelo con el bastón.

—Bueno, no nos corresponde a nosotras decirlo. Jenny, tú y Argyll estuvisteis juntos en la oscuridad un buen rato. —Guardó silencio y Jenny comprendió que esperaba la respuesta, pero no estaba dispuesta a dársela—. Y al parecer aceptaste su invitación a un paseo por Sydney Gardens...

Jenny asintió, con la esperanza de ganar tiempo para encontrar las palabras, pero las Featherton la miraban impacientes.

—Para ser sincera, señoras, no sé si hemos hecho algún progreso. A veces tengo la impresión de que alberga sentimientos por mí.

—Bueno, le gustas bastante, me parece —dijo Meredith e hizo un gesto hacia su cara—: La crema ocultadora ha desaparecido totalmente alrededor de tu boca.

Las dos Featherton se rieron.

—¿Así que volvió a besarte? —preguntó lady Letitia descaradamente.

—Sí —suspiró Jenny y se cubrió las mejillas hinchadas con las palmas—. Oh, estoy muy confundida. Tiene una reputación de libertino de primera clase.

—¿Eso es todo? —dijo lady Viola riendo—. Bueno, tienes razón, en parte. Por lo que sé, y esta información viene de una fuente muy fidedigna, has de saber que ha dejado una estela de corazones rotos desde Aberdeen a Cornualles.

Meredith la interrumpió con un fuerte carraspeo.

—Eso no lo favorece, tieta —masculló con los labios casi juntos.

—Cariño, déjame terminar. —Lady Viola cogió a Jenny por los hombros y la miró a los ojos—. Baila con ellas en las reuniones sociales o las corteja en fiestas. Pero sólo por una noche. No más. Nunca ha hecho una excepción a ese hábito suyo de una mujer una noche, hasta ahora. Al menos eso es lo que me han dicho.

Una crispación nerviosa atenazó a Jenny al considerar lo que acababa de oír.

¿Podría ser? ¿Sería posible que él, igual que ella, estuviera comenzando a enamorarse?

A la mañana siguiente a Jenny le había desparecido la hinchazón y la rojez de la cara, gracias a la sugerencia de su madre de que antes de acostarse metiera repetidas veces la cara en una jofaina con agua fría como hielo.

Eso dio resultado, lógicamente, por lo que debería sentirse feliz, pero no se sentía feliz.

El miedo le pesaba fuertemente en el pecho, dificultándole incluso la respiración, aunque, bueno, eso podía deberse a su corsé nuevo. De todos modos ya no tenía ningún pretexto para no ir a visitar al señor Bartleby, tal como prometiera. Él no habría hecho todo el trayecto hasta la casa de Royal Crescent sólo para hablar de sus deudas. ¡Cielos! No era tanto lo que le debía, o al menos eso creía. Tal vez debería haber mirado la última nota de aviso sobre su cuenta que él le enviara, antes de arrojarla al fuego.

No, el hecho de que la hubiera llamado lady Eros le decía exactamente cuál era el tema del que deseaba tratar. ¿Cómo haría la conexión?, pensó. No tenía ningún sentido que alguno de los criados la hubiera delatado, porque con eso se arriesgaba a perder los ingresos que hacía con la crema.

Después de despertar y vestir a Meredith, cogió su chal de lana gris, porque decidió que era importantísimo presentarse a ese encuentro en su papel de doncella de señora.

Cuando iba pasando por la cocina, por el rabillo del ojo vio un brillo y se giró a mirar. ¡Caramba! De las orejas de una de las malditas fregonas colgaban unos pendientes de perlas. Además, eran de Bartleby's, segunda vitrina del fondo a la izquierda, primer estante de arriba. ¿Pero cómo pudo la chica permitirse pagar...? Aaahhh, claro.

Entrecerrando los ojos, echó a andar hacia la muchacha con las manos en puños.

—Erma —gruñó.

Cuando la criada le miró la cara, chilló y se puso detrás de su gorda amiga, la otra fregona, Martha.

—Déjame en paz, Jenny. No fue mi intención hacer nada malo.

—Le dijiste que yo era la que hacía la crema —gruñó Jenny, alargando la mano por un lado de Martha para cogerla—. ¿Sabes lo que has hecho?

Erma se agachó y consiguió eludirla. Entonces Martha alzó el mentón, mirando a Jenny.

—¿Qué te crees que puedes hacer? No puedes hacer nada, porque si haces algo, las señoras se van a enterar de tus actividades.

Jenny bajó las manos, pensativa. Pasado un instante giró sobre sus talones y continuó su camino hacia la puerta.

—Tiene razón, Jenny, no puedes hacer nada —gritó Erma a su espalda.

Jenny se detuvo y las miró por encima del hombro.

—No tengo que hacer nada, aparte de ir a ver al señor Bartleby. Pero cuando les diga a los criados de Bath quién les secó su fuente de ingresos, no dudo que desearán discutir el asunto contigo.

Dicho eso salió y cerró la puerta. Incluso a través de la puerta oyó los angustiados chillidos de Erma.

Cuando Jenny entró en Bartleby's, envuelta en un manto de falsa tranquilidad, sonó la campanilla fija a un muelle metálico encima de la puerta, atrayendo la atención del tendero.

El señor Bartleby esbozó lentamente una sonrisa. Se apresuró a cerrar y poner llave a la caja y después fue hasta la puerta y giró el rectángulo de madera con manchas de agua de modo que hacia la calle quedara el letrero «CERRADO».

Enderezando los hombros, Jenny alzó el mentón en actitud arrogante.

—No nos entretengamos, porque no me sobra el tiempo. Anoche usted tuvo la audacia de interrumpir una fiesta de mis señoras para exigirme que viniera a verle hoy. Deseo saber por qué.

Bartleby se rió y afirmando el codo sobre el mostrador cambió su peso para apoyarse en él.

—Ha estado muy presumida estos días, ¿eh, señorita Penny?

Jenny levantó la vista hacia el pizarrón de cuentas de Bartleby y miró la cifra escrita con tiza al lado de su nombre. Asintiendo secamente, sacó un monedero de su cesta de compras y lo dejó sobre el mostrador, al lado de él.

—Esto debería ser más que suficiente para saldar mi deuda. Buen día, señor.

Acto seguido, con una ceja arqueada, echó a caminar hacia la puerta.

—¡Eh, pare! Si no le juro que lo va a lamentar.

Jenny se detuvo, inmóvil, sintiendo el ruido de su corazón al golpearle el pecho. Lentamente se giró y lo miró, con el recelo de un ratón observado por un halcón al acecho.

—Le ruego me disculpe, señorita Penny, pero es que usted tiene algo que yo deseo y es mi intención tenerlo.

—¿Y qué sería eso, señor?

—Vamos, los dos sabemos la respuesta a eso, lady Eros. Deseo la exclusiva para vender su crema en mi tienda.

Jenny rió con aspereza.

—Creo que me confunde con otra persona, señor.

—Puede dejar de jugar conmigo, señorita Penny. Tengo todas las pruebas que necesito. Pruebas que no vacilaré en poner en conocimiento de otros si no acepta mis condiciones.

Jenny sintió más fuertes los latidos de su corazón, y le pareció que la habitación comenzaba a cerrarse a su alrededor. La iba a delatar.

Callum se enteraría de la verdad. Ay, Dios, no podía respirar. El corsé estaba demasiado ceñido. Se tironeó el corpiño. Ante sus ojos comenzaron a girar unos puntitos negros. Tenía que salir de ahí. Sofocada, corrió hacia la puerta, tambaleándose.

—Necesito aire. Por favor.

Bartleby corrió hacia ella, pero en lugar de abrir la puerta la llevó hasta una silla con respaldo de travesaños y la sentó.

—Perdone, no era mi intención asustarla, pero debo tener parte en la venta de esa crema.

Todavía sofocada, ella movió los ojos hacia la izquierda, para mirarlo.

—¿Por qué? —resolló—. ¿Por qué es tan importante... la crema... para usted?

El señor Bartleby hincó una rodilla y fijó la vista en el suelo.

—He tenido una racha de mala suerte.

Pero Jenny apenas lo oyó. Por encima del hombro de él sus ojos se habían fijado en un par de pendientes de labradorita. Las piedras de feldespato translúcido e iridiscente captaban la luz y esta les daba un brillo opalescente.

Contemplando boquiabierta los brillantes pendientes se le resecó la boca. Tenía que tenerlos, pero, porras, ya le había dado a Bartleby hasta la última guinea que tenía.

De repente se le ocurrió una idea. Giró la cabeza y lo miró fijamente, con la respiración recuperada, por milagro.

—Su ruina económica no es asunto mío, pero... —lo miró con expresión perspicaz—, pero puesto que al parecer me tiene en desventaja, tal vez podamos llegar a un acuerdo.

Bartleby se puso de pie.

—Tal vez. Sí, tal vez podamos.

—No le puedo dar la exclusiva porque empleo a muchas personas. Pero tengo una idea que podría hacer esta empresa digna del tiempo suyo y del mío.

Veinte minutos después, Jenny salió casi saltando de Bartleby, tan encantada estaba. Se detuvo ante el escaparate y sonrió alegremente a su imagen en el cristal, contemplando los bonitos pendientes de labradorita que le colgaban de las orejas.

Annie, que se había quedado fuera esperándola, la miró desconcertada.

—Bueno, ¿qué quería?

—Lo que suponíamos, la crema.

—No se la prometiste, ¿verdad?

Jenny hizo una leve mueca.

—Me amenazó con revelar mi identidad a los diarios si no le permitía vender la crema, así que llegamos a un acuerdo.

Annie se encogió como si sintiera que le arrebataban las guineas de la mano.

—Me da miedo preguntar.

—No te preocupes. Tú y los demás podéis seguir vendiéndoles la crema a vuestros señores. Pero yo debo darle a Bartleby diez botes a la semana.

Dándose una palmada en la frente, Annie se echó a reír.

—¿Diez botes? Los va a vender en un santiamén. —Recuperó la seriedad—. Querrá más, y te presionará hasta conseguirlos.

Jenny se dio unos golpecitos en la sien con el índice.

—Hablando con él caí en la cuenta de que lo que realmente desea no es vender la crema sino aumentar su clientela.

—¿Entonces?

—Le sugerí que regalara los botes.

—¿Estás loca? —exclamó Annie, mirándola con los ojos desorbitados.

—No, tonta. Lo que le sugerí fue que regalara un bote por cualquier compra que le hacieran del primer estante de su vitrina de joyas. Bueno, le encantó la idea y para manifestar su agradecimiento, me regaló algo justamente de ese estante. —Se tocó traviesamente uno de los pendientes, haciéndolo oscilar—. Son bonitos, ¿verdad? Son de labradorita, ¿sabes?

—Bueno, que me cuelguen. Vuelves ser la de antes, Jenny, te he de reconocer eso.

—Ah, gracias, Annie.

Después de echar una última mirada a su imagen en el cristal del escaparate y sonreírle, echó a andar en dirección a Royal Crescent.

A la mañana siguiente Jenny despertó con la tenue luz de la aurora y se levantó para comenzar sus quehaceres del día.

Pero cuando al oír las diez en el reloj se asomó a mirar por la ventana del comedor vio que todavía no aclaraba el día.

El cielo estaba encapotado con negros nubarrones bajos, y recordó que cuando fue a coger la canasta de pedidos fuera de la puerta de la cocina el aire estaba tan frío que casi le dolieron los pulmones al inspirarlo.

De todos modos continuó manteniendo la esperanza de que lord Argyll sería fiel a su palabra de llevarla a pasear por Sydney Gardens esa tarde.

—Me parece que te convendría cancelar la excursión de hoy —dijo lady Letitia levantando la vista del diario de la mañana—. La última vez que vi un cielo tan oscuro nevó tanto que la nieve llegó a la altura de mis rodillas.

Jenny le sonrió y volvió a mirar el cielo.

—Las nubes avanzan tan rápido que es posible que la tormenta pase de largo.

—La esperanza nunca se pierde —rió lady Viola.

En las horas siguientes Jenny sentía correr la sangre por sus venas a una velocidad alarmante, y se sentía como si hubiera bebido muchas tazas de café cargado.

Cuando el horario del reloj de pared se acercaba a las cuatro, se asomó a mirar fuera por la puerta de la cocina. El aire estaba algo más templado, pero el cielo estaba más oscuro aún, si eso era posible, y el charco del final de la calle continuaba sólidamente congelado.

El ánimo le cayó al suelo. Seguro que Callum enviaría un mensaje diciendo que no era conveniente ir de paseo.

Entró en su dormitorio y comenzó a desatarse los lazos de la espalda. De todos modos ese vestido nuevo de paseo no habría sido adecuado para ese tiempo tan frío, pero la fastidiaba quitárselo.

Estuvo un rato mirándoselo, después se miró la parte de la espalda por encima del hombro. Habría estado sensacional, si ella lo pensaba. A Argyll no le habría importado un bledo el tiempo si la hubiera visto con ese vestido.

En realidad el vestido era engañosamente sencillo, porque era de muselina estampada, fondo azul celeste con pequeños lunares negros y volantes de la misma tela en el borde; pero entre cada volante llevaba una inesperada cinta de satén negro, lo que elevaba en elegancia todo el vestido.

Sobre la cama tenía una papalina de fino satén color paja adornada en el lado izquierdo con una rosa abierta de seda y una pluma blanca. Incluso sus zapatos de cabritilla azul celeste y sus guantes de gamuza coordinaban a la perfección.

Qué maravilloso sería llevar ese vestido de paseo para que la viera Callum. Apesadumbrada, se sentó en la cama, pensando si alguien lo desaprobaría si llevaba ese conjunto para hacer sus quehaceres de la tarde.

En ese momento le llegó la voz de su madre desde la escalera.

—Jenny, te necesitan arriba.

—Un momento, por favor. —Decepcionada, inspiró aire y lo expulsó en un soplido—. Supongo que debo cambiarme.

—Bueno, date prisa, hija. Lord Argyll te está esperando para llevarte a Sydney Gardens.

Jenny se levantó de un salto y cogió la papalina. El nerviosismo se apoderó de sus brazos y manos, haciéndole casi imposible atarse las cintas de la papalina y los lazos del vestido.

Después cogió su abrigo azul celeste a juego de la percha de la puerta, salió corriendo y subió de dos en dos los peldaños de la escalera para encontrarse con Callum.

El corazón le retumbaba en el pecho cuando llegó al vestíbulo y lo vio.

Una sonrisa le iluminó los ojos a él, y ella observó que a pesar del tiempo tan frío como para congelar los huesos, él vestía falda.

Suspiró de placer, casi sin poder creerlo.

Su highlandés había venido a por ella después de todo.

Capítulo 10

Situado majestuosamente al final de Great Pulteney Street, Sydney Gardens parecía una brillante esmeralda de la empuñadura de un cetro.

El trayecto en coche desde Royal Crescent no era muy largo, aunque a Jenny no le cabía la menor duda de que si hubieran hecho a pie esa distancia con ese frío cortante parecerían dos carámbanos, no dos personas.

Contemplando el edificio cubierto de escarcha desde la ventanilla del coche, pensó si no sería temerario dar ese paseo, porque por mucho que hubiera deseado visitar los jardines con su apuesto acompañante o ponerse su conjunto de paseo nuevo, estaba clarísimo que el tiempo iba empeorando.

Sólo era cuestión de tiempo que el cielo se abriera y cubriera la ciudad con nieve o hielo.

—La tarde está abominable para dar un paseo, lo sé —dijo Callum levantándose del asiento del frente e instalándose al lado de ella—, pero deseaba volver a verte, Jenny.

Sintiendo el calor que emanaba de él como de un brasero lleno de carbones encendidos, Jenny sintió menos frío, pero no menos nerviosismo y temor.

Aplastó la mano en el cristal de la ventanilla y la mantuvo ahí hasta que su calor derritió la fina capa de hielo que se había formado dejando un agujero con la figura de su mano. Miró hacia el cielo y deseó gimotear.

Ya empezaban a caer voluminosos copos de nieve. De todos modos, la nieve servía muy bien a sus fines. Al fin y al cabo, Callum ya la consideraba diferente de otras mujeres. Esta era la oportunidad para demostrarle que no era la típica rosa inglesa delicada. Muy lejos de eso. La nieve le daría la estupenda oportunidad de demostrarle su valor.

—Ah, no está tan malo el tiempo —dijo en tono despreocupado—. Además, hoy me he puesto mi nuevo conjunto de paseo, ¿y qué pensarían las señoras Featherton si ni siquiera intentaba comprobar cómo abriga dando un corto paseo?

Él esbozó una sonrisa, divertido.

—Bueno, si estás tan decidida a caminar por la nieve, tal vez podríamos llegar hasta el puente de hierro que atraviesa el canal, y desde allí devolvernos al coche, antes de que el aire frío nos deje tan azules como tu vestido.

Ella lo miró por debajo de las pestañas y le sonrió con picardía, pero al mismo tiempo estaba pensando qué llevaría un escocés debajo de la falda un día tan frío como ese. Si la respuesta seguía siendo «nada», tendría que concederles el mérito a los escoceses de ser más fuertes que sus hermanos ingleses.

Viendo por el agujero en forma de mano del cristal de la ventanilla que habían llegado a Sydney Gardens, Callum se levantó y golpeó la pared de delante.

El cochero aminoró la marcha y detuvo el coche justo a un lado del canal Kennet and Avon, cuya superficie de hielo casi no dejaba ver el agua.

Como un barco en un mar azotado por la tempestad, el coche se zarandeó cuando saltó el lacayo del pescante a abrir la portezuela y poner los peldaños para que se apearan Jenny y lord Argyll.

Jenny fue la primera en bajarse, impaciente por lucir una pose favorecedora ante Callum. En el instante en que sus zapatos tocaron el suelo congelado comprendió que su insistencia en dar un corto paseo no era otra cosa que tonta locura. De todos modos, a Callum sólo le llevaría un momento ver que ella no era una frágil señorita de la sociedad sino una mujer fuerte, capaz de soportar los crudos inviernos de las Higlands sin siquiera mover una pestaña. Al menos esperaba que no le llevara mucho tiempo. Tal como estaban las cosas, con el aire y los copos de nieve sentía más frío que una oca sobre una laguna congelada.

Mientras Callum bajaba los peldaños, Jenny se miró los pies buscando el mejor lugar para ponerlos y entonces vio cómo se agitaba su abrigo con el viento, exhibiendo el exquisito forro de satén dorado. No pudo evitar sonreír. Señor, se veía fantástica con ese conjunto para paseo.

Sonriendo para sí misma, se giró de modo que el viento abriera el centro de su abrigo y lo levantara por los lados y estos volaran detrás de ella como dos estandartes reales.

Levantó la vista para asegurarse de que Callum la estaba mirando y con el ademán se le deslizó un pie hacia delante y se le fue el cuerpo, como si se estuviera inclinando para hacer una profunda reverencia.

Con todo cuidado volvió a poner el pie en su lugar, pero continuó estremecida implacablemente por una mezcla de miedo y sorpresa.

Cuando volvió a mirar el suelo para asegurarse de que los zapatos no tenían manchas de agua, vio que bajo la delgada capa de nieve había otra capa casi invisible de hielo. Eso era peligroso, ya que con cualquier movimiento en falso que hiciera caería sentada en el suelo estropeando la encantadora imagen que tanto le había costado conseguir. Sería mejor volver al coche.

Recelosa, comenzó a avanzar los pies sin levantarlos y arriesgándose, pero en el instante en que se movió, los pies comenzaron a deslizarse y se le fue el cuerpo hacia atrás. Giró la cabeza para mirar por encima del hombro. Dios santo, estaba demasiado cerca de la orilla del canal.

—¡Callum!

Agitando los brazos despavorida, trató de mantener el equilibrio. Pero fue inútil, continuó cayendo hacia atrás.

De pronto sintió el cuerpo ingrávido y le pareció que todo lo que la rodeaba comenzaba a detenerse.

Absolutamente incrédula vio sus pies levantados y los asustados ojos de Callum extendiendo los brazos para cogerla, pero sin conseguirlo.

Cayó de espaldas sobre la capa de hielo que cubría el canal. Debajo de ella sintió romperse con un crujido la capa de hielo y lanzó un grito al sentirse rodeada por agua gélida que al instante la cubrió toda entera.

Agitada de un lado a otro por la corriente, combatió con todas sus fuerzas por salir a la superficie, pero todo fue en vano. El abrigo y el vestido, empapados de agua, la mantenían bajo el agua agitada, como si fueran pesas de plomo.

Sintió arder los pulmones hasta que ya no pudo seguir reteniendo el aliento. Salió el aire expulsado en un montón de burbujas que subieron a la superficie y no pudo hacer nada aparte de observarlas desde abajo atenazada por el terror.

De pronto todo se convirtió en una absoluta negrura.

—Jenny, Jenny, abre los ojos, muchacha.

De una parte de la oscuridad la llamaba una voz ronca instándola a moverse, a abandonar su capullo negro de lana. Pero no quería; necesitaba descansar. Pero la voz seguía llamándola.

Era la voz de Callum.

Al darse cuenta de eso abrió los párpados y vio una enorme habitación, casi a oscuras, sólo iluminada por una vela en una mesilla junto a la cabecera de la cama y las llamas que parpadeaban en el hogar.

Cerró las manos, ya más despabilada, y notó que tocaba los bordes de unas gruesas mantas y una colcha que la cubrían. Unas vaporosas cortinas blancas caían por los lados de la enorme cama en que estaba acostada.

Un repentino pensamiento pareció gritarle en la cabeza. Esa no era su cama. Ese no era su dormitorio. No era la suya esa habitación tan espaciosa, tan grandiosa.

¿Qué le había ocurrido?, pensó, desconcertada. ¿Por qué estaba ahí?

¿Dónde estaba...?

—¿Callum? —llamó.

Notó que la voz le salía rasposa y se asustó al oírla.

Entonces sintió una cálida presión en la oreja y luego el zumbido de su voz ronca y consoladora.

—Estoy aquí, muchacha.

Giró la cara hacia él. Se encontraron sus ojos y sintió pasar por toda ella una corriente de terror. Bruscamente se sentó en la cama. Dios santo, estaba en la cama con lord Argyll.

—¿Qué hago aquí? ¿En la cama contigo?

—¿No recuerdas nada, muchacha?

Su voz era tan cálida como su cuerpo, que sentía presionado contra el de ella bajo las mantas.

Se esforzó en pensar, tratando de recordar y armar una cadena lógica de acontecimientos que pudieran haber culminado en eso: ella en la cama con lord Argyll. Pero no logró recordar nada.

Eso no tenía ningún sentido.

Se echó a temblar violentamente y sintió que se le endurecían los pezones al estremecerse. Se miró y vio que estaba totalmente desnuda. Al instante volvió a meterse bajo las mantas.

¿Es que se había vuelto loca?

—No recuerdo nada. —Le castañetearon los dientes al hablar y no logró aquietarlos—. Callum, por favor, ¿qué ha ocurrido? ¿Por qué estamos aquí... juntos?

Él la abrazó, atrayéndola hacia su pecho desnudo y la cubrió más con las mantas.

—No te preocupes, Jenny, todo está bien ahora.

Ella sintió su suave beso en la coronilla.

—Te deslizaste por el hielo y caíste en el canal. Casi te ahogaste, además, porque tu abrigo y tu vestido te hundían llevándote directamente al fondo.

—Mi vestido. ¿Dónde está?

Él sacó una mano y apuntó con un dedo por un lado de una de las cortinas.

—Secándose junto al hogar, junto con mis ropas.

Ella levantó la cabeza y alargó el cuello para ver su conjunto.

Cuando lo vio deseó no haber mirado, porque era una vista horrorosa; su precioso conjunto estaba colgado sobre una rejilla de madera, todo arrugado y sucio.

Comenzaron a bajarle las lágrimas por las mejillas mirando su amadísimo conjunto de paseo.

—Och, tranquila, cariño. Ahora lo recuerdas, ¿verdad? Tuviste un accidente horrible, seguro, pero ya pasó.

Jenny asintió. Él tenía razón. Estaba empezando a recordar.

—Chhs, manténte pegada a mí, muchacha, para que no te enfríes. Es la única manera.

Entonces, ya más lúcida, cayó en la cuenta de que estaba desnuda en la cama en los brazos de un hombre igualmente desnudo. Intentó apartarse, pero él aumentó la presión de su brazo alrededor de ella.

—No podemos hacer esto. ¡No es correcto! —chilló, comprendiendo sólo en ese momento que al abrazar el cuerpo desnudo de él le habían dejado de castañetear los dientes.

—Sí que es correcto. Esta es la única manera que conozco de evitar que muramos los dos congelados.

Con la mente en blanco Jenny miró las cortinas que formaban un techo sobre la cama. La habitación estaba oscura; tenía que ser de noche. Su madre estaría preocupada. El señor Edgar también. Ay, Dios, no. ¡Las señoras!

—Tengo que irme a casa. ¿Qué estarán pensando las señoras? Deben de estar preocupadísimas. —Interrumpió la parrafada para mirar la habitación—. Callum, ¿dónde estamos?

—En Laura Place, en la casa que he alquilado para alojarme durante mi estancia aquí.

—¿En tu casa? —Jenny tragó saliva al pensar en las terribles consecuencias de estar por la noche sola en la casa de un soltero—. No debo estar aquí. Sencillamente no debo.

Trató de incorporarse, pero en un solo movimiento él se colocó encima de ella, poniendo los brazos a cada lado como barreras, impidiéndole escapar.

Sintió el roce del vello rizado en sus pechos, el que le endureció los pezones y la hizo ruborizarse. En la entrepierna sintió también vibrar suavemente el miembro rígido de él, calentándole la parte más íntima.

—Envié un mensaje a las señoras Featherton explicándoles tu accidente. Saben dónde estás y me enviaron una nota agradeciéndome que te hubiera salvado. Además, no puedes ir a ninguna parte, esta noche en todo caso.

Señor, no lograba concentrarse en lo que le decía, inmersa como estaba en las sensaciones. A la luz de la vela le veía la cara muy seria; nunca lo había visto tan serio.

—¿Por qué no puedo marcharme? —logró preguntar.

—Hay más de dos palmos de nieve en el suelo, y eso encima del hielo, que fue la causa de tu caída. Así que no puedes hacer nada aparte de continuar en la cama hasta que a los dos se nos pase el enfriamiento y volvamos a estar bien.

—¿Los dos? —Volvió a mirar hacia el hogar y vio la falda, la chaqueta y la camisa de lino de él colgados junto a la ropa de ella. Entonces recordó lo que él acababa de decirle y todo adquirió sentido—. Me salvaste. Saltaste al agua y me rescataste.

—Sí.

Jenny sintió formarse una sonrisa en su boca, como por propia voluntad.

—Arriesgaste tu vida para salvarme.

—Sí —repitió él, casi en un gruñido—. Ahora deja de repetirlo, no sea que me hagas lamentar haberte sacado del canal.

Eso lo demostraba. Podría haber ordenado a su lacayo o su cochero que se lanzara al agua, pero se lanzó él. Le rodeó la cintura con los brazos y lo miró a los ojos.

—Te gusto, lord Argyll. Te gusto.

Sintió subir una risa de dicha y cuando le salió por los labios le estremeció todo el cuerpo. Entonces sintió que a él el miembro se le ponía duro como piedra, apretado contra ella.

—Demonios, Jenny, deja de moverte así estando yo encima de ti. Tengo frío, muchacha, pero soy humano también.

Eso la hizo reír más aún.

—Jenny, por favor. Tienes que dejar de moverte así. Deja de reírte, Jenny. Lo digo en serio.

De repente bajó la cara y la besó en la boca, acallándole la risa. Entonces, en lugar de risa se le escapó un gemido de deseo, al tomar más conciencia de la dureza que le apretaba suavemente la entrepierna. La invadió una perversa excitación.

Deslizó las manos por su cintura y la subió por sus costados, palpándole las costillas y las bandas de músculos con las yemas de los dedos.

Y palparlo era una dicha, algo delicioso. Entonces pasó las manos por entre ellos, hasta el lugar donde se separaban sus cuerpos y deslizó las palmas por los músculos de sus pechos, rozándole las pequeñas tetillas.

Entonces Callum interrumpió el beso, apartó la cara y la miró a los ojos.

—¿Qué tienes, Jenny, que me haces desearte como a ninguna otra? Eres muy diferente.

Jenny no necesitaba oír lo diferente que era. Sabía por qué no era como las jovencitas de alcurnia recién presentadas en sociedad que él había conocido.

Pero él no lo sabía; no sabía que era una impostora, una falsa.

Era una humilde doncella de señora. Empezaron a arderle los ojos por el acumulamiento de lágrimas.

De todos modos, él se merecía saberlo, y ese era el momento de decírselo. Tenía que reconocerlo todo, por doloroso que le resultara. Le puso el índice atravesado sobre los labios.

—Chss, Callum, calla, por favor. Hay una cosa que debo decirte.

Se le resecó la boca y sintió la garganta como si la tuviera llena de lana.

Ah, cómo deseaba no tener que hacer eso.

—No necesitas decir nada, muchacha —dijo él mordisqueándole suavemente el labio inferior—. Ya lo sé.

Jenny agrandó los ojos y lo miró fijamente, y sintió rodar una lágrima por la sien hasta que le cayó en la oreja.

—¿Sí? —preguntó, tensa.

—Sí. Sé que me amas.

Ella expulsó lentamente el aliento.

Él le sonrió.

—Y por mucho que lo haya combatido, yo también he llegado a amarte.

Entonces le salieron las lágrimas contenidas y le cayeron por entre el pelo. No podía creer lo que oía. Hasta ese momento no sabía lo mucho que había deseado oír esas palabras.

Apoyando su peso en los codos, Callum le introdujo los dedos por el pelo mojado, los deslizó suavemente por su cuero cabelludo y luego apartó la mano dejando deslizarse los mechones por entre los dedos.

Jenny se estremeció de placer, sintiendo pasar cada mechón de pelo por entre sus dedos y caer sobre la almohada.

Entonces sintió su cálido y húmedo beso en la clavícula, desde donde él continuó hacia sus pechos dejándole una estela de besos. Le hormigueaba la piel en el sendero de sus besos, lo que la hizo arquear la espalda para apretar firmemente el cuerpo contra el de él.

Notó que se levantaba la redonda punta de su pene cuando hizo eso. Sintió el miembro duro presionando la blanda carne de la entrepierna, casi rozándole el más sensible de los lugares. Ahogando una exclamación, arqueó también las caderas.

—Dime que me deseas, Jenny, o dime que me busque otro lugar para dormir. Porque si vuelves a hacer eso, no sé si podré refrenarme de hacerte mía.

A ella le latía desbocado el corazón y sintió el cuerpo tenso, febrilmente ansioso. «Hacerte mía». Señor, jamás había deseado tanto algo.

Aunque no del todo segura, sabía lo que él quería decir. Al menos lo principal. Annie, que había conocido en el sentido bíblico a la mitad de los lacayos de Bath, le había explicado el asunto con detalles explícitos y animados. Incluso le había explicado la manera de acariciar a un hombre ahí, bajando y subiendo la mano por un rodillo de pino para hacerle la demostración.

Entonces le pareció algo malo, pero en ese momento no había nada que deseara más hacer.

Miró los ojos oscuros de Callum y, sin dejar de mirarlo, osadamente metió la mano por entre ellos y le cogió el miembro y lo guió, al tiempo que separaba los muslos.

Cuando lo tuvo más introducido entre las piernas, sintió en la mano el movimiento de expectación de él, y dejó que la punta le tocara ligeramente la parte íntima.

Al acumulársele una desmadrada excitación en la entrepierna, retiró la mano e instintivamente levantó las rodillas.

Pero él vaciló.

—Por favor, Callum —musitó con la voz ronca—. Te deseo.

Él la miró fijamente y continuó vacilante. Por qué, ella no lo sabía. Pero no quería pensar en eso, sólo deseaba sentir.

Levantando las caderas, presionó hasta introducirse el duro miembro en su interior. Cerró los ojos y tuvo que ahogar una exclamación ante la sensación ligeramente dolorosa que le produjo la entrada de su largo e hinchado miembro, llenándole, ensanchándole la cavidad. Pero el dolor remitió enseguida y sólo quedó la sensación de agrado.

Callum la besó en los labios a la vez que se instalaba firmemente entre sus muslos.

—Och, muchacha, vas a ser mi fin —musitó en un ronco gemido, mordisqueándole suavemente los labios e introduciéndose más profundo en su mojada cavidad.

Entonces Jenny gimió de placer, sintiendo vibrar su centro alrededor de su miembro cuando él comenzó a moverse, embistiendo una y otra vez. Él seguía afirmando su peso para no aplastarla, con los músculos de los brazos rígidos y duros, apoyando las manos a cada lado de sus hombros.

Siguiendo las ondulaciones de sus tensos músculos, ella se aferró a sus brazos, arqueando las caderas al ritmo de sus lentas y pacientes embestidas.

Callum la observaba, sus ojos brillantes a la luz de la vela. En su frente mojada se iban pegando mechones de pelo.

Qué hermoso es, pensó Jenny. Y era de ella.

Al menos por esa noche, una noche que quedaría grabada en su memoria para siempre.

—Te amo, Callum, te quiero —dijo, apenas en un susurro, porque le parecía que decir eso era casi como despedirse.

Pero era importante que él supiera que trajera lo que trajera el futuro, en ese momento del tiempo ella lo amaba. Lo amaba verdadera y profundamente.

Y en su corazón sabía que lo amaría eternamente.

Entonces, como si esas palabras le hubieran destrozado el autodominio, él comenzó a embestir más rápido y con más fuerza. Y con cada embestida se le apretaba más y más una espiral de placer en el fondo de ella.

Se retorció de placer cuando la tensión acumulada se hizo más intensa. Le apretó los brazos enterrándole las uñas en sus duros músculos.

De pronto sintió el deseo de sentirlo más dentro de ella, de introducirlo más hondo, por lo que dobló las largas piernas alrededor de sus caderas y cruzó los pies por los tobillos para estrecharlo más.

Callum gimió y de pronto se le desorbitaron los ojos. Intentó retirar el miembro, pero ella lo presionó más con las piernas, impidiéndoselo. Se arqueó, apretándose contra él y contrajo sus músculos femeninos, tratando de conseguir la liberación que sentía próxima pero todavía fuera de su alcance.

De repente sintió una explosión de excitación y placer proveniente del centro de su cuerpo y gritó, arqueando la espalda, aferrándose a él y contrayendo los músculos interiores alrededor del miembro de él.

—Oh, Jenny, no —musitó él, expulsando el aliento en una larga espiración.

Ella sintió en las palmas la excitación que pasó vibrando por la superficie de su espalda y notó cómo se le tensaban los músculos de la espalda y las nalgas un instante antes de que él se desmoronara encima de ella.

Entonces él levantó la cabeza y la miró.

—Oh, Jenny, no sabes lo que has hecho.

Sintiéndose horriblemente azorada, ella lo miró a los ojos, para que él no tuviera duda de que entendía lo que quiso decir.

—Creo que podría saberlo.

Callum se apoyó en una mano y con la otra le cogió los tobillos y se los separó. Se apartó y rodó hasta quedar sentado en el borde de la cama, pasándose una mano temblorosa por el pelo mojado.

—No, no lo sabes.

Ella se puso de costado afirmada en un codo y le bajó lentamente la palma por la espalda.

Él se apartó.

—No, no hagas eso, por favor. —Exhaló un largo suspiro—. ¿Qué he hecho? ¿Qué demonios he hecho? —masculló.

A Jenny empezaron a acumulársele lágrimas en los ojos. Volvió a tenderse de espaldas y se cubrió la cara con los antebrazos.

Habían compartido algo precioso, algo maravilloso. Pero él lo lamentaba.

Transcurrida una hora, Jenny continuaba absolutamente inmóvil en la cama contemplando el mortecino fuego del hogar. Callum seguía acostado a su lado, pero no le había dicho ni una sola palabra en todo ese tiempo. Tenía la deprimente sensación de que él suponía que le había tendido una trampa para obligarlo a casarse con ella.

Pero no había hecho eso. Fatalidad de fatalidades, si hubiera pensado en las consecuencias de lo que iba a hacer seguro que no lo habría hecho.

Jamás se habría comprometido intencionadamente en la situación exacta en que se encontró su madre: embarazada y enamorada de un hombre que nunca se casaría con ella. Que no podría casarse con ella.

Ah, él sí podría consentir en casarse con la gran dama lady Genevieve, pero jamás se casaría con Jenny Penny, la criada; peor aún, una criada que vendía en secreto una crema afrodisíaca a los aristócratas como él.

¿En qué se había metido?

Sintió picor en los ojos y en la nariz que la obligó sorber por las fosas nasales.

—Jenny, ven aquí, muchacha.

Giró la cara para mirarlo y vio que él, al que creía profundamente dormido, estaba apoyado en un codo observándola e invitándola a acercarse.

—Lo siento. Tú no sabías.

Jenny lo miró perpleja. ¿Qué quería decir? Pues sí que sabía. El problema era que no pensó.

—Ven, apóyate en mí y voy a intentar explicártelo lo mejor que pueda.

Vacilante, Jenny apoyó la cabeza en su ancho pecho y sintió su brazo alrededor de ella.

—Si lo que quieres explicarme es lo de las menstruaciones y sobre cómo se concibe un hijo, no tienes para qué molestarte.

Él guardó silencio un momento y ella se lo imaginó con una ceja arqueada por esas francas palabras suyas.

—No, hay más —dijo él al fin.

Ella sintió en la cara el movimiento de sus músculos cuando él tragó saliva.

—¿Sabes qué es el lord Lyon de Escocia? ¿Sabes qué función desempeña en el reino?

—Pues claro que lo sé —contestó ella, tratando de parecer indignada, pues una parte egoísta de ella no podía dejar de lado su disfraz de dama. Además, lo sabía todo sobre el lord Lyon, ¿no?; lady Viola se lo había explicado todo sólo unos días atrás—. Tu padre fue elegido lord Lyon.

Callum le movió la cabeza hasta dejársela apoyada en el hombro, para poder mirarla.

—¿Cómo lo supiste?

Jenny lo miró y alargando la mano le tocó la cicatriz blanquecina que tenía en la mejilla.

—Tú me dijiste —dijo siguiendo con la yema del dedo la cicatriz— que esta cicatriz es la marca del anillo de sello de lord Lyon.

—Sí —dijo él, apartándole la mano de la cicatriz—. Debido a... a ese puesto suyo, la continuación del apellido y título de nuestra familia era importantísima para él. Era lo único que le importaba. Y al no tener otro hijo, recayó en mí la responsabilidad de producir un heredero, para continuar el linaje Argyll.

—¿Entonces por qué no te has casado? —preguntó ella, intentando mirarle los ojos—. Me imagino que tu padre te habrá presionado muchísimo para que te casaras durante su vida.

Una extraña y casi desconcertante sonrisa le levantó a él la comisura de la boca.

—Pues sí que me presionaba.

—Sin embargo continúas soltero.

Callum exhaló un suspiro.

—Después de años de sufrir sus malos tratos y su odio, llegué a detestarlo; llegué a odiar todo lo que él representaba y ambicionaba. Entonces tomé la decisión de extinguir lo que era más importante para él.

Jenny agrandó los ojos al comprender su intención y se sentó en la cama.

—Su linaje. Quieres acabar con su linaje.

Lentamente él esbozó una sonrisa.

—Sí, cuando yo muera, el título de la familia morirá conmigo. No queda nadie más.

Jenny continuó sentada muy quieta y callada, reflexionando sobre ese frío plan.

—Y en mi edad adulta —continuó él— he puesto muchísimo cuidado en evitar engendrar un heredero, que era lo que él más deseaba.

—Hasta ahora.

Callum asintió lentamente.

—Lo siento, Callum. No era mi intención... sólo deseaba... tenerte estrechamente abrazado.

Bueno, menos mal que la luz era muy tenue, porque si no él habría visto lo rojas que tenía las mejillas; las sentía arder como una antorcha.

—No te culpo, muchacha. Era tu primera vez con un hombre y no sabías lo que hacías.

Jenny se mordió el interior del labio. Tal vez sería mejor no decirle lo de las lecciones de Annie en ese asunto.

Miró sus ojos oscuros y serios. Él estaba pensativo, por lo que comprendió que había algo más. Probablemente más que lo que ella desearía oír.

—Es muy posible que hayas concebido esta noche —dijo entonces él.

Ella asintió.

—También es posible que no —dijo alegremente—. Como has dicho, fue mi primera vez, por lo tanto las posibilidades de que haya concebido o no...

—Están empatadas —dijo él con la mayor naturalidad.

—Ah.

A Jenny se le cayó el ánimo al suelo. Sin darse cuenta se había puesto la mano sobre el vientre, como para protegerlo.

Callum colocó la mano encima de la de ella.

—Si ocurre que te he dejado embarazada de un crío mío, no tienes nada que temer. Haré lo correcto contigo.

Jenny giró la cara hacia él y se preparó para decir la verdad que debía revelarle. Pero antes que pudiera hablar, él continuó:

—Te proveeré de una buena casa, una casa limpia y segura para que vivas con el crío. Y te daré guineas cada mes, todas las que necesites, para que puedas continuar viviendo de la manera a que estás acostumbrada.

Jenny no entendió esa forma de hablar. Arrugó el entrecejo y lo miró atentamente. ¿Por qué no la miraba mientras hablaba?

Entonces cayó en la cuenta, y la comprensión la golpeó como el hielo del canal. Se quedó muy quieta.

Un momento. Espera un maldito momento. No le ofrecía casarse con ella. Lo que le ofrecía era mantenerla como a su querida, haciendo un bastardo de su propio hijo.

Bueno pues, ese no era el destino que deseaba para ningún hijo o hija. Ya había llevado ella esa carga todos los años de su vida.

Callum le miró fugazmente la cara y ella comprendió que había visto en sus ojos que se sentía traicionada.

—Lo siento, pero no puedo casarme contigo, Jenny, ni siquiera en el caso de que estés embarazada de un hijo mío. No puedo darle mi apellido al crío. No puedo.

Jenny sintió hervir la furia dentro. Él se pensaba que podía hacer eso, ¿eh? ¿Dejarla embarazada, bueno, era posible, y luego dejarla a un lado como si fuera pan rancio de ayer?

¿Quién se creía que era? Ella era una dama después de todo, y se merecía algo mejor.

Acababa de abrir la boca para decirle eso cuando él levantó la mano para detener cualquier protesta.

Y fue muy conveniente que lo hiciera. Jenny metió los labios en la boca y los mantuvo bien apretados con los dientes. Por un momento había llegado a olvidar que no era una dama sino una tramposa y engañosa criada que, después de su gran mentira, se merecía lo que había obtenido.

—Por favor, debo continuar, muchacha.

Jenny cerró los párpados y luego los abrió resueltamente y lo miró a los ojos.

Él tardó un momento en hablar, haciendo una inspiración temblorosa y luego soltó las palabras con energía, como si quisiera obligarse a recordarlas:

—El linaje Argyll morirá conmigo —dijo, como si hiciera un juramento—. Debe morir.

Capítulo 11

A la mañana siguiente Jenny se puso con dificultad el incómodo vestido de paseo que estaba tieso, arrugado y lastimosamente sucio. Se había encogido la tela, por lo que si no hubiera expulsado todo el aire de los pulmones no se lo habría podido abrochar. Pero siendo la doncella de señora que era, conocía unos cuantos trucos para hacerlo encajar, trucos que había aprendido de las costureras con las que había trabajado a lo largo de los años.

Caminó silenciosamente hasta la ventana y apartó la gruesa cortina para mirar fuera. Volviendo la cara hacia la cama vio que Callum seguía durmiendo apaciblemente, lo que hacía desde el momento en que se las arregló para decir lo que debía.

Ella había dormido muy poco. Y en los momentos en que durmió había soñado que iba caminando por el salón de fiestas, con el vientre abultado por el hijo de Callum mientras los aristócratas la apuntaban con el dedo y luego le daban vuelta la espalda.

Sabía que esa pesadilla podría muy bien ser su futuro.

Apoyando la frente en el frío cristal de la ventana contempló la gruesa capa de nieve que cubría el suelo formando montículos aquí y allá al ser arrastrada por el viento, y la huella dejada por una persona al pasar caminando de casa en casa. Los recados y entregas se hacían a pie. Callum estaba en lo cierto. Ese día no pasaría ningún coche ni silla de manos por las calles.

Poniéndose en puntillas con los pies descalzos, intentó ver Royal Crescent en la distante colina, pero estaba muy lejos y muchos edificios le tapaban la vista.

Señor, ¿cómo volvería a casa? Se giró a mirar los zapatos que estaban secándose junto al hogar. Esos zapatos no le servirían para caminar por Bath con la nieve que llegaba como mínimo a la altura de las rodillas. Cuando los cogió hacía un momento comprobó que el forro todavía estaba empapado con el agua fría del canal. Seguro que se congelaría antes de llegar a Royal Crescent.

Sí, lo veía con toda claridad en su imaginación. Ella y el bebé que llevaba dentro, Richard, no, James, sí, ese era un nombre bonito, se congelarían a mitad de paso y quedarían como una nueva estatua de bronce en medio de Queen Square.

Todos los habitantes de Bath, o por lo menos los criados leales, harían luto por ella y su bebé no nacido. Y todos los domingos Callum iría a colocar flores sobre su sencilla tumba en el cementerio de la abadía, sabiendo que sus irrecusables palabras la habían impulsado a meterse en la nieve y que él tenía toda la culpa de su muerte.

Se tocó el vientre haciendo una inspiración entrecortada al sucumbir a su fantasiosa historia.

Callum oyó el gemido, porque por el rabillo del ojo lo vio bajarse de la cama y caminar hacia ella.

Él se puso a su espalda y la rodeó con los brazos.

—No, Jenny, no llores.

Jenny no se atrevió a girarse a mirarlo, porque sabía muy bien que estaba totalmente desnudo, a plena luz del día. Y a juzgar por el no intencionado movimiento y presión que sintió en el trasero, estaba en un curioso estado de excitación.

Qué difícil ser una dama y no mirarlo. Era maravillosamente hermoso su escocés.

Vuelto como estaba hacia un lado, el sol le iluminaba el cuerpo perfecto, y ella descubrió que podía observar su imagen en el cristal de la ventana sin que él se diera cuenta.

Así pues, dejó vagar los ojos por donde querían. Su mirada siguió el vello oscuro de su escultural pecho hasta donde se perdía entre las piernas. Y nuevamente sintió esa insistente vibración en la entrepierna, y tuvo que hacer un esfuerzo para resistir el deseo de llevar a su highlandés desnudo de vuelta a la cama con dosel.

Al ver que ella tenía la mano colocada sobre el vientre, él pasó la palma por ahí, en gesto protector.

—Pase lo que pase, todo estará bien, muchacha. Ya lo verás.

—¿Todo estará bien? —repitió, girando la cabeza para mirarlo, y sabiendo que sus ojos echaban chispas de furia—. ¿Cómo puedes decirme eso? No es a ti al que le va a cambiar la vida para siempre. A ti no te va a volver la espalda la sociedad, ni te va a obligar a vivir con los ojos bajos y avergonzada.

Notó que le temblaba la voz y eso la sorprendió.

Callum se estremeció ligeramente al oírla, y ella comprendió que le había tocado una cuerda sensible. Pero no se sintió complacida por eso. No deseaba decir esas cosas, pero se sentía terriblemente traicionada.

Si él la amaba como aseguraba, olvidaría la venganza contra su padre y le propondría matrimonio. Lógicamente ella no aceptaría, siendo una doncella de señora y él un vizconde, pero por lo menos él le haría la propuesta.

Lágrimas inesperadas le brotaron de los ojos.

—Lo siento, Jenny.

Él la miró y entonces ella vio que le brillaban ligeramente los ojos a la luz que entraba por la ventana.

Lo miró en silencio varios segundos hasta que las dos lágrimas que le bajaban por las mejillas cayeron desde la mandíbula.

—Yo también lo siento, Callum, y mucho, porque hasta este momento creía que no eras el libertino que aseguras ser sino un caballero bueno y auténtico. Pero ahora veo lo horriblemente equivocada que estaba.

Callum palideció y ella comprendió que sus palabras lo habían golpeado con la fuerza de un puñetazo. Pero no había mentido; cada palabra era cierta, lo había dicho en serio. Comenzaron a escocerle los ojos otra vez. Tenía que marcharse; tenía que poner distancia entre ella y el vizconde, porque incluso mirarlo la hacía sufrir indeciblemente.

Se desprendió de sus brazos, cruzó la habitación hasta el hogar, cogió su abrigo, se lo puso, y metió los pies en los zapatos mojados.

Sin decir otra palabra salió solemnemente de la habitación, llegó a la escalera y empezó a bajar.

Oyó los pasos de los pies descalzos en la alfombra del corredor.

—Jenny, no seas tonta. No puedes irte a pie por la nieve hasta Royal Crescent. Ni siquiera te has puesto las medias.

Ella se detuvo al pie de la escalera y se cogió del poste para afirmarse.

—No puedo continuar aquí —dijo, mirándose el abrigo sucio y arrugado y los zapatos embarrados—. Prefiero soportar mi deshonra a la dura luz del día que continuar aquí escondida como una cobarde.

Oyó los pasos de Callum bajando tras ella, pero sabiendo que no podía seguirla porque estaba desnudo, corrió hasta la puerta, la abrió y bajó a la nieve que le llegaba hasta la rodilla y echó a caminar de vuelta a casa.

—¿Cómo se te pudo ocurrir, hija, venirte a pie desde Laura Place con esta nieve? ¿En qué estabas pensando? —la regañó la señora Penny echando otra olla de agua caliente en la bañera en que estaba metida Jenny.

Jenny apoyó la cabeza en la toalla doblada en el borde de la bañera y cerró los ojos.

—Estaba pensando que cometí un grave error y que era mejor marcharme con mi orgullo que quedarme ahí a aceptar su caridad.

—Es tu exagerado orgullo, hija, el que te ha metido en esta situación. Tal vez habría sido mejor que te quedaras, aceptaras lo que te ofrecía y dejaras tu orgullo en Laura Place.

Emitiendo un gruñido de desaprobación, su madre echó un bote de jabón líquido en el agua.

Jenny sintió caer agua en la cara. Abrió los ojos y miró a su madre mientras el agua le caía limpia desde el mentón.

—Mamá, aunque nada es seguro todavía, es posible que esté en un verdadero apuro. En este momento necesito tu compasión, no tu desaprobación. Tú mejor que nadie deberías comprender lo que estoy sufriendo.

En el instante en que salieron esas palabras de su boca deseó habérselas tragado.

Su madre palideció y luego le aparecieron manchas rojas en las mejillas. La miró con los ojos entrecerrados.

—Nuestras circunstancias no se parecen en nada, hija. En nada.

Jenny la miró fijamente. Nunca la había visto tan trastornada, nunca. Aunque parecía estar furiosa, también estaba temblando.

—¿Qué quieres decir, mamá? —preguntó vacilante.

Su madre la estuvo mirando un buen rato y Jenny se convenció de que estaba a punto de explicárselo.

—No tiene importancia —le dijo entonces bruscamente y, girando sobre los talones, salió de la habitación.

Jenny continuaba pasmada, metida en el agua que ya empezaba a enfriarse, cuando entró Erma en la habitación con la canasta de pedidos y la dejó en el suelo.

—Cuando comenzó a nevar, la señora Penny entró esta canasta, pero me estorba en la cocina, así que te la he traído, señorita Monedero. ¿O debo decir lady Eros?

Jenny hizo un mal gesto.

—Será mejor que no digas ni lo uno ni lo otro, si sabes lo que te conviene.

Erma se cruzó de brazos.

—No te tengo ningún miedo, Jenny.

—¿No?

—No, porque sé que bastarían unas cuantas palabras a esos hombres del diario que han andado fisgoneando por aquí, al menos me han dicho que andaban, para que se acabe para siempre tu fantasioso juego de «soy una gran dama».

Jenny le miró los pendientes de perlas que le colgaban por debajo de la cofia y la astuta sonrisa que le curvaba los labios.

—Si la gente se entera de mi identidad por culpa tuya, no me cabe duda de que el señor Bartleby se disgustará muchísimo. Es posible incluso que se arrepienta de cualquier regalo que te haya hecho por facilitarle la venta de mi crema.

Las manos de Erma volaron a tocarse los pendientes, y continuaron ahí.

—No te atreverías a decírselo.

—¿Que no me atrevería? Pues claro que lo haría, si no tuviera otra opción.

—Eres una chica mala, Jenny Penny.

Jenny puso redondos la boca y los ojos.

—No soy mala, Erma, pero sí soy una comerciante inteligente que protege su negocio. Creo que te conviene más tenerme como aliada, no como enemiga.

Escrutando la cara de la fregona, Jenny comprendió que era una verdadera amenaza. Y aunque no le importaba un bledo el negocio de la crema, tenía que reconocer que tener dinero era algo muy, muy agradable. De todos modos, la revelación de su identidad como lady Eros podría hacer mucho daño a un buen número de personas, entre otras a las queridas señoras Featherton y a Callum. Sintió una punzada en el corazón al pensarlo.

Entonces se le ocurrió una idea y esbozó una alegre sonrisa en honor de la fregona.

—Erma, ¿te gustaría ganarte unos cuantos chelines?

Al día siguiente por la mañana, Jenny fue silenciosamente a situarse al lado de su madre junto a la mesa con mantel de lino para el desayuno, puesto que la habían hecho subir las señoras Featherton, que acababan de enterarse de su regreso a casa.

Sin darse cuenta de que había llegado Jenny, lady Letitia se afirmó los impertinentes en la nariz y alejó el diario hasta la distancia del brazo.

—Oye, esto es casi como estar en Londres. No habría creído posible que entre las paredes de Bath ocurriera tanta violencia, tantos asaltos, robos de monederos, robos en las casas.

Lady Viola asintió, bebiendo un sorbo de chocolate.

—Sólo el jueves pasado a lady Avery la golpearon en la cabeza y le arrancaron los anillos de los dedos. Es cierto, te lo digo. Le vi la herida que le hicieron en la frente y te aseguro que era del largo de mi meñique —levantó el meñique para enseñarlo—. Y pensar que eso ocurrió justo fuera de las Upper Assembly Rooms. Y luego, en la fiesta de los Ash, le robaron el joyero a la condesa de su dormitorio. De su propio dormitorio, ¡imagínate!

Lady Letitia exhaló un largo suspiro.

—Parecería que hay un ladrón entre los miembros de la aristocracia.

—Exactamente. Es de miedo, ¡de miedo! Vamos, sólo pensar en esos horrores me produce mareo. —Lady Viola hizo un débil gesto con la mano—. Señora Penny, mi vinagreta, por favor.

Escuchando a las señoras Featherton, Jenny centró sus pensamientos en el hombre pequeño que había visto fuera de la Pump Room y después cerca de la abadía.

Con ese tamaño el hombrecillo podía pasar junto a una persona y luego subir sin ser visto por la escalera y hacerse con una fortuna en joyas.

Volvió a pensar si debería ir a revelar eso a los magistrados, porque si ya supieran de él no andaría rondando a los aristócratas de Bath robándose sus tesoros, ¿verdad? En realidad, debería informar sobre él a las autoridades.

¿Pero no sería mejor si encontrara las joyas robadas y presentarse con ellas también? Entonces sería una heroína y organizarían un desfile en su honor. Lógicamente todos estarían tan agradecidos por su rapidez para pensar que igual le regalarían una o dos joyas para demostrar su agradecimiento.

Además, unos pocos cuartos o un diamante le irían muy bien si estaba embarazada, aunque claro, eso todavía no estaba seguro.

—Ah, Jenny, estás aquí. Venga, siéntate —dijo lady Viola dando unas palmaditas en el cojín de la silla desocupada a su lado.

Jenny miró apesadumbrada a su madre, la que al tiempo de dejar una vinagrera de plata y cristal ante su señoría, le dirigió una rápida mirada triste y luego se disculpó cortésmente y salió de la sala.

—Recibimos un mensaje de lord Argyll explicándonos tu accidente, pero la señora Penny nos ha informado que ya estás perfectamente bien. Sin duda tienes una constitución fuerte para haber sobrevivido a ese terrible frío.

Jenny no se atrevió a levantar la vista para mirar a sus señoras; si las miraba, nuevamente comenzarían a brotarle las lágrimas. Señor, cuánto se había esforzado en desechar de la mente la pena que le causaba la traición de Callum. Y la verdad era que había logrado pensar en otras cosas todo un cuarto de hora. Porras. Iban a sacar a relucir todo el doloroso acontecimiento otra vez

—Sí, milady.

—Ay, Dios, qué cara tan triste —rió lady Letitia—. Viola, me parece que nuestra chica no es tan feliz como nos ha hecho creer. Mira a la pobre cachorrita.

A Jenny comenzaron a arderle las mejillas al sentir dos pares de descoloridos ojos azules escrutándola.

—Ah, caramba, tienes razón, Letitia. —Lady Viola dejó su taza en el platillo y se inclinó hacia Jenny—. ¿Lord Argyll no te ofreció la atención que deseabas cuando nos dejaste para ir a pasear por Sydney Gardens?

—Ah, sí, milady. Muchísimo más de lo que me habría imaginado jamás.

Levantó la vista del suelo y vio que las ancianas se miraban preocupadas.

—Querida niña —dijo lady Viola, vacilante—. ¿Quieres decir que él...?, bueno... esto... seguro que no habréis...

Pero Jenny ya estaba moviendo enérgicamente la cabeza en gesto de asentimiento. ¿Para qué mentirles? Al fin y al cabo, si estaba embarazada se enterarían muy pronto. Los secretos no duraban mucho en la casa Featherton. Vamos, era sorprendente que los rumores sobre la crema afrodisíaca todavía no hubieran llegado arriba.

Las dos ancianas ahogaron una exclamación al unísono. A eso siguió un silencio terrible, mientras las dos consideraban su tácita confesión.

—Claro que después te propuso matrimonio. Sí, claro, eso seguro. —Lady Viola batió palmas, entusiasmada—. ¿Cuándo podemos comenzar los planes y preparativos para la boda?

Jenny se limitó a mirarla en silencio.

Lady Letitia levantó una mano para parar las manifestaciones de alegría de su hermana.

—Caramba, caramba, parece que nuestro lord Argyll no se ha convertido en el caballero que esperábamos. —Se acercó tanto a

Jenny que casi chocaron sus narices—. Cariño, después que los dos... bueno, ¿qué te dijo? ¿Cuáles fueron sus palabras exactas? Tal vez simplemente estás confundida.

Jenny expulsó el aliento y junto con él se le escapó un lloroso gemido.

—No, milady. Lamentablemente, tengo muy claras las cosas. Creo que sus palabras exactas fueron «No puedo casarme contigo».

Lady Letitia asintió, como si de repente lo entendiera.

—Ah, eso tiene más sentido. Le dijiste el secreto de tu puesto en nuestra casa.

—No, milady, no. Él sigue creyéndome lady Genevieve.

—¿Entonces por qué no se puede casar contigo?

Entonces, en medio de un mar de lágrimas, Jenny lo explicó todo. Les explicó lo del lord Lyon, sus mentiras, lo del maltrato que sufriera Callum a manos de su padre y, finalmente, lo del terrible juramento de acabar con el linaje de su familia.

Lady Viola parecía estar tan perturbada como desconcertada.

—Pero... pero si estás embarazada no se va a acabar su linaje.

Lady Letitia se levantó de la silla con las mejillas rojas e infladas de indignación.

—Vamos, Viola, ¿es que no lo ves? Si no se casa con nuestra Jenny, el hijo, si lo hay, será un bastardo. A los ojos del nuevo lord Lyon y según la ley, cuando Callum muera sin descendencia legítima, el linaje Argyll se habrá extinguido.

Apoyando su ligero peso en el bastón, lady Viola se levantó también.

—Ay, Dios. Seguro que cambiará de opinión, y haya o no haya hijo, sé que mi Callum..., esto... lord Argyll te propondrá matrimonio, ya seas lady Genevieve o señorita Jenny Penny.

Jenny se obligó a esbozar una sonrisa débil, aunque esperanzada, en honor de la siempre optimista lady Viola.

Pero en su corazón sabía que eso no sería así. Porque en la oscuridad de la casa de Laura Place se había topado con la fea verdad de su situación.

El hombre que honraba la verdad por encima de todas las cosas, el hombre que había confiado en ella cuando no se fiaba de nadie, jamás podría aceptar la enorme mentira sobre su identidad que ella había perpetuado de tan buena gana.

Jamás.

—¡Jenny! —chilló Erma la fregona—, estás derramando por toda la mesa el emuls... el emuls..., ¡mierda, cómo se llama!, esa maldita crema derretida.

—Lo siento. Pero procura hablar en voz baja. Lady Letitia ya ha llamado a mi madre dos veces, así que sé que aún no se ha ido a acostar.

—Bueno, puede que a ti no te importe desperdiciar la crema, pero me pagas un chelín por bote y ya has preparado un lote esta noche, así que no puedo permitirme que se pierda nada en la mesa ni en el suelo. Venga, déjame poner esto en los botes.

Jenny le pasó la cuchara de hierro y se dejó caer en un taburete, tratando de concentrarse en su negocio, no en Callum ni en su posible embarazo.

—¿Cuántos botes necesita Bartleby? —le preguntó a Erma en voz baja.

—Bueno, dijo que todos los que pudieras darle. Me explicó tu idea de regalar botes con cada buena compra de joyas. Me dijo que las damas de la alta sociedad ya hacen cola para comprarle chucherías. ¡Ah!, se me había olvidado totalmente. —Soltó la cuchara, que cayó sobre la mesa haciendo ruido—. Espera un momento que voy a buscarlo. Te envió un paquete.

—¿A mí? —preguntó Jenny, totalmente despabilada.

Cuando Erma volvió, la observó impaciente hasta que esta puso una cajita de piel roja delante de ella.

—¿Qué es?

—No lo sé. Venga, ábrela.

Mordiéndose el labio, movió el pequeño pasador dorado y abrió la tapa. En el interior se encontraban los pendientes de perlas que él se había negado a fiarle poniéndoselos en la cuenta. Eran los pendientes que vio justamente el día en que conoció a Callum.

—Caray, son mucho más bonitos que los que me regaló a mí por delatarte. Vamos, son tan gordos como castañas.

Pero las palabras de Erma eran apenas un zumbido para Jenny. No podía apartar los ojos de los magníficos pendientes.

—Caray, sí —dijo, mirando a Erma—. ¡Son preciosos! ¿Pero por qué me los envió?

—Dijo que era por la clientela que le has atraído. Bastó con un anuncio en *The Bath Herald* y en *The Bath Journal* para que se formara una cola por toda Milsom Street antes de que abriera la tienda.

Diciendo eso Erma se inclinó sobre la mesa y alargó un dedo para tocar los pendientes. Jenny se apresuró a ponerlos fuera de su alcance.

—¿Dónde aprendiste el oficio de comerciante, si no te importa que lo pregunte? A mí no se me habría ocurrido nunca una idea así, dar botes gratis para obligar a los clientes a comprar más.

Jenny se encogió de hombros.

—Simplemente me imaginé qué podría animarme a mí a comprar de ese estante de joyas, es decir, si fuera una dama, claro.

Erma le sonrió de oreja a oreja.

—Por un chelín el bote, eres una verdadera dama en la cabeza, lady Eros.

—¿Lady Eros? —dijo la ronca voz de lady Letitia detrás de ellas.

—Ay, Dios —exclamó lady Viola al mismo tiempo.

El espanto impulsó a Jenny a levantarse de un salto. Tanto Erma como ella se giraron lentamente y vieron a sus señoras detenidas a un paso de la puerta que comunicaba con la cocina.

Erma se apresuró a hacerles una reverencia y salió corriendo, dejando a Jenny abandonada a su suerte.

—Mis-mis se-señoras. ¿Qué-qué hacen aquí abajo? —logró tartamudear Jenny.

—Sentimos un olor raro que subía por la escalera —dijo lady Letitia— y puesto que no podíamos dormirnos, decidimos seguirlo para ver de dónde venía.

Lady Letitia tenía el entrecejo fruncido de modo que sus gruesas cejas blancas formaban una peluda V.

—La pregunta, querida mía —dijo lady Viola—, debería ser qué estás haciendo tú... ¿lady Eros es?

Ay, cielos. Ya estaba. La iban a despedir. No les importaría que estuviera embarazada, o que podría estarlo en todo caso. ¡Porras! Antes del amanecer se encontraría en la calle, lo sabía.

—Esto... mmm... —Caracoles, diles la verdad, Jenny—. Estaba preparando la crema afrodisíaca. Y sí, soy lady Eros, y esta es la crema para abajo que por algún motivo todos los miembros de la aristocracia desean tener.

Disimuladamente cerró la tapa de la cajita roja, la arrastró por la mesa y se la metió en el bolsillo del delantal.

Las dos ancianas la contemplaron un buen rato y de pronto se echaron a reír, sorprendiendo tanto a Jenny que pegó un salto y retrocedió. Al dar un paso atrás tropezó con la canasta y se cayó al suelo.

—Uy, Jenny, ¿te has hecho daño? —cloqueó lady Viola mientras lady Letitia se arrodillaba para ayudarla a ponerse de pie.

Medio aturdida, Jenny negó con la cabeza, y más la confundió aún que justamente lady Letitia la ayudara a sentarse en el taburete.

—Estoy bien.

—Ah, estupendo —dijo lady Viola—. No querría que le ocurriera algo a mi bi... —se interrumpió y miró asustada a su hermana.

—A nuestra «bien» entretenida doncella —terminó lady Letitia con una ancha sonrisa.

Mmm. Tenía la impresión de que no era eso lo que había querido decir lady Viola, pensó Jenny.

—¿No están enfadadas? —preguntó, cautelosa.

Lady Viola negó con la cabeza desechando la pregunta con un gesto de su huesuda mano.

—¿N-no me van a despedir?

Lady Letitia, en cuyos ojos se veía claramente un pícaro guiño, le puso una regordeta mano en el hombro.

—No, claro que no, hija. No hay nada malo en demostrar un poco de ingenio, sobre todo ahora, en tu estado. Posible estado —se apresuró a enmendar. Guardó silencio un momento para intercambiar una mirada de complicidad con lady Viola—. Aunque tal vez esta noche podríamos adquirir un bote... ¿o dos?

Aunque Jenny seguía totalmente pasmada de que a sus empleadoras no les importara nada lo del negocio bajo cuerda con la crema, no pudo dejar de sonreír al oír la petición de las Featherton. Sofocando una risita, levantó un bote en cada mano y vio cómo sus dos ancianas señoras se los arrebataban entusiasmadas.

Lady Letitia abrió la boca en un exagerado bostezo.

—Entonces nos iremos a la cama, me parece. Por mi parte, repentinamente estoy muerta de sueño.

Lady Viola manifestó su acuerdo con un gesto de asentimiento, con el que se le agitaron los pelillos que le formaban una especie de barba bajo el mentón.

—Yo también. Ve a acostarte, Jenny, para que descanses un poco. Estoy segura de que mañana nos traerá mejores noticias.

—Sí, milady.

Levantándose, se inclinó en una reverencia mientras las gemelas de nívea cofia salían en dirección a la escalera.

Esa noche cayó un fuerte aguacero sobre Bath, pero a la mañana siguiente resplandecía el sol, calentando el aire. Por la tarde, aparte de sucios montones de nieve acumulados en las partes en sombra entre las casas, ya estaba derretida la capa helada que había tenido paralizada a la ciudad dos días enteros.

Para Jenny habían sido absolutamente necesarios esos dos días. Era una suerte que no hubiera podido salir. Había necesitado ese tiempo para pensar en el curso que tomaría su vida, en el caso de que estuviera embarazada.

Podría ganarse la vida sirviendo, eso lo sabía. Pero, rayos y centellas, eso le resultaría difícil, sobre todo después de haber probado la dulce vida de sus superiores.

Su negocio con la crema había tomado a la ciudad por asalto, y había ganado muchísimo dinero esas semanas pasadas. Eso estaba bien. Pero se había gastado hasta la última media corona, en vestidos y adornos. Eso estaba mal.

Vamos, la señorita Meredith había comentado que su doncella poseía un guardarropa mejor que el suyo, y aunque ella lo negaba rotundamente, la satisfacía muchísimo saber que esa afirmación era absolutamente correcta.

De todos modos, los aristócratas son gente voluble, por lo tanto sabía que su suerte, y por lo tanto sus expediciones para comprar ropa, su futuro en realidad, estaba limitado por sus caprichos, los que con el tiempo seguro que se volverían hacia otra distracción. Sí, estaban contados sus días de ganar guineas. ¿Cuánto tiempo le quedaba? ¿Otro mes? ¿Dos meses?

—¿Y si pones una tienda propia? —le sugirió Annie esa tarde cuando iban caminando por Trim Street para comprar agujas e hilo de seda—. ¿Sabes?, el local donde estaba Upperton Dry Goods en Milsom sigue desocupado. Lleva lo menos un año así. Seguro que podrías alquilarlo por una bagatela.

Jenny continuó caminando.

—Bueno, no tengo dinero, Annie, y además, ¿qué vendería?

Annie soltó un bufido.

—¿Qué venderías? Vamos, la crema afrodisíaca, por supuesto.

Entonces sí Jenny se detuvo, al hacer explosión una imagen en su mente. Una tienda a rebosar de lujosos tejidos, adornos, cintas, abanicos, sombreros y papalinas a la moda, frascos de fragantes perfumes importados de Francia, y sus propias mezclas de polvos y cremas de belleza. Y, cómo no, pendientes, colgantes, pulseras y broches, tal vez incluso guirnaldas y diademas para el pelo. Se le escapó un ilusionado suspiro por los labios.

Annie se echó a reír.

—Ya está. Lo estás viendo, ¿verdad? Vamos a echarle una mirada por el escaparate.

Jenny la miró pensativa.

—No le hacemos ningún daño a nadie mirando. Vamos, Jen —insistió Annie tironeándole el brazo—. Le echamos una mirada rápida y dejaré de darte la lata.

Jenny pasó el brazo por el de Annie.

—Ah, muy bien. Pero es una tontería, ¿sabes? Una pura tontería.

Varios minutos después Jenny estaba con la nariz pegada al cristal de un escaparate vacío, con las manos ahuecadas alrededor de los ojos a modo de gemelos de teatro. La tienda era estrecha, alargada, más extensa de fondo que de ancho. Y le recordaba el cajón de su mesilla de noche, donde guardaba sus chucherías y tesoros.

Cerca de la pared de la derecha se veía un largo mostrador cuya superficie de cristal estaba horrorosamente polvorienta, y la estantería adosada a la pared estaba llena de telarañas.

Lo único que veía era una feria de posibilidades, y por primera vez desde hacía días, sintió correr la sangre como loca por sus venas. Las paredes estarían revestidas por cortinajes de satén en colores pastel, azul y crema, y en el rincón, entre dos sofás color crema estaría el elegante espejo de cuerpo entero. Las estimadas damas se sentarían ahí a beber té mientras las dependientas les enseñaban largos de las telas nuevas colgadas en sus brazos y una modista las aconsejaba acerca de la última moda de París.

—Uy, Annie, tengo que hacerlo. Debo. Tengo que tener esta tienda. Imagínate todas las cosas hermosas con que la llenaría, y todas serían mías. ¡Mías! Bueno, hasta que alguien las compre, claro.

Los pensamientos pasaban por su cabeza como salmones nadando por un riachuelo en primavera. Necesitaría muchísimo dinero para abrir su tienda soñada. Por lo menos trescientas guineas. Mmm, tal vez más.

Al instante comenzó a calcular el número de botes que necesitaba hacer, descontando los gastos, el material y lo que le pagaba a Erma, por supuesto. Caracoles, tenía que empezar a producir crema afrodisíaca inmediatamente.

—Tengo que irme, Annie. No debo entretenerme. Hasta luego.

Antes que Annie alcanzara a decir esta boca es mía las botas de Jenny ya iban resonando en la acera, al doble de velocidad, en direccion a casa. Pero aún no había caminado doscientas yardas cuando al mirar, como siempre, hacia el escaparate de una tienda para ver su apariencia en el cristal, vio que la seguían.

Se detuvo bruscamente y se giró a enfrentar al hombrecillo que venía detrás a menos de cinco pasos.

—Hola, ¿se le ofrece algo? —le preguntó, recelosa.

—No, señorita, simplemente iba caminando y disfrutando del sol.

Ella había esperado que su voz fuera más aguda, pero la voz del hombrecillo era profunda y suave.

Le miró la chaqueta y vio que estaba sucia y maltrecha, y aunque posiblemente era el ladrón de Bath, sintió compasión por él. Metió la mano en el bolso pero sólo palpó las agujas y el hilo de seda que había comprado en Trim Street.

—No tengo dinero —masculló para sí misma.

—No le he pedido nada —contestó el hombrecillo.

—Ah, ya lo sé.

Pero a él no le iría mal uno o dos chelines, eso era evidente. Curiosamente, con todas las joyas que había robado esos últimos días, porque estaba segura de que era él, el hombre no se había preocupado de comprarse ropa nueva. Eso hubiera sido lo primero que habría hecho ella.

—Perdone si le he ofendido.

Él le sonrió y sus bondadosos ojos brillaron a la luz del atardecer.

—Le aseguro, milady, que no me ha ofendido.

—Me alegro.

Entonces lo observó con atención, cautelosamente. No parecía capaz de cometer los robos violentos de que se hablaba esos días pasados. Vamos, si apenas le llegaba a la cadera. De todos modos, si él era el ladrón, esa era una oportunidad de primera clase para investigar. No le pasaría nada, seguro, si estaba alerta.

—Tal vez usted sí podría hacerme un favor a mí.

El hombre ladeó la cabeza y esperó la petición.

—Estimado señor, habiendo tantos robos de bolsos en Bath, estaba pensando si no tendría usted la amabilidad de acompañarme a mi casa. No está muy lejos, se lo aseguro. Sólo unas manzanas más, en Royal Crescent.

El hombrecillo sonrió amablemente y le ofreció el brazo. Jenny se limitó a tocarle el antebrazo con los dedos, para no tener que caminar ladeada, y se pusieron en camino.

—Royal Crescent —repitió él—, toda una dirección en Bath.

—Sí, supongo. Mis señoras son muy distinguidas.

El hombrecillo se detuvo y la miró haciendo un guiño con sus grandes ojos azules.

—¿No es usted la señora?

Jenny se echó a reír.

—Uy, cielos, no. —Indicó su delantal, que asomaba bajo la capa—. Sólo soy una doncella de señora.

Él la instó a reanudar la marcha, pero iba caminando pensativo.

—Lo siento si me he mostrado algo confundido, pero creo haberla visto en la Pump Room no hace una semana.

—Ah, sí, estuve ahí. Mis señoras... necesitaban ayuda, y tuve mucho gusto en complacerlas.

Lo miró fijamente pensando adónde querría llegar con esas preguntas. Quería marcarla como posible presa, ¿no? Pero ella ya le había dicho que no tenía dinero.

—Yo también le he visto en Bath. La última vez fue fuera de la abadía creo. —Pasado un momento añadió sonriendo irónica—. Ahora no me venía siguiendo, ¿verdad?

El hombrecillo le sonrió descaradamente y, aunque tal vez sólo fue el reflejo del sol en sus ojos, habría jurado que le hizo un guiño.

—¿Qué tiene de malo que un hombre en la flor de su vida disfrute de la vista de una mujer bonita?

Jenny se rió. Si hubiera sido cualquier otro hombre podría haberse dado media vuelta y echado a caminar en sentido contrario, pero no se sentía amenazada en absoluto por ese hombre tan interesante. Aunque debería, seguro.

—Me llamo Hercule Lestrange, aunque me llaman simplemente Hercule.

¿Hercule?, pensó ella, mirando al hombrecillo que llevaba ese nombre tan inadecuado.

—Es un placer conocerle. Mi nombre es señorita Jenny Penny.*

Hercule la miró y se echó a reír, con una risa tan contagiosa que ella no pudo evitar reírse también.

---

* Penny = penique. (N. de la T.)

—Parece que nuestros padres nos cargaron con una cruz al darnos esos nombres —dijo.

Hercule volvió a reírse y ella cayó en la cuenta de que le caía muy bien ese hombre tan pequeño. Una lástima que fuera un sinvergüenza.

Al cabo de unos cuantos minutos llegaron a la baranda de hierro forjado que cercaba la escalera que bajaba a la puerta de la cocina.

—Bueno, hemos llegado —dijo Jenny—. Le agradezco su compañía y protección.

El hombrecillo se quitó el sombrero de copa y lo retuvo en las manos.

—Ha sido un placer para mí, señorita Penny.

En ese momento Jenny se sentía tan a gusto con su acompañante que olvidó totalmente el deseo de investigarlo y se le escapó una invitación:

—¿Le apetecería entrar a tomar una taza de té?

Dicho eso se estremeció. Ay, Dios, no debía invitar a entrar en la casa a un posible ladrón. ¿Estaba loca? Abrió la boca para retirar la invitación, pero ya era demasiado tarde. Él estaba a su lado sonriendo.

—Gracias, señorita. Será un inmenso placer.

Bajaron, y tan pronto como Jenny abrió la puerta, haciendo gran ostentación, corrió por la cocina hasta la puerta que daba a la escalera de servicio y gritó:

—¡Soy yo!

Hercule frunció el ceño.

Jenny se obligó a esbozar una sonrisa y explicó lo que ya tenía pensado:

—Debido a los violentos asaltos que ha habido últimamente mis señoras han contratado a dos fornidos silleteros para que vigilen la casa. No quería que se precipitaran aquí y le confundieran a usted con un intruso. Haga el favor de tomar asiento mientras pongo a hervir agua.

Puso la tetera al fuego, fijándose bien dónde estaba el atizador, por si acaso, y se volvió a mirar a Hercule, a tiempo para ver que este seguía de pie junto a la puerta mirando fijamente algo.

Curiosa por saber qué encontraba tan fascinante, avanzó unos pasos y vio la canasta de pedidos en el suelo, con veinte botes de crema en su interior.

¡Ay, fatalidad!

Hercule se agachó, sacó un bote y alargó la mano hacia ella, como ofreciéndoselo.

—¿Lady Eros, supongo?

Capítulo 12

Al oír esas palabras, Jenny lo quedó mirando paralizada:

—¿Qué sabe de lady Eros? —le preguntó, con la voz bastante temblorosa.

Hercule quitó la tapa al bote y aspiró el fresco aroma a menta.

—Todo Bath ha oído hablar de la crema afrodisíaca, aunque he de reconocer que esta es la primera vez que veo un bote tan de cerca. En Bartleby's siempre están agotados y no tengo ninguna conexión con criados de aristócratas para adquirir uno por esos medios.

Jenny se cruzó de brazos y lo observó. De pronto se sentía inquieta con el hombrecillo. Era la imagen misma de los contrastes. Aunque llevaba ropa raída y sucia, sus bien elegidas palabras y sus impecables modales le daban un aire de refinamiento que ella no había notado antes.

—¿Para qué necesitaría usted la crema?

—Por curiosidad, supongo. Es divertido, ¿verdad?, ver a los aristócratas clamando por un simple bote de crema.

Alargó un dedo como para coger un poco de crema.

—¡No, pare! La va a estropear. Esos botes ya están apalabrados.

El hombrecillo sonrió y agitó sus revueltas cejas.

—Entonces usted es lady Eros.

—Ya se lo dije, soy la señorita Penny.

—Ah, sí, pero estoy muy seguro de que la señorita Penny y la misteriosa lady Eros son la misma persona.

Diciendo eso Hercule puso la tapa al bote y lo dejó en su lugar en la canasta.

—Oiga —dijo Jenny—, está claro que cree saber quien soy. —Hizo una inspiración profunda, para fortalecerse llenándose de aire los pulmones, porque las palabras que iba a decir podrían ponerla en un enorme peligro—: Señor Lestrange, debo decirle que yo también conozco su identidad. Usted revela mi juego, señor, y yo revelo el suyo.

Hercule se estremeció, e incluso retrocedió un paso, como si temiera perder un precario equilibrio.

—¿Mi identidad? ¿Pero cómo? He puesto sumo cuidado en ocultarlo.

—No el suficiente, porque a mí no me llevó mucho tiempo comprender quién es —replicó Jenny, repentinamente animada, pensando que había recuperado el control de la situación.

El hombrecillo avanzó lentamente, puso un pie en un travesaño del taburete, como si fuera un peldaño, se dio un impulso y se sentó, con lo que su cara quedó al nivel de la de Jenny.

—Parece que estamos en un callejón sin salida usted y yo.

Jenny negó con la cabeza y acercó un poco la cara a la de él.

—Nada de callejón sin salida. El asunto es muy sencillo. Los dos olvidamos lo que sabemos el uno del otro. El éxito de nuestras empresas depende de nuestro silencio, ¿no?

Hercule asintió con un amplio movimiento de la cabeza.

—Es usted una mujer muy lista, señorita Penny.

—¿Entonces tenemos un pacto? —dijo Jenny, tendiéndole la mano.

Él le estrechó la mano y rió suavemente.

—Supongo que sí.

Sólo hacía un momento que Hercule Lestrange había cerrado la puerta al marcharse cuando llegó corriendo la señorita Meredith a la cocina.

—Ah, Jenny —resolló, totalmente sin aliento. Entonces la miró de arriba abajo y arrugó la nariz—. Oh, eso no servirá. Tienes que cambiarte. Date prisa. Ponte algo elegante.

Jenny le cogió los brazos y la sentó en el taburete.

—No tan rápido. Dígame qué pasa.

—Ahora que las calles están limpias, ha venido.

—¿Qué? ¿Quién ha venido?

—Lord Argyll.

A Jenny el corazón se le aceleró y luego le dio un violento vuelco, con lo que se mareó un poco y tuvo la sensación de que se iba a desmayar.

—Ahora está hablando con mis tías, y por lo que alcancé a oír, tía Letitia no está nada complacida con él por su forma de tratarte.

—¿Sí? ¿Y él? ¿Cómo le parece que está?

Meredith pareció desconcertada por la pregunta. Pero en realidad era muy sencillo. Ella necesitaba saber si él había venido a reanudar el cortejo, porque en ese caso debería ponerse el vestido rojo, pues ese era el color del amor.

Pero si sólo deseaba explicar su comportamiento no caballeroso a las señoras, su única opción entonces sería el vestido crema, que la hacía verse toda inocente y angelical. Señor, cómo deseaba subir corriendo la escalera y arrojarse en sus brazos. A pesar de todo, lo añoraba terriblemente.

—Venga, ¿cómo le pareció? —insistió, sintiendo zumbar el corazón en los oídos.

—Ah. —Meredith lo pensó—. Se veía cansado, supongo. Muy cansado, como si hubiera pasado varias noches sin dormir.

Esa observación de Meredith la hizo sonreír. Lo había estado fastidiando su conciencia, seguro, y bien que debía después de lo que le dijo a ella. Entonces, tal vez después de verla lamentaría su decisión y se retractaría. Ah, sí, el vestido crema era exactamente el que debía ponerse.

Cuando Jenny apareció en la puerta, lady Viola, que estaba detrás y a un lado de Callum, negó enérgicamente con la cabeza y le hizo un gesto indicándole que se marchara.

Jenny arrugó la frente. ¿Es que no la habían llamado?

Comenzó a apartarse de la puerta, pero al parecer Callum había percibido su llegada porque caminó hacia ella y alargó la mano. Adivinando su intención, ella retiró la mano antes que él la tocara.

—Jenny, no. Por favor, no te vayas. Es a ti a quien he venido a ver.

Jenny miró a lady Letitia, pidiéndole instrucciones. De mala gana esta la invitó a reunirse con ellos.

Jenny entró en el salón con pasos solemnes y se detuvo delante del sofá. Allí se le reunieron las dos hermanas Featherton, una a la derecha y la otra a la izquierda.

Entonces cada una le cogió una mano y, como si estuvieran dirigidas por un profesor de baile, a la cuenta de ocho las tres se sentaron al mismo tiempo.

Dominando la situación como siempre, lady Letitia hizo un gesto a lord Argyll invitándolo a sentarse en el sillón lacado frente a ellas. Callum fue a sentarse en el borde del asiento, pero sin apartar los ojos de Jenny en ningún momento.

Lady Letitia le dio un rápido apretón en la mano, como si quisiera instarla a hablar. Pero, cielos, ¿qué debía decir, las primeras palabras que se le ocurrieran? Sí, eso. No pienses, Jenny, simplemente habla.

Pero claro, aunque las palabras que le dictaba su corazón, su corazón de humilde doncella de señora, «Te amo, Callum», parecían retumbar en su pecho casi causándole dolor, sabía que no debía decirlas en ese momento. Por lo tanto tuvo que hablar lady Genevieve, su rutilante alias.

—¿Ha cambiado de intención, lord Argyll? Porque si no, no entiendo la finalidad de esta visita.

Ya está. Dicho. Se le oprimió el corazón, porque en los ojos de él veía el torbellino de emociones que estaba sufriendo; veía cómo lo había torturado su decisión.

Y realmente no podía culparlo por no querer casarse con ella; era una doncella de señora, por el amor de Dios. Si él supiera la verdad...

—Sí, he cambiado, muchacha —dijo él. Tragó saliva—. En parte.

Pero Jenny estaba tan pasmada por el «sí, he cambiado» que apenas oyó la parte condicional que él añadió.

—¿Q-qué, qué ha dicho? —tartamudeó.

El corazón le zumbaba tan fuerte en los oídos que se inclinó para no perderse la respuesta.

—He cambiado de decisión, en parte —dijo Callum, levantándose.

Sin poder moverse, Jenny lo observó acercarse, meciendo suavemente la falda. Al llegar hasta ella, se arrodilló y le tendió la mano con la palma abierta.

Ella comprendió que él deseaba cogerle la mano, pero aunque intentó levantar una mano para ofrecérsela, ninguna de las señoras le soltó la que le tenía cogida.

Callum bajó la mano y se la colocó sobre la rodilla, en un gesto que era demasiado íntimo. Jenny no necesitó mirarlas para saber que las señoras estaban con los ceños fruncidos. Fuera lo que fuera lo que iba a decir él, ellas no estaban complacidas.

Eso la puso más nerviosa aún.

Como si quisiera reunir valor, Callum bajó el mentón hasta tocarse el pecho con él. Luego lo levantó muy lentamente. En su mirada ya se veía una finalidad.

—Jenny, sé que las señoras saben lo que ocurrió cuando te quedaste conmigo en Laura Place.

—Sí —dijo ella, asintiendo—. No vi ningún motivo para mentir.

Callum expulsó el aliento bruscamente, como si esas palabras le hubieran sacado el aire de los pulmones de un golpe.

—Och, déjame decirlo —djo al fin—. Si estás embarazada, Jenny, me casaré contigo. No quiero condenarte a una vida de vergüenza y deshonra.

Lady Letitia emitió un gruñido.

—Qué magnanimidad —farfulló.

Por el rabillo del ojo Jenny vio que lady Viola movía un dedo hacia su hermana, desaprobándola.

Analizó concienzudamente las palabras de él, para asegurarse de que las había entendido.

—Pero si no estoy embarazada...

—Entonces no puedo casarme contigo. Conoces mi intención. Pondré fin al linaje Argyll.

Pareció que se le cortaba la voz y ella comprendió que todo eso lo estaba matando por dentro.

También sabía que ella podía liberarlo del conflicto que enfrentaba desde que compartieron su cama.

—Lord Argyll, antes que diga otra palabra más, tengo que confesarle una cosa.

Al instante las ancianas Featherton se pusieron de pie.

—No, lady Genevieve, no —dijo Lady Letitia, impidiéndole continuar—. Lord Argyll no ha presentado una proposición honrosa, por lo tanto no tienes ninguna obligación de explicarle nada.

Jenny miró a lady Viola. ¿Por qué hacían eso? Debía decirle la verdad a Callum. Debía liberarlo de su sufrimiento.

Pero cuando sus ojos se encontraron con los acuosos ojos azules de lady Viola, vio en ellos una resolución tan apremiante que la confundió.

—No, Jenny, no digas ni una sola palabra más. No en este momento, no todavía —dijo la anciana con una vocecita débil, poco más que un susurro.

Entonces comenzó a mecerse y pareció a punto de caer al suelo. Ay, cielos, le iba a venir uno de sus ataques.

—¿Qué deseabas decirme, Jenny, por favor? —preguntó Callum, aumentando la presión de su mano sobre la rodilla—. Estoy aquí, te escucho.

Lady Viola se desmoronó y cayó en el sofá en posición sentada, pero al golpear la cabeza en el respaldo, su frágil cuerpo pareció perder solidez y se le fue hacia un lado y finalmente cayó sobre los firmes cojines del asiento. Curiosamente, la mano con que le tenía cogida la mano a Jenny continuó apretándosela con la misma fuerza de antes.

Callum se sobresaltó cuando lady Viola cayó sobre el sofá, pero puesto que ya había estado presente en otro de sus ataques, no desvió la atención de Jenny.

—¡No! ¡Ni una palabra más! —ordenó lady Letitia, alargando la mano y apartando enérgicamente la palma de Callum de la rodilla de Jenny.

Jenny apartó la mirada de Callum para mirar a la dormida lady Viola y luego volvió a mirarlo.

—En realidad, lord Argyll —dijo lady Letitia entonces—, dado que mi hermana está indispuesta, debo pedirle que se marche. Por favor.

Su severa expresión dejaba muy claro que hablaba en serio.

—Jenny —musitó Callum, sosteniéndole firmemente la mirada.

—No, lo siento, lord Argyll, pero debo insistir —dijo lady Letitia.

Diciendo eso echó una rápida mirada al señor Edgar, que hasta el momento había estado en un rincón como un centinela. Él entendió la orden y avanzó hasta situarse a un a lado de Callum.

Callum se incorporó lentamente.

—Lo he dicho en serio, Jenny. Si llevas un crío mío, me casaré contigo.

Jenny lo miró a los ojos, impotente. Cuando él echó a andar hacia la puerta deseó correr tras él a suplicarle que le perdonara la terrible mentira. Y podría haberse soltado de las firmes manos de las dos ancianas, si de verdad lo hubiera deseado. Pero una parte de ella, la parte egoísta, no deseaba confesar su verdadera identidad. La parte de ella infantil, codiciosa, deseaba tanto a Callum que sería capaz de vivir eternamente una mentira con tal de retener su amor.

Callum cogió la chaqueta y los guantes que le pasó Edgar y después de mirar a Jenny largamente, despidiéndose, salió de la casa Featherton.

Meredith, que había entrado sin ser vista en el salón y estaba escondida detrás de las gruesas cortinas, salió de su escondite y fue a sentarse en el sofá al lado de Jenny.

—¿Estás loca, Jenny? —farfulló—. ¿Por qué no le dijiste quién eres? Comenzaste a decírselo, y ahora ya comprendes que él se merece saber la verdad.

Jenny bajó los ojos y los fijó en la figura crema y dorada del centro de la alfombra de Aubusson, que destacaba como un sol. Guardó silencio.

Pero lady Letitia contestó en su lugar:

—Porque todavía no es el momento. —Al ver que Jenny levantaba la cabeza para mirarla, continuó—. Todavía no ha reconocido la profundidad de sus sentimientos por nuestra Jenny.

Lady Viola abrió los ojos y se apresuró a incorporarse hasta quedar sentada. Estaba clarísimo que había fingido el ataque.

—Cuando los haya reconocido —dijo entonces—, le propondrá matrimonio sean cuales fueren las circunstancias. Y no le importará si es una doncella de señora o una dama de alcurnia.

Meredith no pareció convencida.

—Ponéis mucha fe en un hombre, no, en un libertino, al que apenas conocéis.

Lady Letitia abrió la boca para hablar, pero lady Viola, en gesto muy insólito en ella, levantó la mano para silenciarla y habló ella:

—Conocimos bien a su madre, y aunque es rebelde y no se atiene a las normas y expectativas de nuestra sociedad, es hijo de su madre y tiene un corazón afectuoso. Lo verás, Meredith, no decepcionará a nuestra Jenny.

—Ojalá mi fe en él igualara la suya, milady —le dijo Jenny—. Ya quisiera yo.

—Oye lo que te digo, Jenny, se casará contigo, te lo aseguro. Se casará.

Jenny le miró los ojos y vio en ellos la hercúlea fuerza de su fe en Callum, y por un instante creyó de verdad que eso podría ser cierto.

Meredith se sentó en un escabel y levantó la cabeza para mirar a su tía.

—Así que un tunante con el corazón afectuoso es... redimible —musitó, sin dirigirse a nadie en particular—. ¿Pero cómo aprende esas cosas una dama?

—Lamentablemente, hija —contestó lady Letitia, moviendo solemnemente la cabeza—, las aprende cometiendo errores.

Meredith se cogió las rodillas con los brazos y las levantó hasta apoyarlas en el pecho.

—Bueno pues, alguien debería escribir un manual sobre cómo tratar con sinvergüenzas, libertinos, tunantes y bribones, para que las jovencitas sepan con qué tipo de hombres tratan y no se dejen engañar tan fácilmente por sus encantadores modales.

Las dos ancianas se echaron a reír ante ese ridículo comentario, pero Jenny observó que Meredith no se reía. No se rió, pero curvó la comisura de la boca, y a Jenny le pareció ver en sus móviles ojos las maquinaciones que pasaban por su mente.

Ay, Dios.

Ya al anochecer, Jenny se echó una guinea al bolsillo, salió y se encaminó sigilosa hacia la puerta del lado para ver cómo tenía Molly el segundo trabajo que le había encargado discretamente hacía unos días: el arreglo de un capote de terciopelo. Puesto que quería ahorrar unos cuantos chelines cada día para su tienda, había desechado la idea de forrar la capa con piel de castor, por el abrigo, decidiéndose por un tejido de lana. Una horrenda lana basta.

No podría salir con ese capote si había viento, porque la enfermaría que se viera el feo forro de lana; estropearía el efecto del terciopelo. Y qué hermoso y lujoso habría sido con forro de piel. Exhaló un largo suspiro, porque no le servía de nada lamentarse. A lo hecho pecho.

Para mitigar el fastidio que le causaban las medidas de ahorro que se veía obligada a tomar, había convencido al señor Bartleby de que le proporcionara una docena de brillantes botones de ónix. A cambio, sólo debía añadir dos botes de crema en el siguiente pedido. Eso era una ganga, porque los botones costaban como mínimo... mmm. No dos libras. No, ni de cerca dos libras.

Se le desvaneció la complacida sonrisa al comprender su error. Tal vez no había sido tan fabuloso el trueque. Con razón Bartleby estaba tan impaciente por sellar el trato. Tendría que vigilar a ese hombre. Era mucho más listo y la mitad de digno de confianza de lo que ella se imaginó al principio.

Tuvo que golpear tres veces la puerta de servicio hasta que por fin la abrió Molly, con el aspecto de estar bastante nerviosa.

—Venga conmigo —susurró la chica—, pero no diga nada. La señora ha tenido en ascuas a todo el personal apareciéndose por sorpresa aquí abajo toda la tarde. Esta noche va a recibir a un invitado muy especial, y tiene atacada de nervios a la cocinera a causa del menú. Ya lo ha cambiado tres veces. Imagínese el desperdicio.

—¿Quién es el invitado? —preguntó Jenny en voz baja cuando iban entrando en el dormitorio que Molly compartía con la doncella que atendía la puerta.

—Ah, algún tonto de alcurnia, sin duda. ¿Cómo era el apellido... Argyll? Sí, creo que ese es.

Jenny empezó a toser y se atoró.

Molly le dio unas palmaditas en la espalda.

—¿Se siente mal, señorita Jenny?

—Estoy bien —graznó Jenny—. ¿Estás segura de que es Argyll?

—Tan segura como puedo estarlo. La viuda no ha recibido la visita de un caballero en su casa desde antes que muriera su marido. Ha estado acicalándose todo el día. Nunca la había visto así. Vamos, actúa como una muchacha enamorada.

Jenny se sentó en la cama y observó al gato de Molly pasar por entre los tobillos de su ama haciendo un ocho. No era posible, pensó. Molly tenía que estar equivocada. Callum no tenía ningún interés en la viuda. Cielos, cualquiera podía ver eso.

—Aquí tiene su capote. Es muy hermoso, señorita, pero si me lo hubiera hecho para mí lo habría forrado con piel. ¿Para qué gastar en este terciopelo tan suave, los adornos de satén y los botones de verdadero ónix y luego ir y forrarlo con el tejido de lana más vulgar?

—Para que abrigue, por supuesto. La utilidad es mucho más importante que la elegancia. —Cogió sin ningún cuidado el capote y lo extendió sobre la cama para ver el trabajo de la chica—. Además, no apruebo que maten a unos animalitos inocentes simplemente para despojarlos de su hermosa piel.

Molly se retorció las manos junto al delantal.

—Ay, sí, no había pensado en eso.

De pronto Jenny se sintió casi heroica. Sí, igual les había salvado la vida a incontables castores con su decisión.

—Sería como... matar a tu gato porque tiene ese pelaje tan hermoso, ¿verdad?

—Ay, señorita Penny, no diga eso. Vamos, nunca más podré mirar un cuello ni un manguito de piel.

Jenny sintió un ligero pinchazo de culpabilidad al recordar el manguito de piel de oso que tenía en el ropero. Pero al acariciar el terciopelo de su hermoso capote nuevo, la sensación se desvaneció con la misma rapidez con que le había venido.

—¡Molly! ¡Molly! —gritó una voz femenina al otro lado de la puerta.

Molly agrandó los ojos, aterrorizada.

—Es la señora. ¿Qué podemos hacer?

Jenny se levantó de un salto y examinó la habitación. No había forma de escapar. No había ventanas, y ni siquiera un ropero para esconderse dentro.

—¡Abre la puerta! —gritó la viuda.

Transcurrió un momento, en el que ni Jenny ni Molly se atrevieron a respirar.

—Muy bien, entonces... —se abrió bruscamente la puerta y entró la viuda como una tromba.

Sus ojos miraron de Molly a Jenny.

—¿Quién es usted? —preguntó a Jenny, y luego de mirarla detenidamente se le suavizó la mirada—. Un momento. ¡La conozco!

—Eh... —musitó Jenny.

Cielos. Se iba a desmayar. Sintió gotitas de sudor en las sienes y la sangre le zumbaba en los oídos.

La viuda le estaba mirando el vestido de muselina crema con diminutas ramitas doradas bordadas en toda la orilla. Ese no era un vestido de doncella de señora. ¡Porras! ¿Por qué demonios no se cambió la ropa y se puso su vestido marrón y su blanca cofia sobre el bien peinado pelo antes de venir a ver a Molly?

Echa a correr, le gritó una voz en la cabeza. ¡Huye! Puesto que no había otra cosa que hacer, se puso el capote bajo el brazo y echó a andar hacia la puerta. Apartaría a la flaca viuda de un empujón si era necesario. Seguro que lady McCarthy no esperaría algo tan atrevido.

Pero cuando ya estaba cerca apareció una sonrisa en la pálida cara de la viuda, y le tendió la mano.

—Lady Genevieve —gorjeó—, qué delicia verla.

Jenny se detuvo casi a un palmo de distancia, se obligó a levantar la temblorosa mano y a flexionar un poco las rodillas para hacer la reverencia, convirtiéndose en lady Genevieve.

Entonces la viuda frunció el entrecejo.

—¿Pero qué hace aquí... con mi criada?

—Esto... —por su mente pasaron girando un montón de opciones, hasta que milagrosamente vio una explicación creíble en la alborotada mezcla—. Necesitaba que me cosieran estos botones de ónix en mi capote. —Más, Jenny. Explica algo más—. Pero cuando me enteré de que a usted le enterró una aguja la doncella de las señoras Featherton, que está totalmente loca, temí por mi vida si le pedía su ayuda.

Guardó silencio, sin saber si la viuda se había tragado la mentira. Entonces la viuda agrandó los ojos.

—¡Sí, sí! Esa está loca. Estuve días sin poder caminar, porque me enterró la aguja hasta el hueso, hasta el hueso, se lo aseguro. ¿Se lo puede imaginar?

Vaya embustera, se dijo Jenny. Ella la vio bailando esa misma noche en el baile Fuego y Hielo.

—Me acordé de lo amable que fue usted conmigo y puesto que necesitaba el capote esta noche, porque hace muchísimo frío, pasé a preguntarle a su chica si podría pegar rápidamente estos botones nuevos. Y lo ha hecho.

Se volvió hacia Molly y le puso la guinea de oro en la mano, teniendo buen cuidado de cerrársela para que la viuda no la viera.

—Este chelín es para ti, Molly, por hacerme este favor tan rápido.

—¿Un chelín por pegar botones? —exclamó la viuda, consternada—. No, no. Molly, devuélveselo.

Jenny levantó la mano.

—Señora, insisto. Y debo encomiarla por la buena formación de sus criados. Porque aunque lo solicité, insistieron en que no la interrumpiera porque estaba a punto de recibir a un estimado invitado.

La viuda se ruborizó.

—Eh... sí, sólo es un caballero amigo.

—¿Sí? —dijo Jenny, sonriéndole—. Bueno, debe de ser muy apuesto, para que usted esté tan radiante esta noche.

La mujer emitió una risita nerviosa y se miró el vestido color fuego, tocándose el turbante verde de señora mayor. Parecía una enorme naranja.

—Ah, es bastante pasable, supongo.

Jenny resistió el impulso de sonreír burlona. Pasable y un cuerno. Si era lord Argyll el que iba a visitarla, pasable no era la palabra que emplearía ella para describir a un hombre tan aniquiladoramente guapo.

—Bueno, agradezco muchísimo haber podido emplear a su chica. Ahora debo marcharme. Buenas noches, lady McCarthy.

Inclinándose nuevamente en una reverencia y luego de despedirse con una mirada de la desconcertada Molly, salió de la habitación.

Entonces echó a correr, pasó como un rayo por la puerta de servicio y se dirigió de vuelta a la casa Featherton.

Después de colgar su capote nuevo en el ropero, Jenny salió de la habitación, subió con el mayor sigilo la escalera y luego entró en el salón. Por suerte, no había nadie ahí, aunque las velas brillaban en los dos candelabros sobre la repisa del hogar, en el que ardía un fuego suave.

Se sintió aliviada, porque podría ponerse detrás de las gruesas cortinas y observar la llegada de Callum por el ventanal que daba a la calle en media luna. Durante casi una hora estuvo con la frente y las manos, abiertas como estrellas, pegadas al frío cristal.

Aun cuando Molly y la viuda habían confirmado su visita, no lograba convencerse de que fuera cierto. Por lo tanto continuó ahí esperando hasta que, justo cuando el reloj de pared daba las ocho, el conocido carruaje se detuvo ante la casa de la viuda.

Reteniendo el aliento hasta que comenzaron a arderle los pulmones, observó mientras el lacayo bajaba los peldaños y entonces vio a Callum salir a la oscuridad de la noche, guapísimo con su elegante falda escocesa. En la mano enguantada llevaba un ramo de rosas de invernadero.

Rosas. Cuánto le gustaban las rosas, eran sus flores favoritas, en realidad.

Sintió una opresión en el pecho y calientes lágrimas en los ojos. A ella nunca le había traído rosas. ¿Por qué se las llevaba a la viuda? ¿Es que ya la había olvidado, o sea a lady Genevieve?

Callum se detuvo en la acera y se giró a mirar hacia la casa Featherton, justamente hacia la ventana donde estaba ella, y así estuvo un momento, inmóvil, simplemente mirando, esperando.

A Jenny se le movió el cuerpo involuntariamente, aunque estaba segura de que él no la veía.

—¿Quién está ahí? —preguntó lady Viola. Su voz venía del sillón de respaldo alto de orejas.

Jenny se quedó inmóvil. Cuando entró en el salón le pareció que la anciana no estaba ahí; seguramente entró después y ella no la sintió. Por eso, se quedó callada sin responder, con la esperanza de la que la anciana creyera que se había imaginado el movimiento que vio en las cortinas.

—Hola, ¿eres tú la que está escondida detrás de las cortinas, Meredith?

Jenny apartó la cortina con la mano izquierda y salió del escondite.

—No, soy yo, Jenny —dijo, sintiéndose culpable.

—¿Pero qué haces ahí detrás de las cortinas? Tiene que hacer un frío terrible ahí, tan cerca del cristal. Sal de ahí, hija, no sea que cojas un catarro de muerte.

Al mismo tiempo lady Viola flexionó un dedo, llamándola.

Jenny fue a ponerse delante de su señora con los ojos fijos en el suelo.

—Acabo de ver a lord Argyll.

Lady Viola enderezó la espalda.

—¿Argyll? ¿Aquí?

—No, milady. Creo que iba a hacer una visita a la viuda.

Lady Viola se puso los dedos en la boca y comenzó a mover los ojos de un lado a otro.

—Eso no está bien, hija. Algo está tramando la viuda.

El tono de la frágil anciana asustó a Jenny.

—¿Qué quiere decir, milady?

—Letitia sospechó algo ayer por todas las preguntas raras que nos hizo la viuda, pero yo le dije que se estaba imaginando cosas. Pero tenía razón. —El bastón, que estaba apoyado en el brazo del sillón, se cayó al suelo—. Hazme un favor, Jenny, ayúdame a levantarme.

Jenny le pasó los brazos bajo las axilas y la levantó.

—¿Pasa algo, milady? Por favor, dígamelo si ha ocurrido algo.

Lady Viola agitó su blanca y arrugada mano desechando la pregunta.

—¡Letitia! —gritó, sorprendiendo tanto a Jenny que retrocedió y casi cayó sentada en el fuego del hogar.

—Milady, por favor, ¿qué pasa?

Pero lady Viola ya iba a mitad del corredor, llamando a voz en cuello a su hermana a cada paso.

—¡Letitia! ¡Letitia! Ven, hermana, date prisa. Tenemos un problema, un inmenso problema.

Capítulo 13

A los pocos minutos las dos hermanas Featherton, envueltas en sus capas y mantos, iban saliendo a toda prisa por la puerta.

Jenny y Meredith llegaron corriendo a la puerta, pero sólo alcanzaron a oír palabras sueltas traídas por el gélido aire nocturno que formaba una especie de bufanda plateada de vapor detrás de ellas mientras caminaban por la acera hacia la casa vecina.

—No temas, Viola —oyeron decir a lady Letitia con sonora voz—, no nos echará a la calle con este frío, así que nos quedaremos hasta que Argyll se marche.

—¿Qué cree que pasa? —preguntó Jenny a Meredith.

Tenía la esperanza de que con su tendencia a oír por casualidad conversaciones privadas, la jovencita se hubiera hecho un cuadro de la situación armando retazos de conversación.

Los ojos azules de Meredith brillaron como zafiros a la luz de las velas, y Jenny comprendió al instante que no se había equivocado. Meredith sabía algo.

—Ayer vino la viuda y dijo que deseaba ver a mis tías con mucha urgencia. Cuando me senté a tomar el té con ellas, dejó muy claro que tenía un asunto privado que hablar con las señoras y que ese asunto no me incluía a mí —explicó Meredith, mirándola con una expresión cargada de intención.

Jenny, por lo tanto, reaccionó como supuso que deseaba Meredith.

—¡Qué grosería más increíble! Echarla del salón de sus tías.

Meredith esbozó una sonrisa maliciosa.

—No estaba dispuesta a darle la satisfacción de que me tratara como a una niña pequeña, así que salí del salón, seguí por el corredor y entré en el comedor, y ahí escuché todo lo que decían por la puerta entreabierta.

Jenny le cogió la mano y la llevó hasta los sillones enfrentados junto al hogar y allí se instalaron.

—¿Qué oyó?

Meredith titubeó, lo cual era muy raro dada su naturaleza comunicativa.

—No sé qué significa lo que hablaron. Para mí las palabras no eran otra cosa que un montón de piezas de un rompecabezas, pero para ti, Jenny...

—No conozco a la viuda, así que seguro que para mí sus palabras van a significar muy poco también. De todos modos —añadió, con una sonrisa de complicidad—, me encanta enterarme de un buen secreto.

Meredith le correspondió la sonrisa.

—Muy bien. Les hizo muchas preguntas sobre una mujer llamada Olivia Burnett... —al ver que Jenny agrandaba los ojos, se interrumpió—. La conoces. ¡Lo sabía!

—No, no la conozco. Pero sé algo de ella —suspiró Jenny y volvió a mirar a Meredith—. Era la madre de lord Argyll.

—¿Su madre? —repitió Meredith, atónita—. No, no, eso no tiene ningún sentido.

Jenny se inclinó y le cogió la mano.

—¿Por qué no?

Meredith arrugó la cara como si estuviera haciendo un esfuerzo para llevar un paquete muy pesado.

—La viuda dijo algo así como que esta mujer Olivia Burnett era pariente de mis tías. Una pariente muy cercana.

Jenny le soltó la mano y se enderezó.

—Al decir «muy cercana»...

—No tienes para qué preguntarme. No sé qué quiso decir. Pero la tía Letitia se puso furiosa y le dijo que debía tener los hechos muy claros antes de atreverse a hacer una acusación así otra vez.

—¿Sí? —Jenny volvió a inclinarse, con los ojos agrandados por el interés—. ¿Qué pasó después?

—No lo sé. En ese momento entró Edgar en el comedor, se puso detrás de mí y... bueno, me miró como mira él, ¿sabes?, esa mirada que te hace temblar las piernas.

—Ah, sí, conozco muy bien esa mirada.

—Así que no tuve otra opción que salir.

Se quedó en silencio un momento, se le agrandaron los ojos y se le dilataron las pupilas, tanto que de pronto el iris azul vibrante sólo era poco más que un delgado anillo alrededor.

—¿Crees que mis tías ocultan algo importante? ¿Un secreto horrible, tal vez, o la clave de un misterio? ¿No encuentras fabulosamente interesante eso?

Jenny se levantó lentamente y fue hasta la ventana a mirar hacia la casa de la viuda.

—No tengo la menor idea de lo que pasa —dijo—, pero hay algo que no dicen. De eso también yo estoy muy segura.

Esa noche Jenny se obligó a mantenerse despierta en la cama hasta que oyó cerrarse la puerta principal y los pasos y golpes de bastón en el suelo de mármol del vestíbulo.

Salió al frío suelo y levantándose la orilla del camisón subió sigilosa la escalera de servicio para poder ver y oír por la puerta del corredor de atrás, que había dejado entreabierta antes de irse a acostar.

—¿Crees que alcanzó a decirle algo antes que llegáramos? —estaba preguntando lady Viola mientras entregaba su capa al muy cansado Edgar.

—No tuvo tiempo —contestó lady Letitia—. Además, ¿nos habría tratado él con tanta amabilidad y cortesía si lo hubiera sabido?

—Supongo que no.

—Bueno, mañana enviaré unas cuantas monedas con la fregona Erma. Es una chica lista, y si alguien puede comprarnos una espía entre las fregonas de la viuda, será ella.

—Ay, Letitia, una espía no.

—Me parece que no hay ninguna otra manera. Tenemos que saber si lady McCarthy ha conseguido tentar a Argyll a hacerle otra visita, y esta vez nos conviene saberlo antes que llegue.

—Tienes razón, hermana, por supuesto.

Jenny se sentó en el suelo al otro lado de la puerta y se rodeó las rodillas con los brazos para calentarse. ¿De qué iba todo eso?, pensó. Ansiaba saberlo. Porras, esas ancianas deberían confiar en ella. Porque si el asunto tenía que ver con Callum, tenía que ver con ella también, ¿no? Estaba la posibilidad de que fuera la madre de un hijo suyo.

Bueno, por la mañana podría tentar a las fregonas con unos cuantos chelines también. Sí, tendría a su propia espía en la residencia McCarthy.

Justo en ese instante se abrió la puerta. Jenny levantó la cabeza y sus ojos se encontraron con la severa mirada del señor Edgar.

—¿No deberías estar en la cama... «milady»? Mañana tienes que empezar el trabajo muy temprano, si no lo has olvidado.

—Eh... sí, señor Edgar. No lo he olvidado.

Se incorporó y bajó corriendo la escalera. La verdad era que con todo el lío respecto a Callum sí se le había olvidado, totalmente.

Maldición.

Tenía que intentar dormir un poco. Tendría muchísimo trabajo por la mañana. Señor, tenía que ponerle las mangas al vestido de Meredith y hacer yardas de dobladillo en la falda.

Porque al día siguiente era el cumpleaños de la señorita Meredith; cumplía dieciocho años.

—Buenos días, cariño —canturreó su madre en la oscuridad—. Es hora de despertar. Hay mucho que hacer esta mañana. Venga, arriba, arriba.

Gimiendo, Jenny se cubrió la cabeza con la almohada de plumas, mientras su madre encendía el cabo de vela de la mesilla de noche para ahuyentar la oscuridad.

—¿Todavía no recibes la visita de tu «amiga»? —preguntó su madre dulcemente.

—No, madre —masculló con la boca debajo de la almohada.

—¿Qué has dicho, cariño?

Jenny se quitó bruscamente la almohada de la cabeza, dejándose los pelos de punta, y miró enfurruñada la cara sonriente de su madre.

—No.

—No pasa nada, cariño. No debes preocuparte por eso. He llegado a entender que a veces la preocupación puede retrasar las reglas.

—Por favor, madre, deja de hacerme preguntas sobre eso esta mañana. No me siento como si estuviera embarazada. No he vomitado el desayuno ni una sola vez, y estoy tan fuerte como un silletero. ¿Te satisface eso?

—Ah, por supuesto, cariño. Lo que tú digas.

El tono apaciguador con que dijo eso su madre le hizo hervir la sangre a Jenny como hervía la crema sobre el fuego.

—Pero si estás embarazada, no olvides que lord Argyll dijo que se casaría contigo.

—Vamos, ¿tú también? —Se cubrió la cara con la almohada para sofocar un chillido. Después se sentó y se puso la almohada en el regazo—. ¿Ya están despiertas las señoras?

—Buen Dios, no. Todavía está oscuro.

—¿Y Erma? —preguntó en tono despreocupado—. ¿Está en pie?

—Por supuesto —contestó su madre—, en este momento está encendiendo los fuegos en la cocina. —Entonces la miró con los ojos entrecerrados—. Espero que no se te haya metido la idea de pedirle que te ayude con la crema esta mañana. Como todos los demás, tiene mucho trabajo que hacer, y tú también, mi inteligente señorita.

—Ah, ni soñaría con preparar crema hoy, siendo el cumpleaños de Meredith. Simplemente quería hablar con Erma, nada más.

Abrió el cajón de la mesilla de noche, sacó dos relucientes guineas, una para cada fregona y luego de darle un beso en la mejilla a su madre, salió corriendo hacia la cocina.

Ese anochecer la casa Featherton resplandecía como una linterna, con nada menos que 160 velas de cera de abeja encendidas, algunas en candelabros y otras en las lámparas arañas de cristal, para hacer lo más brillante posible la fiesta de cumpleaños de Meredith.

—No me gusta esto —protestó Jenny atando los lazos del horrible vestido de noche de Meredith.

No soportaba el fustán negro, por muy de moda que estuviera. Se veía horrendo. Abrió el pequeño joyero de Meredith y sacó un par de pendientes de azabache. Y mientras su señorita se los ponía le recogió el pelo rojo rizado en lo alto de la cabeza sujeto con una delgada diadema, dejándole varias guedejas sueltas cayéndole por los lados de la cara.

—Sabe que al ojo lo atrae naturalmente el color, ¿verdad? —dijo, pasándole los guantes de seda negra—. Aunque sé que, como toda Inglaterra, está apenada por la muerte de nuestra princesa, ¿no podría renunciar a ataviarse toda de negro? Al fin y al cabo es su cumpleaños. Esta es una fiesta de celebración, no un entierro. Seguro que las otras señoras van a vestir de colores vivos esta noche, y no creo que desee pasar desapercibida.

—Te equivocas en eso. Sí que deseo pasar desapercibida, para poder observar a los libertinos y tunantes en acción.

Jenny la miró boquiabierta.

—Pero es que es su fiesta. Vamos, por favor, no la pase espiando... es decir, observando a los demás.

Meredith se echó a reír.

—Aunque me encanta espiar de vez en cuando, esta noche voy a hacer una investigación para mi manual guía para damas. —Sus rosados labios se curvaron en una sonrisa traviesa—. Incluso podría hacer algunos... mmm... experimentos sociales.

Jenny puso los ojos en blanco. Los planes de Meredith no eran asunto suyo sino más bien un problema de las señoras Featherton. Después de todo, ella también tenía que prepararse para la fiesta.

—Ya está. Se ve pasmosa, a pesar del color elegido.

Y era cierto. Con esa piel marfileña, los vivos ojos azules y el brillante pelo cobrizo, Meredith tenía la suerte de poseer suficiente colorido natural para equilibrar el solemne peso del maldito vestido color ébano.

—Vamos, Jenny, sólo es una pequeña fiesta —dijo Meredith soltándose más mechones de la diadema—. Te juro que para mi baile de cumpleaños la próxima semana me pondré el vestido esmeralda. Aunque la fiesta de esta noche va a ser bastante aburrida, te aseguro que el baile va a ser absolutamente apasionante.

Jenny, que ya iba saliendo de la habitación, se giró a mirarla.

—¿En qué va a ser diferente ese baile de cualquier otro?

—Ah, entonces no lo sabes —dijo Meredith, corriendo hasta ella y cogiéndole las manos—. Mis tías querían compartir mi celebración con todo el mundo y... bueno, supongo que atraerse un poco de atención hacia ellas. Mis hermanas, como sabes, están muy próximas a dar a luz para viajar a Bath para mi baile. Por lo tanto mis tías, pensando que yo estaría muy triste por la ausencia de mis hermanas, han distribuido invitaciones por todas las casas de la alta sociedad de Bath. Las serias señoronas y sus hijas cara de caballo no van a ser las únicas que hagan retumbar la pista en mi baile. Van a asistir personas que ni siquiera conocemos. Libertinos —le hizo un guiño—, vizcondes... tal vez incluso los misteriosos ladrones. ¿No lo encuentras apasionante? Vamos, ya no veo la hora...

Jenny no podía creer lo que oía. Si era cierto que las señoras Featherton habían hecho una invitación general, seguro que asistirían los ladrones, y su posible cabecilla Hercule Lestrange. Todos los miembros de la aristocracia estarían en peligro de que les robaran.

Se mordió el labio inferior.

—Es muy posible que asistan los ladrones —dijo, mirando los brillantes ojos de Meredith—. Por lo tanto, sólo debería llevar joyas de bisutería.

—Ya lo sé, pero jamás convencerás de eso a mis tías. Les gustan tanto sus joyas que no pierden ocasión de ponérselas. Ahora será mejor que vayas a vestirte. ¡Y procura ponerte lo más bonita posible! —gritó cuando Jenny ya iba por el corredor—. Vi el nombre de lord Argyll en la lista de invitados a la fiesta.

Cada una de las lágrimas de cristal, que colgaban como delicados trocitos de hielo de las lámpara araña del salón de las Featherton, brillaba como si estuviera encendida por dentro, observó Jenny al entrar.

El damasco de seda dorada que revestía las paredes reflejaba la luz y daba un tono cálido a las caras ajadas y pálidas de las señoras mayores y un brillo dorado a las caras lozanas y sonrosadas de las más jóvenes.

Jenny sonrió para su coleto, porque su suntuoso vestido color marfil reflejaba la parpadeante luz. Se veía resplandeciente, luminosa, y lo sabía muy bien.

Al instante sus ojos buscaron a Callum entre los reunidos. Aún era temprano, pero había esperado que ya hubiera llegado para verlo. Sintió el revuelo de mariposas en el estómago y le hormigueó la piel de nervios por la expectación. Ojalá pudiera hablar con él en privado esa noche; si lograba encontrar una oportunidad seguro que podría salvar la brecha que se había abierto entre ellos. Tenía que hacerlo; su corazón no aceptaría otra cosa.

—Estás estupenda esta noche, Jenny —le susurró una ronca voz al oído—. Francamente deliciosa, como para comerte.

Vio que era George, uno de los lacayos, que estaba a su lado con una bandeja de plata con pequeñas copas de cristal llenos de jerez color ámbar. Sin molestarse en contestar, alargó la mano y cogió una copa de la bandeja.

El lacayo era un maldito sinvergüenza. En realidad, Meredith debería dedicar todo un capítulo de su manual solamente a George.

—Aunque tendrá que ser después, supongo —añadió él, arqueando una ceja, como si de verdad creyera que ella iba a darse un revolcón con él.

—Gracias por el jerez, George —musitó y al instante se alejó atravesando el salón hasta detenerse junto a la repisa de mármol del hogar.

Allí situada, esperando la llegada de Callum, giró el cuerpo en tres cuartos hacia el salón, porque era importante que su vestido captara adecuadamente la luz, y empezó a pasar los dedos por el sombrero emplumado de la figura que formaba el pie del candelabro de Chelsea.

Era una estupidez esperar con tanta impaciencia la aparición de Callum, porque no tenía idea de qué podía decirle. No había cambiado nada en su situación, ni en la de él. De todos modos, tenía que hablar con él. Debía intentar arreglar las cosas entre ellos.

Mientras tanto Meredith estaba tocando el piano, bastante bien en realidad, y de pronto Jenny se sorprendió golpeando suavemente el suelo con el pie al ritmo de la música.

—Si estuviéramos en una galería más grande, muchacha, te invitaría a bailar.

Al oír la voz de Callum, Jenny sintió un estremecimiento de emoción. Cuando giró la cabeza para mirarlo, él estaba inclinado ante ella en una reverencia. Estaba inicuamente guapo, con un frac oscuro que hacía destacar las franjas azules de una comedida falda de gala que ella no le había visto nunca. En la solapa llevaba una daga de plata con un zafiro en cabujón bastante grande en la empuñadura. Estaba francamente impresionante.

Girándose más hacia la luz, flexionó las rodillas, en una reverencia, teniendo buen cuidado de ladear un poco la cabeza de modo que oscilaran sus pendientes de perlas.

La mirada de él se dirigió a los pendientes.

Jenny sonrió para sus adentros. Y en ese preciso instante le vino la idea de que tal vez se mostraba demasiado tolerante con él, demasiado amable. Si fuera una verdadera dama, como él la creía, no lo perdonaría tan fácilmente; estaría hirviendo de indignación por la situación en que él la había puesto.

Arqueó, pues, una ceja, en gesto acusador.

—¿Tiene algo que decirme, lord Argyll? Porque debo ir a acompañar a Meredith en el piano —mintió—. He descubierto que es muy difícil tocar teniendo que volver la página de la partitura uno misma.

Pero cuando le miró la cara vio una profunda angustia en sus cálidos ojos oscuros. De pronto sólo deseó más que nada en el mundo cogerlo en sus brazos, besarlo y perdonarle cualquier cosa.

En los breves segundos que tardaron en pasar por su cabeza estos pensamientos fue como si hubiera dejado una puerta abierta al azar a través de la cual él había mirado y visto lo que realmente sentía en el corazón.

Y entonces algo cambió en el interior de él... algo evolucionó.

Ella lo vio en sus ojos, en el movimiento de sus hombros al enderezarlos, en la seguridad de su postura. Él acababa de tomar una decisión.

Hizo una inspiración profunda y retuvo el aliento, temerosa de respirar, e incluso de moverse.

—Jenny, ¿me harías el favor de acompañarme al despacho, donde podríamos estar solos?

—Oh —dijo ella, mirando hacia el otro lado del salón, a las señoras Featherton.

Lady Letitia estaba acompañada por dos caballeros mayores, riéndose con su risa ronca y contagiosa. Pero lady Viola tenía una expresión afligida en la cara, los delgados labios fruncidos y las blancas cejas muy juntas. Al lado de ella estaba la viuda.

Algo no estaba bien, comprendió, y una vocecita interior le dijo que debía ir a acompañar a lady Viola, pero en ese momento sintió la mano de Callum rozándole el dorso de la mano enguantada.

—Por favor, Jenny, debo hablar contigo inmediatamente.

Ella vio tanta necesidad en sus ojos que no pudo negarse. Echando una última mirada a lady Viola y a la viuda, salió en silencio al vestíbulo detrás de Callum.

Por costumbre cogió una vela de un candelabro al pasar, mientras Callum abría la puerta del despacho, y tan pronto como entraron se apresuró a encender las velas de la sala y luego fue a inclinarse sobre el fuego del hogar para ver cómo estaba.

Callum se inclinó junto a ella y le cogió la mano, con lo que se le cayó la vela sobre las mortecinas brasas.

—¡La vela! —exclamó, olvidando que en ese momento no era una criada preocupada por la economía doméstica sino una dama refinada.

—Déjala. —Callum la llevó al sillón que estaba ante el buró con librería y haciendo amplio gesto con la mano la instó a sentarse—. Por favor.

Una vez que se instaló en el sillón, lo miró a los ojos, para hacerse una idea de lo que pretendía, pero no logró interpretar nada de lo que vio, porque en esos torbellinos castaño oscuro iluminados por pintitas doradas había un tumulto de emociones.

Callum hincó una rodilla ante ella.

—Jenny, ¿podrás perdonarme alguna vez? Me diste tu amor, tu corazón y tu cuerpo y yo te arrojé todo de vuelta como si no significara nada. —Hizo una larga inspiración para serenarse—. Pero al estar contigo esta noche, comprendí que, Dios mío, lo significaba todo. Y espero demostrártelo ahora.

De repente Jenny comprendió lo que iba a hacer él. Sintió una punzada de miedo.

—Por favor, Callum, no.

Él negó lentamente con la cabeza.

—Sé que te he herido terriblemente.

Jenny se levantó.

—No, no, no es cierto. —Hazlo, Jenny, díselo. Dile quién eres, le dijo la vocecita. Comenzó—: Callum, debo decirte... eh...

En ese preciso instante se abrió la puerta y apareció la viuda McCarthy, que se quedó mirando a Callum con la rodilla hincada en el suelo ante Jenny.

Callum exhaló un suspiro.

—La atenderé dentro de un momento, lady McCarthy, pero en este momento estoy ocupado.

La viuda miró hacía la izquierda por el corredor, nerviosa.

—Se lo ruego. Hay una cosa que debe saber, y cuando oiga lo que tengo que decirle, creo que estará muy agradecido de mi interrupción.

Callum se incorporó lentamente y se giró a mirarla.

—Tengo una información —dijo la viuda en voz baja, casi en un susurro— que considero incorrecto seguir ocultándole. —Miró a Jenny—. ¿Nos hace el favor de disculparnos?

—No, Callum —dijo Jenny, mirándolo—, yo debo hablar contigo primero.

Él intentó calmarle la preocupación con una amable sonrisa.

—Tenemos mucho que hablar tú y yo, así que nos llevará tiempo. Permite, por favor que la viuda diga lo que tiene que decir y después me dedicaré por entero a ti.

—Pero, Callum, es que no lo entiendes. Yo...

—Tranquila, no pasa nada. Sal, por favor, muchacha. No tardaré mucho.

Ya empezaban a arderle los ojos con lágrimas contenidas cuando pasó junto a Callum y la viuda, que la miró con una sonrisa engreída, y salió al corredor.

Allí se volvió a mirar la sala, y en ese preciso momento la viuda cerró la puerta en sus narices.

—Ahora, que el Señor me proteja —gimoteó.

Capítulo *14*

¡*M*aldito corsé! Estaba tan ceñido que le dificultaba enormemente respirar. Cerrando los ojos, apoyó la cabeza en la puerta. ¿Qué podía hacer? La malvada viuda la iba a delatar. Ay, ¿por qué no le dijo antes a Callum que era una criada? Todo era culpa de ella, por su maldita estupidez.

Estuvo un momento paseándose delante de la puerta, esperando. La viuda ya tardaba demasiado tiempo. Tenía que estarle diciendo algo más.

Ay, no, la crema afrodisíaca, pensó ahogando una exclamación. Alguien debió haberle dicho a la viuda lo de la crema de lady Eros.

Volvió a la puerta y apoyó la oreja, con tanta fuerza que le dolió, y trató de escuchar. Pero lo único que logró oír fue un murmullo de voces, apagadas por la música de piano que estaba tocando Meredith en el salón.

El golpeteo de un bastón le avisó que alguien había salido al vestíbulo. Miró hacia ese lado y vio a lady Viola, que la estaba mirando.

—Ay, milady, ha ocurrido algo horroroso.

—Eso me imaginé —dijo lady Viola, caminando a toda prisa hacia ella—. Es la viuda, ¿verdad?

Jenny asintió.

—Está en el despacho con lord Argyll.

—¡Ay, cielos! —exclamó la anciana, alzando las níveas cejas—. Ve a buscar a lady Letitia y tráela aquí inmediatamente. ¡Rápido, date prisa!

Recogiéndose la falda, Jenny echó a correr por el pasillo, entró en el salón y, caminando a toda prisa, se abrió paso por entre los invitados sin hacer caso de sus miradas sorprendidas u ofendidas, hasta que llegó al lado de lady Letitia.

Un momento después, estaba con las dos señoras Featherton fuera de la puerta del despacho.

—Le está diciendo quién soy —gimió Jenny—. ¿Qué puedo hacer?

Las dos ancianas se miraron perplejas y luego la miraron a ella.

—No, querida. No creo que sea de ti de quien están hablando —dijo lady Letitia, cogiéndole la mano izquierda a lady Viola—. ¿Estás preparada, hermana?

—Sí —musitó lady Viola, con los ojos brillantes por lágrimas contenidas—. Tan preparada como puede estarlo cualquiera en esta situación.

—Muy bien, entonces...

Alargando la mano, lady Letitia presionó la manilla de la puerta y esta se entreabrió sin que la empujara.

Entonces las dos ancianas de pelo níveo entraron como si fueran una sola persona, y fueron a situarse delante de Callum.

Jenny entró sigilosa y se quedó junto a la puerta, con la espalda apoyada en la pared azul azurita, para afirmarse. Ay, cómo deseaba que las señoras tuvieran razón y la viuda no estuviera revelando su secreto, ¿pero qué otra cosa podía ser?

La viuda estaba sentada en el sillón con respaldo de travesaños junto al hogar. No le veía la cara, porque la tenía a la sombra del bastidor bordado montado en un pie; eso le venía muy bien, porque todavía tenía grabada en la mente la sonrisa satisfecha de la viuda cuando entró en la sala sólo hacía unos minutos.

Pero sí veía claramente la cara ofendida de Callum. Su mirada era solemne e implacable, pero, curiosamente, no la estaba mirando a ella. Su atención estaba centrada en lady Viola.

—¿Por qué? —preguntó él, con la voz tan embargada por la angustia que si Jenny no lo hubiera estado viendo hablar no se la habría reconocido—. ¿Por qué no me lo dijeron? ¿Por qué me hicieron creer que apenas conocían a mi madre... cuando todo el tiempo...?

Lady Viola se le acercó lentamente y le puso una temblorosa mano en el hombro. Él se la apartó con innecesaria brusquedad.

—Mi querido niño —dijo entonces lady Viola con voz trémula—. Yo era soltera cuando descubrí que estaba embarazada. Yo deseaba tenerla conmigo y criarla, pero mi padre no lo permitió. —Miró a su hermana, que asintió animándola a continuar—: A los ojos de mi padre, yo había deshonrado el apellido de la familia y a él. Me envió a vivir con mi prima en Cornualles. Ella era estéril, y cuando vino al mundo mi hija, ella y su marido la cogieron y la criaron como si fueran sus padres.

—Trata de entenderlo, por favor —dijo lady Letitia, sentándose en una silla pequeña junto al hogar—. Las cosas eran diferentes en esos tiempos.

Jenny se sentía muy confundida ahí, callada y quieta en un segundo plano. Lady Letitia no se había equivocado, no era de ella de quien hablaban. Dios de los cielos, qué inmenso alivio.

Pero ¿lady Viola, abuela de Callum? Tal vez no había oído bien. Su señoría había tenido una hija sin estar casada, y era hija de un conde. Señor, ¿cómo podía ser eso?

De todos modos, no lograba encontrar ni una brizna de felicidad en ese afortunado giro de los acontecimientos. Estaba claro que sus seres queridos se sentían rebajados por la inoportuna revelación de la viuda.

Callum volvió los ojos hacia la frágil anciana, y Jenny vio que los tenía enrojecidos.

—¿Por qué no me lo dijo? Sabía que yo deseaba saber cualquier cosa de ella, cualquier recuerdo de sus últimos días...

Entonces la viuda se levantó y alzó altivamente el mentón.

—No deberían haber esperado a que yo hiciera una revelación tan importante. Pero así fue, y lord Argyll sólo puede estar muy agradecido de haberse enterado de la verdad, puesto que es evidente que ustedes no se la iban a decir.

Levantándose con increíble agilidad, y con las mejillas infladas de ira, lady Letitia se abalanzó hacia la viuda y cogiéndole un huesudo brazo la empujó hacia la puerta.

—¡Fuera! Salga de esta casa inmediatamente. ¿Es que no ha hecho ya bastante daño a esta frágil familia?

Recuperando el equilibrio, la viuda abrió de par en par los labios, y al instante Jenny pensó en la boca de una enorme cueva.

—¡He hecho lo correcto! —exclamó la viuda, echando chispas de rabia por los ojos—. Y sé que lord Argyll agradece mi sinceridad. Aunque tal vez ustedes dos no.

Lady Letitia la miró furiosa.

—Jen... lady Genevieve, acompaña, por favor, a lady McCarthy hasta la puerta.

Por instinto, Jenny hizo una rápida reverencia y sacó a la horrible viuda de la sala, tal como le ordenaba su señora. Sentía todas las protuberancias óseas de su flaca espalda mientras la empujaba casi al trote hacia la puerta, donde el señor Edgar estaba esperando con su ropa de abrigo.

Una vez que dejó a lady McCarthy en sus capaces manos, Jenny volvió corriendo por el corredor hasta el despacho, porque no quería perderse ninguna parte del drama.

Pero cuando entró le quedó claro que ya había pasado la parte más interesante de la conversación. Callum tenía estrechamente abrazada a lady Viola, su gigantesco y fuerte cuerpo en total contraste con el menudo y frágil de la anciana.

—Chss, no llore —le estaba diciendo, rozándole el pelo con los labios—. Usted no podía saber lo que me ocurrió a mí después que ella se marchó.

Lady Viola tuvo que echar la cabeza bien atrás para poder mirarlo a los ojos. Las lágrimas le dejaban surcos blancos sobre las capas de polvos y colorete.

—Habría ido a buscarte. Lo juro. Debes creerme.

—Le creo, pero debe dejar de llorar. Este debe ser un día dichoso, porque me he enterado de que no estoy solo en el mundo. Tengo familia. Tengo una abuela.

—¡Y una tía! —exclamó lady Letitia exuberante, y corrió a abrazarlo junto con su hermana.

Aunque Jenny se había mantenido en las sombras, inmóvil y sin decir una sola palabra, Callum pareció percibir que estaba ahí. Se giró a mirarla.

—Jenny, ¿tú sabías esto? —le preguntó.

Las dos Featherton se giraron a mirarla.

—Por mi honor, no lo sabía.

Aún no terminaban de salir esas palabras de su boca cuando lamentó su elección. Por su honor. Bah, ¿qué honor tenía? Estaba viviendo una mentira, y disfrutándola cada día.

—Ven, muchacha —dijo Callum. Apartó la mano de la espalda de lady Viola, soltándola a ella y a lady Letitia, para llamarla—. Por favor, Jenny.

Vacilante, ella se acercó y se colocó delante de él, y las dos ancianas retrocedieron, ocupando el lugar que antes tenía ella en las sombras.

Callum le cogió la mano.

—He venido aquí esta noche con una finalidad.

Las hermanas Featherton se miraron, visiblemente perplejas.

Entonces Callum llevó a Jenny al sillón donde la había hecho sentar anteriormente e hincó una rodilla en el suelo, tal como hiciera antes que la viuda los interrumpiera con tanta grosería.

—Jenny, aún no he hablado de esto con lady Letitia ni con lady Viola, pero ahora debo dirigirme a ti. Ya he dejado pasar demasiado tiempo. —Le levantó la mano enguantada hasta sus labios y le besó suavemente los dorsos de los dedos—. Jenny, ¿me harías el gran honor de ser mi esposa?

A Jenny se le inundaron los ojos de calientes lágrimas. No podía aceptar, no podía gritar «¡sí!», aunque eso era lo que más deseaba en el mundo.

—Callum..., tengo que decirte...

Lady Letitia la interrumpió precipitándose hacia ellos. Jenny levantó la vista y la vio negando enérgicamente con la cabeza, poniéndose un dedo vertical sobre los labios. Viola, por su parte, juntó las manos sobre su corazón y sonrió de oreja a oreja.

—Vamos, Jenny, di que sí. Lo amas y él te ama. Este es un momento para escuchar solamente a tu corazón, cariño. Ninguna otra cosa importa en este momento. Ninguna —repitió, mirándola fijamente con una expresión de significado clarísimo.

Jenny miró a Callum y a las hermanas Featherton, los tres esperando su respuesta con dichosa expectación.

¿Escuchar a su corazón? Caracoles, ¿podría ser así de sencillo? ¿Decir sí, aprovechando ese glorioso momento, y hacer feliz a todo el mundo? ¿O debería hacer lo que le dictaba la conciencia y confesarlo todo?

—Callum ha pasado una hora muy difícil, cariño —dijo lady Letitia, suplicándole con los ojos que aceptara la proposición—. Haz que este momento sea uno que él recuerde feliz hasta el fin de su vida.

¿Pero cómo podía hacer eso si la relación entre ellos estaba basada en una enorme mentira?

Estuvo en silencio pensando varios minutos, hasta que Callum sacó un brillante anillo de rubí de su escarcela. Jenny se quedó boquiabierta admirada por su belleza, mientras él le quitaba el guante y le pasaba el anillo por el dedo.

Las facetas rojo sangre del rubí captaban la luz de las velas y un círculo de centelleantes diamantes alrededor aumentaban su brillo.

Y de repente la vocecita interior que la regañaba comenzó a apagarse.

No tenía ninguna lógica, pero sin saber cómo, así fue; cuando vio el anillo, ese pasmoso rubí y los diamantes que lo rodeaban, dejó de oír la molesta vocecita.

Levantó la mano con el anillo hasta la altura de los ojos y pestañeó admirada. Y entonces ocurrió. Se le escaparon las cuatro palabras antes que se las pudiera tragar:

—¡Sí, me casaré contigo!

Ya tarde esa noche, mientras Erma trabajaba en la cocina llenando con crema dos docenas de botes, Jenny estaba sentada en la cama, tristemente, con la cabeza gacha,

—Cielo santo, hija, ¿cómo has podido aceptar la proposición de lord Argyll y su anillo cuando todavía no le has dicho quién eres?

—Porque lo amo, mamá.

Su madre le cogió la mano y doblándole los dedos la obligó a mirar el anillo.

—Mira esto, Jenny. Esta es la prueba de que te ama. Si de verdad lo amas también, debes decirle la verdad, es algo que le debes.

Soltándose la mano, Jenny se echó de espaldas atravesada sobre la estrecha cama con colchón de crin, golpeando nerviosamente el suelo con los pies.

—Sé que estuvo mal, no tienes para qué recordármelo. Y estaba a punto de confesárselo todo, de verdad, pero las señoras comenzaron a negar con sus tontas cabezas instándome a callarme. «Escucha tu corazón», me decían, y eso hice.

Su madre se cruzó de brazos.

—Te repito hija, que le debes la verdad a lord Argyll.

—Lo sé, lo sé. Simplemente lo quiero tanto... y en el instante en que se lo diga...

Se sentó y apoyó la cabeza en las manos, muy triste, pero tan pronto como sintió el fresco y suave contacto del anillo en la mejilla, se enderezó para mirarlo. Pero su madre sabía adónde quería llegar.

—Debes devolverle ese anillo y decirle quién eres en realidad. Si las señoras no se equivocan respecto a él, tu verdadera identidad no va a cambiar lo que siente por ti. Te seguirá amando, honrará su propuesta y se casará contigo de todos modos.

—¿No puedo esperar, sólo una semana, hasta después del baile de cumpleaños de Meredith en las Upper Assembly Rooms? Te juro que entonces se lo diré.

—Esperar sólo lo empeorará.

—Cielos, mamá, ¿crees que no lo sé? Pero deberías haber visto la expresión de sus ojos. Si no lo hubiera aceptado, lo habría aniquilado.

—El vizconde es más fuerte de lo que crees. Haz lo correcto, Jenny. Y sabes muy bien qué es lo correcto. —Entonces levantó la cabeza y olisqueó el aire—. Será mejor que vayas a ver a Erma. Algo se está quemando.

Erma. La maldita Erma.

Le había pagado a ella y a su espía de la casa de lady McCarthy, ¿y le habían dicho algo, aunque fuera en un susurro, de que lady Mc-Carthy iba a revelar el pasado de la inofensiva lady Viola? No.

Pues bien, quería saber por qué.

Con las manos cerradas en puños, entró pisando fuerte en la cocina y encontró a Erma poniéndole la tapa al último de los botes de crema.

—Ah, has venido —dijo Erma cuando la vio entrar en la cocina.

Pero se le desvaneció la sonrisa satisfecha al verle la expresión.

—¿Por qué no me dijiste de qué se había enterado la viuda Mc-Carthy? Tienes que haberlo oído.

—Sí que lo supe. Y fue una gran sorpresa también. La gazmoña lady Viola tiene que haber sido una fresca en su juventud. ¿Quién se lo habría imaginado?

Jenny sintió un calor terrible en las sienes y apretó los puños hasta que se los nudillos se le pusieron blancos de furia.

Pero al parecer Erma no lo notó porque se puso a la tarea de colocar los botes en la canasta.

—Pero no te lo dije porque no era asunto tuyo —continuó Erma, poniéndose una mano en la base de la rígida espalda para enderezarse—. Pero la viuda te sigue el rastro, «señorita» Jenny. No le gusta nada ese dulce amor entre tú y el vizconde, así que se ha puesto a averiguar tu linaje también.

Jenny sintió que se le formaba un nudo en el estómago.

—¿Mi linaje? ¿Pero cómo?

—Bueno, por lo que he oído, ha puesto a todos sus criadas y lacayos a sonsacar información sobre ti al personal de nuestra casa. El primero que le vaya con algo interesante tendrá una buena recompensa. —Se sentó en el taburete y poniendo un codo sobre la mesa apoyó el mentón en la mano—. Yo en tu lugar pensaría en el valor de poner unas cuantas guineas en las manos del personal... de ambas casas.

—¿De las dos casas? Pero es que no tengo tanto dinero.

Erma emitió un bufido.

—Bueno, tal vez podrías procurar ponerte el mismo vestido más de una vez de tanto en tanto y gastar menos. Escucha, lo que quiero decir es que encuentres el dinero, si no, la viuda te habrá quitado la máscara en un santiamén. Lo digo en serio, Jenny.

Jenny bajó la cabeza y, pensativa, giró sobre sus talones y se dirigió a su dormitorio. No podía permitir que la viuda descubriera quién era. Tenía que proteger a Callum, por lo menos otra semana, hasta el baile.

Caracoles, ¿cómo iba a conseguir todo ese dinero?

Todavía tenía que saldar sus cuentas en cuatro tiendas de Milsom Street, porque ya le habían advertido que no le permitirían la entrada en las tiendas si no pagaba pronto.

Pero lo más importante de todo era que necesitaba todas las guineas que ganaría esa semana para pagar su vestido más fino y grandioso de todos, el que se pondría para el baile de cumpleaños de Meredith.

Bueno, simplemente tendría que encontrar la manera de ganar ese dinero. Tenía que ganarlo, si no, muy pronto Callum y todo Bath leerían el gran titular en negritas en la columna de cotilleos de *The Bath Herald's*: «Se ha sabido que lady Eros es la señorita Jenny Penny, doncella de señora y extraordinaria embustera».

Se estremeció al pensarlo.

Ese sábado las señoras hicieron llamar a Jenny a la mesa del desayuno, donde a menudo las encontraba comentando los últimos cotilleos de la columna «Dicen...» del diario.

—Le llevó todo un día al columnista descubrir los detalles del compromiso de lord Argyll con nuestra Jenny —comentó lady Letitia riendo—. Sus espías deben de estar atontados.

Lady Viola arrugó la nariz.

—¿No te preocupa nada eso, hermana? Nadie sabía de su propuesta aparte de los que vivimos en esta casa.

Jenny, que estaba junto al aparador al lado de su madre, tragó saliva al oír eso, y un pequeño estremecimiento le agitó los huesos. Ya estaba ocurriendo, tal como lo predijera Erma. La información salía de la casa como el té de una tetera agujereada.

—Jenny —dijo lady Letitia, mirándola—, ¿le has contado a alguien lo de vuestro compromiso?

—No, milady.

—¿Y usted, señora Penny?

—No necesito decírselo a nadie. Todo el personal sabía del compromiso antes de que terminara la fiesta. —Guardó silencio un momento, formulando mentalmente las palabras siguientes—: Con su perdón, milady, pero George el lacayo oyó a dos invitados comentándolo antes de que ustedes salieran del despacho.

—¡Dios mío, Letitia! —exclamó lady Viola, con los ojos agrandados por el espanto—. ¿Es posible que alguien haya estado escuchando en el corredor?

Meredith dejó su tostada en el plato y levantó la cabeza.

—Lo más probable es que estuviera aquí.

Lady Letitia levantó bruscamente la cabeza y miró alrededor.

—¿Aquí en el comedor?

—Ah, pues sí, aquí. —exclamó Meredith, y levantándose de la mesa caminó hasta la pared sur—. Si uno se sitúa aquí y pone la oreja en la pared, así, puede oír todo lo que se dice en el despacho. —Se giró y pareció sorprenderse al ver que todas la miraban horrorizadas—. ¿Qué? El despacho está al otro lado. ¿Queréis que vaya allí y lo demuestre?

—No, cariño, te creemos —suspiró lady Viola—. Entonces ya sabemos cómo se filtró la información, pero aún nos queda por descubrir quién pudo haber sido el espía.

—Y es posible que nunca lo sepamos —suspiró lady Letitia.

Entonces comenzaron a sonar campanillas en los oídos de Jenny.

—Creo que debemos sospechar de la servidumbre.

La señora Penny la miró con los ojos desorbitados.

—Pero qué dices, Jenny —le susurró acalorada al oído—. Arrojar sospechas sobre tus compañeros.

Pero Jenny continuó, porque esa era la oportunidad de obtener el dinero que necesitaba para sellar los labios de los criados de la casa Featherton y de la casa McCarthy.

—Justamente anoche una de las fregonas me informó que lady McCarthy ha ordenado a toda su servidumbre que investigue todo lo posible sobre mi linaje.

—¡Ah, esa mujer! —exclamó lady Viola, con su voz aguda trémula de furia—. ¿Por qué no quiere dejarnos en paz?

Jenny vio que ese era el momento.

—La fregona me dijo incluso que la viuda ha ofrecido pagar por la información, y sugirió que si queríamos que mi identidad continuara en secreto, hasta que decidiéramos revelarla, le paguemos a la servidumbre de la casa Featherton y a la de la viuda, para que sean discretos.

Las dos hermanas Featherton guardaron silencio, reflexionando sobre esas palabras. Pasado un instante, intercambiaron una significativa mirada.

Lady Viola se llevó a la boca una cucharada de avena con leche caliente, y luego de saborearla un momento se la tragó.

—Hermana, creo que no tenemos otra alternativa. Es demasiado pronto para revelar la identidad de nuestra Jenny. Vamos, Callum todavía está confundido y atontado por la revelación de que yo soy su abuela.

—Tienes toda la razón, por supuesto, Viola —convino lady Letitia—. Su herida es reciente y necesita tiempo para que cure totalmente, antes de saber el secreto de Jenny. —Dirigiéndose a Jenny, continuó—: Esta tarde vendrá el encargado de nuestros asuntos. Antes de que se marche le daré la orden de que te dé los fondos que necesitas. Tú te encargarás de que llegue a las manos adecuadas, ¿verdad, hija?

Jenny se inclinó en una reverencia rápida, pero muy optimista.

—Ah, claro que sí, milady.

Esa tarde Jenny iba entrando en la cocina en busca de Erma cuando la asaltó una corriente de aire frío proveniente de la puerta que daba a la calle. Friccionándose los brazos para combatir el mordaz frío fue hasta la puerta, cogió la manilla para cerrarla y al asomarse vio a Erma arriba en la acera charlando nada menos que con Hercule Lestrange.

Al ver a Jenny en la puerta, el hombrecillo se tocó el sombrero sonriendo, se despidió de Erma y echó a andar en dirección a Brock Street.

Erma bajó para entrar en la cocina, pero parecía nerviosa.

—¿De qué iba eso? —le preguntó Jenny.

—¿Qué, el pequeño mendigo? Ah, le estaba dando unas pocas sobras de comida.

Jenny asintió lentamente. No le veía ningún tipo de comida ni paquete en las manos. Se quedó observándolo hasta que el hombre dio la vuelta a la esquina y desapareció de su vista.

Ah, seguro que estaba demasiado desconfiada, pensó, debido a que había un espía en la casa.

—Vine a buscarte para darte esto —dijo a Erma poniéndole una guinea en la mano derecha.

Erma la miró incrédula.

—Pensé que no tenías dinero.

—Y no tenía —sonrió Jenny, y cogiéndole la otra mano puso una pequeña bolsa de algodón en ella—. Y esto es para la servidumbre de la casa McCarthy. ¿Puedes encargarte de distribuirlo? Siempre que prometan morderse las lenguas, por supuesto.

Erma sonrió de oreja a oreja, enseñándole las encías casi sin dientes.

—Puedes contar conmigo, señorita Penny. Desde este momento en adelante, tu secreto estará seguro.

«Desde este momento en adelante». Esas palabras le iban resonando en la cabeza a Jenny al pasar por la cocina en dirección a su dormitorio.

¿Por qué esa última frase de Erma revoloteaba en su mente?

Capítulo 15

—¡Ooh, señora Russell! —exclamó Jenny, extasiada.

Seguro que hacía el ridículo mostrándose tan efusiva por esa obra de la modista, pero, cielos, ¿cómo podría evitarlo? Si hasta tenía los ojos llenos de lágrimas, porque, con toda sinceridad, ese tenía que ser el vestido más maravilloso jamás creado.

Sonrió a su imagen en el largo espejo ovalado montado en la pared del vestidor particular de la señora Russell. Suspirando de placer, tocó el vaporoso tul veneciano azul que cubría el vestido interior de crespón blanco. Precioso, absolutamente precioso.

Dándose una vuelta completa, observó mecerse graciosamente la parte de atrás de la falda. Por mucho que lo intentara, sencillamente no podía desviar los ojos del elegante vestido.

—¿Y qué le parece esto? —dijo la señora Russell poniéndole un pasmoso sombrero azul adornado con una doble guirnalda de rosas color claro. —En Francia tienen un truco para llevar este tocado. Un truco que atrae mucho la atención hacia la usuaria.

Jenny se giró a mirarla, muerta de curiosidad.

—¿De veras? ¿Me haría el favor de enseñármelo?

Esbozando una sagaz sonrisa, la señora Russell pasó varios mechones de pelo castaño dorado por entre las rosas indias y formó trenzas con ellos.

—Y este es el truco especial —explicó—. Simplemente se enrolla las trenzas, así, en bucles, de modo que los bucles imiten la forma de las rosas. ¿Lo ve?

Mirando reverente la creación de la modista, Jenny saltó de alegría, mientras la modista salía del cuarto.

Mordiéndose el labio inferior, admiró su imagen en el espejo. Todas las damas de la aristocracia le tendrían una envidia terrible cuando la vieran con ese atuendo.

Y con razón. El vestido era todo lo que había esperado que fuera: elegante, sencillo y... memorable. Deseaba, no, necesitaba, que en el baile Callum la mirara con amor en sus ojos, aun cuando sería la última vez, y la viera como a una dama, haciéndola sentirse la verdadera dama que él creía que era.

Pasados unos segundos volvió la modista con algo blanco en las manos.

—Seguro que tiene zapatos de satén y guantes de cabritilla blancos, pero póngase estos para que vea todo el efecto.

Aceptando la sugerencia, Jenny se puso los zapatos y los guantes, y cuando se miró en el espejo exhaló un largo suspiro. Eran perfectos.

Entonces vio la imagen de la señora Russell en el espejo. Cáspita, parecía estar esperando algo. Ah, claro, el dinero, comprendió de pronto, arqueando una ceja. Podría haber esperado por lo menos a que se hubiera quitado el vestido, pensó agriamente.

Cogió su bolso, sacó una pequeña bolsa de terciopelo y se lo pasó. La modista vació la bolsa en la palma y luego la miró.

—Y otras dos guineas por el tocado.

—¿Dos? —miró su bolso y vio que no tenía más dinero—. Es algo caro, ¿no?

—¿Lo quiere, señorita Penny, o no?

Jenny tragó saliva.

—Sí, pero no tengo más dinero.

—Bueno, entonces no se lo puede llevar.

Dicho eso, la modista cogió el sombrero y se lo arrancó de la cabeza, tironeándole fuertemente las trenzas que había intercalado entre las rosas.

—Pero debo tenerlo —dijo Jenny, friccionándose el dolorido cuero cabelludo—. Sencillamente debo. ¿Podría pagárselo la semana que viene, tal vez?

La señora Russell negó con la cabeza.

—Señorita Penny, ya le he cosido antes, y aunque tal vez usted haya olvidado su morosidad, yo no. No. Debo recibir el dinero —agitó el sombrero con rosas ante las manos extendidas de Jenny— antes de que usted reciba el sombrero.

—Le traeré el dinero.

La señora Russell sonrió burlona.

—Estupendo. No deseo presionarla, pero haré lo que debo, lady Genevieve. ¿O preferiría que la llamara lady Eros?

Jenny ahogó una exclamación.

—¿Cómo... cómo lo supo?

—Señorita Penny —repuso la modista riendo—, su trío de personalidades es muy conocido entre la servidumbre y los comerciantes. Sólo son los aristócratas los que al parecer no ven a la gran impostora que tienen ante las narices.

Esa noche Jenny miró la canasta de pedidos. Porras, una sola piedra. Una.

Tal como había temido. Había saturado el mercado de la crema. Pues, no podía hacer otra cosa que esperar que a los aristócratas se les agotaran los botes de crema que tenían.

Deprimida se sentó en el taburete y dejó escapar un largo y fuerte suspiro. ¿Qué podía hacer? Necesitaba dinero, y lo necesitaba ya.

Entonces por su mente pasó una palabra atrayéndole la atención, como el chirrido de un letrero de tienda azotado por el viento: Bartleby's.

A la mañana siguiente, poco después de la salida del sol, Jenny estaba tiritando fuera de la tienda, cesta de compras mano, cuando llegó el señor Bartleby a abrir la puerta.

—Buenos días, señor —lo saludó alegremente—. Anoche preparé algunos botes extras y pensé que podrían servirle.

El señor Bartleby la miró desconcertado, como si hubiera oído mal.

—¿Más botes? Sólo ayer Erma me trajo veinte botes.

Jenny frunció el entrecejo.

—¿Qué? ¿Ayer? No, no, debe de estar equivocado.

—Le aseguro que no. —La invitó a entrar, fue a abrir su libro de cuentas y pasó el dedo por una página. —Aquí está. Mire. Veinte guineas, que se las pagué ayer.

—Pero... pero si no hice crema...

De pronto le pasó una inquietante idea por la cabeza. Ella no había hecho crema, pero Erma ya había estado varias noches observándola batir la emulsión.

No, no era posible. Pero ninguna otra explicación tenía más sentido.

O sea que Erma estaba preparando la crema y vendiéndola.

¡Vaya ladrona más traicionera y tramposa!

—Venga, Erma, suéltalo —dijo Jenny a la fregona, haciendo rechinar los dientes.

Erma la miró extrañada mientras atizaba el fuego en el fogón de la cocina.

—¿De qué hablas, Jenny?

Jenny se cruzó de brazos.

—Sé que has estado haciendo crema y vendiéndola por tu cuenta. Quiero el dinero que me has robado, ahora mismo.

Erma se quedó inmóvil un momento y luego se giró lentamente a mirarla.

—Así que lo has decubierto, ¿eh? Sí que eres lista. Pero no te daré nada. Yo hice la crema.

—Con mi receta, y usando mi material.

—De acuerdo, entonces, te pagaré el material que cogí prestado. ¿Cuánto te costaría eso? ¿Cinco chelines en total?

—Me encargaré de que te despidan —la amenazó Jenny, desahogando la rabia, con los puños apretados.

—Y yo te veré en la columna de cotilleos del *Bath Herald*.

Jenny no pudo evitar un estremecimiento.

—¿Qué quieres decir, Erma?

Apoyando las manos en sus anchas caderas, Erma se echó a reír.

—Ah, nada, sólo que yo en tu lugar haría todo lo posible por disfrutar al máximo del baile de mañana por la noche, porque será el último al que vas a asistir.

—Vale más que lo expliques —repuso Jenny, tratando de hablar con voz fuerte y segura, aunque por dentro estaba temblando como un ratón bajo las garras de un gato.

Erma alargó el brazo y metió la mano en un escondrijo de una segunda repisa más arriba de la repisa del fogón. De allí sacó algo y lo hizo oscilar; era la bolsa de monedas de lady Letitia, que ella le había entregado para que silenciara a la servidumbre de la viuda.

—O sea que no le pagaste a los criados de la casa McCarthy —exclamó Jenny, espantada.

—¿Para qué? Aquí hay más dinero que el que vería en cinco años. Y ahora que sé preparar la crema, no me importará un bledo que me despidan.

Jenny sintió bajar un escalofrío por el espinazo.

—Vamos, Erma, ¿qué has hecho?

Erma le sonrió, divertida.

—Disfruta de tu vida rutilante mientras puedes, Jenny —dijo, canturreando—, porque ya en este momento se te está derrumbando.

Emitiendo una ronca risita gutural y meneando las caderas, giró sobre sus talones y salió muy engreída de la cocina.

Jenny se estaba paseando por su pequeño dormitorio, pensando, pensando. ¿Qué habría hecho Erma, exactamente? Había hecho alusión a la columna de cotilleos. ¿Habría la maldita fregona revelado su identidad a *The Bath Herald*?

Ay, no. Callum.

Ese repentino pensamiento la detuvo a la mitad de un paso.

Él no debía enterarse de sus traicioneras mentiras en una columna de cotilleos. No, no, tenía que decírselo ella.

Mordisqueándose la carnosa yema del pulgar, fue a sentarse en la cama para reflexionar.

Era jueves, el día víspera del baile. Pero la columna de *The Bath Herald* no saldría hasta la mañana del sábado. Por lo tanto, todavía le quedaba un poco de tiempo para pensar, para urdir su estrategia.

Se levantó, abrió el ropero y contempló amorosamente su hermoso vestido azul nuevo, suspirando.

Era poco el tiempo. No era suficiente ni para la mitad de las medidas que podría tomar. Tragó saliva para pasar el nudo de temor que se le había formado en la garganta.

Sabía exactamente qué debía hacer.

En preparación para el grandioso baile de cumpleaños, las señoras Featherton y, sorprendentemente, Meredith, siguieron el muy útil consejo de Jenny. Se fueron a acostar temprano, para reponer y reservar sus energías para el muy esperado acontecimiento de la próxima noche.

Lógicamente, Jenny había tenido sus motivos para recomendarles que se fueran temprano a la cama. No podía arriesgarse a que siguieran en pie y la buscaran después que se hubiera escapado de la casa.

Sólo eran las nueve y media cuando se puso su capote más abrigador y un manto y salió sigilosa a la fría noche.

El aire estaba tan frío que le dolían los pulmones al respirar durante la larga caminata desde Royal Crescent a Laura Place, a ver a Callum. Porque debía verlo. Tenía que abrazarlo y besarlo una vez más antes de que estallara todo y quedara destrozado su mundo.

Ansiaba ver el tierno amor en sus ojos cuando le acariciara la piel y fundiera su duro cuerpo con el de ella.

Por última vez.

Esa idea era más que escandalosa, lo sabía, pero en realidad ya no tenía ninguna importancia. No le importaba. De todos modos quedaría deshonrada a los ojos de todo el mundo el sábado por la mañana cuando repartieran el diario a la salida del sol.

Su aliento formaba espirales de niebla gris en el aire y caminaba con pasos largos y rápidos. De hecho, estaba tan resuelta a ver a Callum que se encontró ante la elevada casa color tostado de lord Argyll mucho antes de lo que había imaginado.

Ese era un problema, porque aunque su retumbante corazón la había hecho salir al frío de la noche, su mente todavía no había formulado las palabras que le iba a decir, sin parecer una furcia.

Una joven no se puede presentar de repente a la puerta y decir simplemente: «Callum, necesito estar contigo esta noche. No me hagas ninguna pregunta, sólo ten la amabilidad de llevarme a tu dormitorio». Aunque sin duda eso sería muy eficiente.

Y sincero. Y él admiraba la sinceridad.

Lo que más la fastidiaba era estar de pie ante la puerta. Podría pasar cualquier persona y verla, aunque eso era bastante improbable en esa noche de invierno tan fría como para congelar. De todos modos, ¿para qué manchar su nombre antes de que fuera absolutamente necesario?

Por lo tanto, caminó hasta la esquina, entró en el pasaje que separaba la casa de la vecina y bajó sigilosa la estrecha escalera. Al llegar a la puerta de servicio le dio un buen empujón y, sorprendentemente, esta se abrió.

Pasó silenciosamente por una oscura sala guardarropa y entró en la iluminada cocina, en la que una gorda cocinera estaba sentada bebiendo un té casi blanco por la cantidad de leche.

La sorprendida mujer mayor abrió los ojos como platos al verla y trató de levantarse, dificultada por su considerable peso.

—Oh, no se preocupe por mí —le dijo Jenny, atravesando la cocina con paso seguro y confiado—. Con lord Argyll tenemos que hablar de un asunto en privado y no quería que todo el personal de la casa se enterara de mi presencia. —Se detuvo ante tres anchas puertas y se giró a mirar a la mujer—. ¿Por cuál de estas puertas debo pasar para subir?

Vacilante, la desconcertada cocinera levantó un dedo y apuntó a la puerta de la derecha.

—Muy bien, gracias, señora cocinera.

Acto seguido salió casi corriendo por la puerta y subió la escalera.

Cuando llegó arriba el vestíbulo estaba totalmente a oscuras, pero una franja vertical de luz le indicó que esa era una puerta entreabierta y calculó que tenía que ser la del salón. Se acercó de puntillas, reteniendo el aliento, y asomó la cabeza por la abertura.

Y ahí estaba él, Callum.

El sillón en que estaba sentado se veía extraordinariamente pequeño para su enorme e imponente cuerpo. Pero ahí estaba sentado, con las musculosas piernas algo flexionadas y los pies apoyados en un pequeño escabel.

Sonrió involuntariamente al pasar por su mente la imagen de un inmenso gigante amistoso de un cuento que había leído en su infancia.

Se quitó el manto con una mano y con la otra se desabotonó el capote y se lo quitó también. Todo esto sin apartar la vista de Callum.

A contraluz de las crepitantes llamas del hogar se recortaba nítidamente el cincelado perfil de su cara y la sinuosa curva de su ancho pecho bajo la camisa de lino. Tuvo que hacer un esfuerzo para reprimir un fuerte suspiro.

Sin duda Dios había bendecido a ese hombre.

Se quitó el sombrero de terciopelo estilo Borbón y silenciosamente lo dejó sobre la mesa adosada a la pared. Al ver el espejo que colgaba sobre la mesa se acercó más para mirarse. Instintivamente se pasó los dedos por el pelo para arreglarse los mechones sueltos, pero lo único que pudo ver en la oscuridad fueron los blancos de sus ojos mirándola.

¿Qué quería hacer? Sabía perfectamente bien que se veía magnífica porque había dedicado una hora entera a arreglarse antes de salir. No, sólo iba a retrasar lo inevitable.

Apoyando la mano en uno de los paneles en relieve de la puerta, la empujó, entró sigilosamente y la cerró, girando la llave que estaba puesta en la cerradura.

Callum no levantó la vista.

—Estoy bien, Winston. Pero tal vez me iría bien otro whisky.

Los ojos de Jenny se posaron entonces en el brillo ámbar del líquido contenido en un centelleante decantador de cristal que estaba sobre una mesita a un lado del sillón. Avanzó lentamente, cogió el decantador y vertió la bebida en el vaso que estaba al lado.

Dio la vuelta al sillón y se situó al otro lado, ya aspirando su aroma masculino. Bajó lentamente la mano y le puso el vaso delante.

A él sólo le llevó una fracción de segundo darse cuenta de que no era Winston el que estaba a su lado. En un abrir y cerrar de ojos, levantó la mano y le cogió la muñeca.

Ella tuvo dificultad para sostener el vaso sin derramarlo cuando él levantó la cabeza y la miró.

—Debo estar soñando —dijo él, con la voz ronca, tironeándole la mano para situarla delante de él.

Sonriente, ella se arrodilló ante él y se inclinó a beber seductoramente un sorbo del whisky; después acercó el vaso a los labios de él y lo instó a beber también. Después dejó el vaso a un lado sobre la mullida alfombra.

—No es un sueño, mi amor. Estoy aquí.

La mirada de él indicaba que estaba desconcertado, pero tirándola de la muñeca la incorporó y la atrajo hacia él hasta que ella quedó inclinada sobre su cuerpo sentado.

—No lo entiendo, Jenny.

Negando lentamente con la cabeza, ella le puso un dedo sobre los labios.

—Chss, silencio. Nada de palabras, nada de pensamientos —musitó en voz muy baja.

Levantándose un poco la falda para poder moverse, apoyó una rodilla a un lado de la cadera de él y la otra al otro lado, quedando a horcajadas encima. Callum retuvo el aliento y luego gimió de placer cuando ella se meneó encima para acomodarse y quedar en equilibrio.

A través de la seda del vestido y el algodón de la camisola notó que el miembro se le endurecía y levantaba. Entonces, como la mujer desenfadada que era esa noche, se apretó contra él, presionándoselo.

Sintió la excitación en su centro femenino, haciéndola desear cosas que una mujer soltera no tenía ningún derecho a desear.

Callum le cogió las caderas y comenzó a levantarla para apartarla, pero ella le echó los brazos al cuello y se mantuvo firme apretada a él.

—Jenny, ¿qué haces? No, muchacha, no podemos hacer eso otra vez —dijo él, aunque sin convicción en la voz, sin ninguna convicción—. Ni siquiera sabemos si estás embarazada de nuestro...

—Chss, cariño —musitó con la boca pegada a sus labios, tratando de abrírselos.

Él deslizó la mano derecha desde la cadera a la parte inferior de la espalda y la apretó más contra él, y cogiéndole la mandíbula con la mano izquierda, le ladeó la cara para besarla profundamente.

Cuando se tocaron sus lenguas, ella se sorprendió meciendo el cuerpo sobre su miembro endurecido, haciéndoselo vibrar e hinchándolo más.

Interrumpió el beso y apartó ligeramente la cara para mirarlo.

—Te deseo, Callum —dijo, con una voz tan ronca que no se la habría reconocido.

—¿Pero por qué ahora? ¿Por qué esta noche? No lo entiendo.

La miró a los ojos, como tratando de ver en ellos una respuesta, pero no estaba ahí; al menos no de una manera que él hubiera comprendido, o que hubiera deseado comprender.

Ay, si supiera la verdad.

No contestó. ¿Qué podía contestarle?

Ese era su adiós, quería despedirse de él en privado, en la intimidad. Despedirse del hombre que se había convertido en su mundo, del hombre al que amaba con una intensidad que nunca habría creído posible.

Se abrazó más a él y sintió una nueva y extraña dureza en el vientre apretado a él, y las lágrimas le empañaron los ojos.

Se iba a despedir del hombre que le había dado un regalo más precioso que diamantes, esmeraldas o rubíes. Le había dado su amor y posiblemente, muy posiblemente, su bebé.

Pero tenía que despedirse.

Porque un hombre que reverenciaba la verdad por encima de cualquier otra cosa no entendería jamás que ella le hubiera mentido tanto.

Por lo tanto esa noche le daría la verdad, «su verdad». Tenía que hacerlo saber cuánto lo amaba. Ocurriera lo que ocurriera entre ellos después del baile, después que el diario la hubiera expuesto al público, necesitaba que él creyera que su amor era verdadero.

Un amor puro, sincero, sin mancha.

Le acarició las mejillas ásperas por el asomo de barba y lo miró al fondo de los ojos.

—Te amo, Callum, te quiero con todo mi corazón, con todo mi verdadero ser.

Él la besó suavemente en la boca y volvió a mirarla a los ojos.

—Y yo te amo, Jenny.

Oírlo decir su nombre con tanta ternura le hizo dar un vuelco a su corazón. Porque en ese momento no era una dama decorosa. No era una criada. Sólo eran dos personas cuyos corazones se habían unido para crear algo nuevo y maravilloso.

Él la amaba. No amaba la ropa y los adornos con los que se disfrazaba. La amaba a ella. Y ella lo amaba a él.

Acercó más la cara hasta rozarle los labios con los de ella para hablar; sentía pesados, adormilados, los párpados.

—Te deseo, Callum. Necesito sentirte dentro de mí.

Eso no podía ser una sorpresa para él, pero ella no lo habría sabido por la expresión de su cara. Pero pasado menos de un segundo, por su cara se extendió una expresión de resolución. Ahuecando las manos en sus nalgas, la levantó, al tiempo que él se levantaba del sillón.

Jenny se aferró a él con los brazos y rodeándole fuertemente la cintura con las piernas, mientras él la llevaba hasta el hogar. Una vez delante del hogar, la depositó sobre la blanda alfombra.

Cuando se miró, vio que tenía la falda arrugada alrededor de las caderas y seguía con las piernas abiertas, y Callum estaba de pie, gigantesco, entre ellas.

Él también vio eso y sin permitirle que juntara las piernas, se arrodilló.

La expectación le produjo una oleada de calentura en la entrepierna. Sentía el roce de la falda de él sobre las piernas, y la piel de la parte interior de los muslos le hormigueó con el roce del vello de los muslos de él. Eso fue demasiado, por lo que comenzó a moverse.

Lo miró a los ojos; brillaban a la luz del fuego del hogar, oscuros, con un ardor primitivo.

—Callum, por favor, no me hagas esperar.

Pero él no se movió, se limitó a mirarla de arriba abajo, admirativo. Por lo tanto ella levantó la mano derecha que tenía apoyada en la alfombra y la metió por debajo de su falda y la fue subiendo por el muslo, más y más, hasta que palpó su miembro. Él también la deseaba.

Le oyó ahogar una exclamación cuando le rodeó el miembro con la mano y comenzó a moverla, acariciándoselo, tal como se lo demostrara Annie con el rodillo de cocina.

Le miró la cara y vio que tenía los ojos cerrados y los labios entreabiertos. Aumentó la presión de la mano y vio que él se mordía el labio inferior, y luego le oyó gemir de placer.

Entonces él apoyó las manos en la alfombra, una a cada lado de su cabeza, por encima de los hombros, y así quedó equilibrado sobre ella, su boca apenas a un dedo de la de ella. También sus cuerpos quedaron más cerca por abajo.

Ella continuó la fricción del miembro, y cada vez que la mano le llegaba a la punta, deslizaba el índice por el borde de la redondeada punta y luego se lo acariciaba por encima.

Él gimió su nombre y al instante siguiente ella sintió vibrar el miembro en su mano. Él se incorporó y volvió a quedar arrodillado entre sus muslos.

Lo miró frunciendo el ceño, confusa.

—¿He hecho algo mal?

A él se le escapó una risa ronca.

—No, no, muchacha. Todo lo contrario, en realidad.

Nuevamente se inclinó a besarla y mientras la besaba ella sintió soltarse los tres botones del corpiño, uno tras otro. Y entonces él le sacó rápidamente el vestido por la cabeza.

Cuando los brazos le cayeron con un golpe a los lados de la cabeza, el vestido ya estaba fuera y estaba tendida ante él sólo con la camisola.

Estaba claro que él ya había hecho eso antes. Sonriendo para sus adentros, Jenny pensó en un nuevo dato para el manual guía de Meredith sobre los libertinos.

No se había puesto corsé y se sintió algo inicua por esa omisión, pero ya sabía en qué terminaría esa noche y no deseaba retrasar el inevitable momento más de lo necesario.

Con una pecaminosa sonrisa en los labios, Callum le desató las cintas que le sujetaban las finísimas medias de seda y se las bajó por las piernas. Inclinándose sobre ella, cogió entre los dientes el lazo de la fina cinta que le cerraba la camisola. Tirando con los dientes finalmente desató el lazo y los pechos de ella presionaron la tela y la prenda se abrió a él. Un instante después, ya le había quitado la camisola y ella estaba con los brazos extendidos a ambos lados de la cabeza, totalmente desnuda ante él.

Se le agitó la respiración mientras él le contemplaba el cuerpo rozándole los pezones con las yemas de los dedos. Después él deslizó las manos por la suave curva de su vientre y las detuvo entre sus muslos.

Se los abrió más y de pronto ella sintió la cálida boca en su lugar más íntimo, lo sintió mover la lengua ahí.

Se le escapó un suspiro de placer y cogiéndole la cabeza con las manos se la presionó. Pero no era eso lo que deseaba.

—Por favor, Callum.

Callum se incorporó y se sentó en los talones para quitarse la camisa. Jenny no podía apartar los ojos de su ancho pecho, su piel tersa, marcada por oscuras sombras entre sus bien desarrollados músculos.

Él soltó el pasador del broche que le sujetaba la falda, un broche con un brillante ciervo de plata y un cardo coronado por un topacio amarillo verdoso claro, se lo quitó, lo dejó en la alfombra y comenzó a desenrollarse el largo de tartán con una lentitud insoportable. Cuando por fin lo dejó caer sobre la alfombra, Jenny ya estaba casi frenética de deseo.

Qué hermoso; todo él parecía formado de músculos. Todo terso y erguido.

Mojándose los labios colocó las palmas en sus muslos y las fue subiendo hasta llegar a la cintura. Entonces lo atrajo hacia ella y lo besó. Y él a ella.

—Ocurra lo que ocurra, Callum —le susurró angustiada—, recuerda este momento. Recuerda que te amo, y que siempre te amaré.

—Lo recordaré, Jenny, pero hablas como si nos quedara muy poco tiempo. —Volvió a besarla, al tiempo que presionaba la punta del miembro en su entrepierna mojada—. Tenemos toda la vida por delante tú y yo. Toda una vida.

Jenny lo estrechó en los brazos y arqueó las caderas. Él la penetró.

Toda una vida, pensó entristecida mientras hacían el amor.

Ay, si eso fuera cierto.

Capítulo 16

A la mañana siguiente Jenny despertó en su cama, todavía sumergida en el calor de un dichoso sueño. Pero sonrió al mirar la orilla todavía mojada de su capa, que había dejado en la silla cerca de la cama. No había sido un sueño. Su noche con Callum había sido muy real.

De hecho, sólo hacía dos horas que él había despertado a su cochero ordenándole que dispusiera su carruaje para llevarla de vuelta al número 1 de Royal Crescent.

El brasero del suelo del coche tenía los carbones encendidos, y calentaba el aire lo bastante para que no se les congelara el aliento al salir de sus bocas. De todos modos, Callum la llevaba en sus brazos, para abrigarla, y la besó repetidamente en la boca durante el corto trayecto por las oscuras calles de Bath.

Entre esos besos y durante su unión, esa noche ella le había repetido una y otra vez que lo amaba. En el fondo de su corazón sabía que había logrado su objetivo. Por escandalosas y horrorosas que fueran las cosas que leyera sobre ella en el diario del sábado, él sabría que su amor era sincero y verdadero. Sabía que él nunca dudaría.

Y debería sentirse feliz, por haberlo logrado. Pero cuando echó atrás las mantas y se sentó en el borde del colchón lleno de protuberancias, exhaló un triste suspiro.

Porque aunque la noche de ese día bailarían, se sonreirían y reirían, en su interior ella estaría llorando la pérdida del hombre amado, sufriendo al saber que nunca más volvería a pasar una noche en sus fuertes brazos.

Oyó sonar una campanilla fuera del dormitorio y luego la voz de Edgar:

—Es la señorita Meredith.

—Sí, señor Edgar —gritó—. Subo enseguida.

Rápidamente llenó la jofaina y cuando empezó a lavarse la cara la asombró lo fría que estaba el agua. Tiritando se hizo el aseo, agradeciendo que el agua helada tendría un efecto reparador en su mente y cuerpo. Al menos temporalmente.

Se vistió a toda prisa y salió en dirección a la escalera. Era extraño que Meredith hubiera llamado tan temprano, pero comprendía que la chica estuviera impaciente por comenzar su día.

Cuando entró en la habitación, Meredith le sonrió de oreja a oreja.

—Ah, Jenny, has llegado. No podía quedarme en la cama ni un momento más, ¡porque el baile es esta noche! Y mira esto —le enseñó una libretita muy pequeña con cubiertas de piel roja—. Es para anotar mis observaciones, para mi manual. Te acuerdas, ¿verdad?

Jenny asintió y se obligó a responder con una sonrisa.

Meredith arrugó la nariz.

—Oye, Jenny, tienes un aspecto terrible. ¿No dormiste anoche?

—¿Cómo iba a poder dormir sabiendo que su baile de cumpleaños es esta noche? —contestó, sacando del ropero un vestido de mañana rosa y un corsé forrado en seda.

Comenzó a vestirla. Meredith no paraba de girarse a mirarla, pero Jenny la volvía a girar y continuaba tirando los lazos para ceñirle el corsé.

—No pareces tú misma —dijo Meredith de pronto—. No estarás embarazada, ¿verdad? —preguntó en voz baja.

—Qué pregunta. ¿Acaso tengo aspecto de embarazada? —Le pasó el vaporoso vestido por la cabeza y se lo bajó por las costillas—. ¿Y bien?

—Ay, Jenny, no te enfades conmigo porque lo pregunto. Lo que pasa es que me pareces terriblemente cansada.

Después de abotonarle el último botón, Jenny sentó a la joven señorita en la banqueta ante el tocador de caoba y comenzó a soltarle las trenzas de rizado pelo cobrizo, para cepillárselo.

—Claro que estoy cansada. Son muchos los preparativos que hay que hacer antes del baile.

Meredith giró la cabeza para mirarla con sus ojos azules agrandados.

—Vi tu vestido. ¡Es precioso! Espero que no te moleste que me haya asomado a tu ropero. Sabía que te mandarías a hacer algo espectacular.

Jenny detuvo el movimiento del cepillo. Con cuánta ilusión había esperado ponerse ese vestido, pero ese día dudaba incluso de mirarlo.

Meredith volvió la cabeza hacia el espejo y Jenny reanudó la tarea de pasarle el cepillo de cerdas de jabalí por su abundante cabellera.

—Pero no vi ningún sombrero que le hiciera juego —comentó Meredith—. Ni un tocado de ningún tipo.

A Jenny se le escapó un gemido de frustración.

—Eeeh... he decidido pasar de sombrero. En lugar de tocado me pondré dos o tres brillantes en el pelo. Al fin y al cabo el vestido es tan especial que no querría restarle belleza sobrecargándolo con... con un llamativo tocado.

—Ah, comprendo —musitó Meredith, mirando con ojo crítico la delicada guirnalda de flores de seda que estaba sobre su mesa de trabajo de madera satinada de las Indias. —Tal vez yo debería hacer lo mismo. Mi pelo ya es bastante vistoso, ¿no te parece?

Jenny miró distraídamente la imagen de Meredith en el espejo.

—¿Mmm?

—Basta, ya está —exclamó Meredith, levantándose de la banqueta—. Está clarísimo que estás agotada. —Dirigiéndose a la puerta, añadió—. Tienes que descansar un poco antes de esta noche. Voy inmediatamente a informar a mis tías.

Diez minutos después, Jenny se encontraba sentada en el salón para enfrentar el interrogatorio de las hermanas Featherton.

Lady Viola estuvo un buen rato mirándola atentamente, hasta que al fin encontró las palabras adecuadas.

—Querida, aún no ha pasado un mes y... y es una indelicadeza por mi parte preguntártelo, pero... ¿crees que podrías... bueno... esto... estar embarazada de mi biznieto?

Caramba, pensó Jenny, no se andaba con rodeos la señora.

Se miró las uñas, que esa semana se había comido hasta casi dejarse los dedos en carne viva.

—No lo sé, milady, pero sospecho que podría.

Lady Leticia le dio un codazo a su hermana, haciéndola lanzar un grito de dolida sorpresa.

—¿No te lo dije, Viola?

La cara de lady Viola se iluminó por una sonrisa que Jenny nunca le había visto.

—¿Y se lo has dicho a él? ¿Sí?

—No, milady, y no se lo diré.

Las señoras Featherton se miraron farfullando unos sonidos incomprensibles.

Lady Viola pestañeó rápidamente, delatando su agitación.

—¿Pero por qué, querida mía?

—Porque no quiero utilizar a este bebé para obligarlo a casarse conmigo.

Lady Letitia cruzó los brazos bajo sus voluminosos pechos, levantándolos inconscientemente hasta que casi tocaron su doble papada.

—Pero qué dices, hija. Ya te propuso matrimonio.

—La propuesta de matrimonio la hizo a lady Genevieve, no a mí —les recordó Jenny—, y cuando sepa que le he mentido no va a desear tener ningún tipo de relación conmigo.

—Creo que eres injusta para juzgar al muchacho —dijo lady Viola—, porque él te ama, te ama absolutamente. En las próximas semanas encontrarás el momento oportuno para decirle la verdad respecto a tu puesto en nuestra casa. Y cuando se lo digas no te abandonará simplemente porque no eres de la alta sociedad. Ya lo verás.

Ay, si pudiera darse el lujo de tomarse días o semanas para decirle la verdad a Callum. Pero no podía; debía confesárselo todo esa misma noche, porque a la mañana siguiente... ay, fatalidad. Bien podría decirles eso a las señoras; al fin y al cabo ellas estarían conectadas con el escándalo una vez que la columna del diario conmocionara a la aristocracia de Bath.

—Señoras, he sabido que mañana sábado *The Bath Herald* va a revelarlo todo acerca de mí. Todo.

Las miró para ver su reacción. Las ancianas estaban inmóviles en el sofá, mirándola con los ojos como platos y las bocas totalmente abiertas.

—Mañana a primera hora —continuó—, supongo que toda la alta sociedad de Bath sabrá que lady Genevieve no es otra cosa que una doncella de señora empleada en esta casa. Y que esta doncella de señora, la señorita Jenny Penny, tiene la doble distinción de ser también lady Eros, la fabricante de la popular crema afrodisíaca.

Lady Letitia se levantó y fue a situarse delante de Jenny.

—Pero no lo entiendo, ¿quién le dio esa información al columnista? Porque supongo que es él quien va a comentar este cotilleo. Ningún otro periodista encontraría interesante publicar esa tontería.

Jenny continuó con los ojos fijos en los muy anticuados zapatos color lavanda orlados de encaje de lady Letitia, que sobresalían por debajo de su ancha e igualmente anticuada túnica lavanda.

—Sólo anoche me enteré de que las guineas destinadas a silenciar al personal de las casas McCarthy y Featherton no fueron distribuidas por la criada encargada de la tarea.

Las señoras Featherton se miraron fijamente entre ellas y luego exclamaron al unísono:

—¡Erma!

—Y si la conozco, que la conozco —continuó lady Letitia, con las mejillas rojas y la cara contorsionada por la rabia—, es probable que ella sea la espía del columnista. Declaro que esa chica no ha sido otra cosa que problema desde que llegó a esta casa. Le diré a Edgar que la despida inmediatamente.

Jenny se levantó de un salto.

—Con su perdón, milady, ¿no sería prudente retenerla aquí hasta que haya pasado la tormenta?

—Jenny tiene razón, hermana —dijo lady Viola apaciblemente—. Si Erma se marcha no tendremos ningún control sobre ella. Tal vez revelaría... otros asuntos íntimos que podrían dañar a nuestra familia y... y a mi nieto.

Cuando lady Letitia pasó más allá del borde de la alfombra, el golpeteo de sus tacones altos en el suelo de madera no dejó la menor duda sobre lo malhumorada que estaba. Dio un fuerte tirón al cordón para llamar y, casi por arte de magia apareció el señor Edgar en el salón.

—Ocúpese de que Erma no salga de esta casa. Además, nadie, sino usted, puede hablar con ella o escucharla. ¿Entendido?

—Sí, milady, perfectamente.

Haciendo su reverencia, el señor Edgar salió retrocediendo por la puerta y echó a andar hacia la escalera de servicio para bajar.

Una siesta por la tarde era una costumbre muy civilizada que Jenny habría deseado tener la oportunidad de practicar con mucha frecuencia. Gracias a la preocupación de Meredith por su bienestar, las señoras Featherton la habían enviado a su dormitorio para que recuperara sus energías antes del baile.

Despertó descansada y renovada, y de mala gana comenzó su aseo para vestirse y arreglarse. No tenía ningún deseo de que comenzara el baile, porque su comienzo marcaría el final de su fabuloso romance con su amado Callum.

La señora Penny entró en el dormitorio justo a tiempo para abrocharle los dos botones de perla de la espalda, y para comprobar personalmente la belleza etérea del vestido.

Con el fin de animarse, Jenny se dio una vuelta en círculo, para que su madre viera la pericia de la señora Russell para coser.

—¿Ves cómo flota la sobrefalda cuando me giro, mamá? Este vestido está hecho para bailar.

Se obligó a reír contenta, pero la risa se apagó rápidamente en sus labios, y ni siquiera el vestido más elegante y hermoso de toda Inglaterra fue capaz de reavivarla.

Se dejó caer en una pequeña silla de madera, incitando a su madre a correr hacia ella agitando las manos.

—Buen Dios, hija, no te sientes así. Vas a arrugar el vestido.

Jenny hizo una larga inspiración y exhaló un suspiro.

—No me importa.

—¿Cómo que no te importa? ¿No es asistir a este baile la realización de tu más grandioso sueño?

Jenny levantó la cara para mirarla y asintió solemnemente.

—Esta noche se hará realidad toda una vida de sueños imposibles. Pero ya no deseo esas cosas —añadió, negando lentamente con la cabeza—. No me importan este vestido ni las joyas, ni las papalinas ni los ridículos elegantes ni los puñados de oro. Mi único deseo es pasar el resto de mi vida con el hombre que amo, Callum.

Sólo el sonido de su nombre bastó para hacerle brotar un torrente de lágrimas. Vaya, fatalidad. El amor le había enredado totalmente las emociones.

—Sé que es difícil, cariño —dijo su madre en voz muy baja—, pero tal vez no deberías asistir a este baile.

Jenny se limpió las lágrimas con el dorso de la mano.

—No, debo ir. Esta es la última vez que estaremos juntos lord Argyll y yo. Debo ir.

Entonces su madre sacó un objeto brillante del bolsillo de su delantal y se lo tendió.

Jenny lo miró atónita. Era el broche que le regalara su padre cuando era una niña pequeña.

—Ponte el broche para esta noche —dijo su madre, instándola a cogerlo.

Pero Jenny se resistía a obedecer. Caracoles, no podía creerlo. Su madre instándola a ponerse el broche.

Eso era increíble. Desde hacía casi veinte años su madre ni siquiera soportaba mirar el broche. Unos segundos después que su padre se lo regalara, su madre se lo arrancó del vestido, dejándola llorando y con un agujero en el vestido, mientras su padre se alejaba en su brillante coche. Y nunca más volvieron a verlo ninguna de las dos.

Miró el broche y luego a su madre.

—¿Estás segura, mamá?

—Él quería que fuera tuyo. Para su damita, su pequeña milady, dijo, cuando te lo puso en el vestido. —Le cogió la mano y le puso el broche en la palma—. ¿Te acuerdas?

—Sí, algo.

Le tembló la mano al coger el broche por el pasador. Con sumo cuidado se lo prendió en la cinta de satén que le ceñía el talle bajo los pechos.

—Se te ve precioso —comentó su madre, sorbiendo por la nariz—. Pensé que si te lo ocultaba olvidarías a tu padre, olvidarías la vida que podrías haber llevado... si yo no fuera sirvienta. Pero nunca lo has olvidado. Que te lo negara sólo te hacía desearlo más.

—¿Qué quieres decir, mamá?

—¿No lo comprendes? Ese broche es el motivo de que te obsesionen tanto las cosas hermosas. —Se arrodilló ante ella y le cogió las manos—. Es como si comprando chucherías, vestidos y capas de una señorita de la sociedad te fueras a convertir en la damita, la «milady» de tu padre.

Jenny se quedó muy quieta. Señor, eso era cierto. En cierto modo, eso ya lo sabía. Pero hasta esa noche nunca había conectado su pasión por las cosas bonitas con el broche ni con las palabras de su padre «pequeña milady».

Un suave golpe en la puerta la hizo levantar la vista. Ahí estaba el señor Edgar, con las manos cogidas a la espalda.

—Esta tarde estuvo aquí la señora Russell. Quería verte.

El sombrero, ay, no, pensó Jenny, mirando la severa cara del señor Edgar.

La modista le había advertido que si no pagaba habría problemas.

—Lo siento, señor Edgar. —Tragó saliva. Veía una expresión extraña en sus viejos ojos, algo parecido a tristeza. Tenía que estar muy decepcionado de ella; ese mes pasado no había hecho otra cosa que alborotar su barco tan bien gobernado—. No tenía el dinero para pagarle —logró decir.

Entonces su asombro fue mayúsculo. Porque el señor Edgar, el querido señor Edgar, enseñó el sombrero que había tenido escondido a la espalda y se lo tendió.

—Ah, caramba —musitó Jenny. Le costó levantarse, pero consiguió caminar hasta el alto mayordomo y coger el sombrero con rosas indias—. No lo entiendo. ¿Cómo?

—La cocinera me dijo que Erma te robó la receta de la crema y por lo tanto tu negocio con el señor Bartleby, así que... yo le pagué a la modista. —Le salían atropelladas las palabras al siempre fuerte y leal mayordomo, revelando su emoción—. Aquí lo tienes. Sé que esta noche es muy importante para ti. El sombrero hace juego con tu vestido, así que deberías ponértelo. Tiene lógica.

Se le empañaron sus viejos ojos azules, sorprendiéndolo tanto que se apresuró a girar sobre los talones y dirigirse a la puerta.

—Espere, señor Edgar. —Entregándole el sombrero a su madre, Jenny corrió a arrojarse en los brazos del alto anciano, que se había vuelto hacia ella—. Gracias, señor. —Lo miró y en sus delgados labios vio la insinuación de una sonrisa—. No tiene idea de lo que significa su regalo para mí.

Poniéndose de puntillas le dio un beso en la mejilla. El señor Edgar se soltó del abrazo y su arrugada cara se tiñó del más adorable matiz de carmín.

—Vamos, vamos, Jenny. Basta con las gracias.

Diciendo eso se dio media vuelta, tratando en vano de ocultar su sonrisa, y salió a toda prisa de la habitación.

El querido señor Edgar. Siempre había pensado que si llegaba a conocer a su padre, este sería exactamente igual a él.

Volviendo a su silla y bajo la atenta mirada de su madre, Jenny se caló el sombrero y empezó a trenzar y enroscar varios mechones dándoles forma de rosas que se mezclaron con las rosas de seda.

Cuando terminó se puso de pie y se dio una vuelta en círculo.

—¿Cómo me veo, mamá?

Los ojos de su madre se iluminaron en el instante en que hizo el giro.

—Ah, mi querida Jenny, estás...

Jenny retuvo el aliento. En ese momento necesitaba más que nunca la aprobación de su madre.

—Estás muy hermosa. Una dama de la cabeza a los pies.

Una sola lágrima bajó por la mejilla de Jenny cuando su madre la cogió en sus brazos y la estrechó fuertemente.

—Gracias, mamá. Gracias.

La orquesta dejó de tocar en el preciso instante en que iban entrando en el salón de fiestas. Y tal como Jenny había soñado, todos los que estaban en la pista de baile se giraron a mirar cuando fueron anunciadas las señoras Featherton, y las cuatro entraron majestuosamente en el salón.

Caminando al lado de la señorita Meredith hacia un extremo del salón, Jenny llevaba la cabeza muy erguida y los hombros derechos, y tenía los oídos especialmente sintonizados para captar los comentarios admirativos acerca de su apariencia y las suposiciones de que ella era una gran dama francesa descendiente de alguna familia real.

Y, ay, Señor, sí que se sentía como si fuera de la realeza, como una princesa de un cuento. Claro que si eso fuera cierto podría contar con un final «felices para siempre».

Pero su historia no acabaría así.

De todos modos, mientras no llegara la negra mañana del sábado, se había prometido sonreír y vivir su vida plenamente. Asimilar todas las vistas, los sonidos y las sensaciones y almacenarlas en su memoria para los días tristes por venir. ¿De qué le serviría privarse, y privar a Callum, del placer de esa última noche?

Aunque la promesa era buena y estupenda, en su interior estaba llorando, porque esa noche perdería a Callum y no podía hacer nada para evitarlo.

Y entonces fue cuando lo vio, sonriéndole encantado desde la orilla de la pista de baile. Al instante echó a caminar hacia ella, sus largas piernas llevando su gigantesco cuerpo al doble de velocidad de la de un hombre vulgar.

Pero claro, él no era un hombre vulgar, ¿verdad? Era su prometido, su príncipe, al menos por esa noche.

Callum saludó atentamente a la señorita Meredith y a las señoras Featherton y luego, sin decirle ni una sola palabra a ella, le tendió la mano. Ella puso la mano sobre la de él y se dejó llevar a la pista para bailar el vals que acababan de anunciar.

La música le invadió los oídos y la felicidad le hinchó el corazón mientras él la hacía girar por la pista. Formaban una pareja atractiva, pensó, y al parecer también lo pensaban los asistentes, porque las parejas se iban limitando a bailar en la periferia de la pista dejándoles el centro a Callum y ella.

Echó atrás la cabeza para mirarlo.

A Callum le destellaron los ojos al mirarla.

—Eres la mujer más hermosa que he visto en mi vida.

Jenny sintió subir el rubor a las mejillas y como se extendía por la sensible piel que dejaba al descubierto su generoso escote.

La orilla de la falda de Callum le rozaba las piernas al bailar y su escarcela, pesada por la piel labrada y los tachones y la hebilla de plata, se levantaba un poco y le atraía la mirada, inspirándole pecaminosos pensamientos al pensar en lo que había debajo.

—Y yo nunca te había visto tan apuesto, mi amor —dijo, con voz suficientemente alta para que él la oyera por encima de la música de los violines. De todos modos, cuando lo miró tristemente sintió arder los ojos por las lágrimas contenidas.

—¿Todo está bien, Jenny? —le preguntó él, entonces, con expresión de verdadera preocupación.

Acariciándole la mano que le tenía cogida, lo miró a través de sus largas pestañas y le sonrió, con una sonrisa convincente, esperaba.

—Todos nos están mirando —dijo—. Me siento como si estuviéramos en el escenario del Teatro Real.

—¿Nos están mirando? —La miró sonriendo y agitando las cejas—. Bueno, pues, entonces démosles algo interesante para mirar

Jenny no pudo evitar reírse al ver la pícara curva de sus labios.

—¿Qué vas a hacer...? ¡Ay, cielos!

En ese instante Callum la levantó con su fuerte brazo, estrechándola contra él, de forma que sus ojos quedaron al mismo nivel y a ella le quedaron los pies colgando, menos mal que calzados con unos zapatos nuevos de brillante satén blanco.

Él empezó a girar más y más rápido, llevándola en volandas, sin equivocarse ni en un solo paso de tres tiempos. Con la rotación Jenny sentía volar las piernas detrás de ella.

Cuando comenzó a sentirse un poco mareada, miró hacia la multitud que rodeaba la pista, a ver si así se le pasaba el mareo.

Y sí que los estaban mirando los aristócratas de Bath. Pero no con expresiones escandalizadas u horrorizadas, como ella habría esperado, sino divertidas. Para ellos, sólo eran una pareja de jóvenes tontamente enamorados.

Lady Letitia y lady Viola también se habían vuelto a observarlos, y estaban aplaudiendo encantadas, mientras Meredith anotaba entusiasmada sus observaciones en su pequeña libreta.

—Lord Argyll, van a creer que estás loco —bromeó Jenny, riendo.

—Loco de amor por ti, Jenny, y no me importa quien lo sepa.

Un estremecimiento de inquietud la recorrió toda entera, y comprendió que Callum debía volverla a colocar en el suelo. Tal vez en ese momento a él no le importaba quién viera su amor por ella, pero llegada la mañana pensaría otra cosa.

—Callum, no puedo respirar. Por favor, déjame en el suelo.

—Muy bien, milady. Tus deseos son órdenes para mí.

Guiñando los ojos de felicidad, él disminuyó la presión sobre su cintura y la dejó deslizarse hacia abajo, rozándose los cuerpos, hasta que sus pies tocaron el suelo. Ese deslizamiento era demasiado íntimo, pero al highlandés no pareció importarle. Y ese tipo de escándalo, si bien garantizaba comentarios, la preocupaba muy poco a ella. Ay, cómo deseaba que manifestar afecto en público fuera su única deshonra.

Cuando terminó la música, Callum, con los ojos todavía brillantes por la excitación del vals, le ofreció el brazo y juntos salieron de la pista para volver al grupo de las hermanas Featherton y la señorita Meredith.

Jenny iba repartiendo amables sonrisas a las personas con que se cruzaba al pasar, cuando por el rabillo del ojo vio a un hombre que la saludaba con una inclinación de la cabeza; era un hombre muy pequeño.

Giró la cabeza para asegurarse. ¿Cómo consiguió él una entrada para ese selecto evento? Entonces recordó que las señoras Featherton habían invitado a todo el mundo.

Ah, caramba. Hercule Lestrange estaba ahí, y sin duda ya ocupadísimo ejerciendo su oficio.

Capítulo 17

Apretándole suavemente la mano enguantada, Jenny se disculpó y le pidió a Callum que fuera a reunirse con las señoras Featherton, prometiéndole que volvería a su lado dentro de unos minutos.

Al instante se abrió camino por entre el gentío hasta que se encontró delante del invitado que buscaba.

Le obsequió con una radiante sonrisa.

—Ah, volvemos a encontrarnos, señor Lestrange. La verdad es que no esperaba verle aquí esta noche.

Él pareció sorprendido.

—¿Y en qué otro lugar iba a estar? Las reuniones como esta son las que me dan para vivir. Pero claro, eso ya lo sabe.

—Muy cierto.

Disimuladamente le miró los hondos bolsillos de la chaqueta por si veía alguna señal de que ya los tenía llenos de joyas de inocentes y desprevenidos invitados.

—Desde nuestra última conversación, milady —dijo él, acentuando un poco la última palabra—, he estado pensando cómo llegó a descubrir mi verdadera identidad. Muchos lo han intentado a lo largo de los años, pero nunca nadie ha tenido éxito. Es decir, hasta usted.

Jenny se quedó bastante pasmada por la pregunta.

—La verdad es que no lo sé. Tal vez fue el verle frecuentando los lugares donde se reúne la alta sociedad. Y siempre le veía observando, sus ojos atentos a todos los detalles.

Hercule asintió pensativo, y luego dijo en voz muy baja, para que sólo ella lo oyera:

—Tiene muy buen ojo, además de una mente inteligente, para haber deducido con tan poco que yo soy el misterioso columnista de cotilleos de Bath.

¿Qué? Jenny sintió un estremecimiento que le oprimió la garganta, sofocándola. ¿Hercule Lestrange escribía la columna de cotilleos del *Bath Herald*? ¡Dios de los cielos! De pronto todo adquirió sentido. No era el jefe de la banda de ladrones. ¡Era el maldito columnista de chismes!

Tratando de controlar la expresión de la cara para no revelar la sorpresa por lo equivocada que había estado, dijo:

—Tengo que arreglar cuentas con usted, señor Lestrange.

—¿Sí?

—Sí, porque teníamos un acuerdo.

Él la miró desconcertado.

—Y lo tenemos. ¿Y ha cumplido usted su parte guardando el secreto de mi identidad?

—Sí —repuso ella, enderezando los hombros. Su jugada tenía que resultar.

—Y yo he cumplido la mía. —Le hizo un gesto para que se inclinara y continuó en voz más baja—. No he revelado su identidad, ninguna de ellas, aunque habría podido.

—Pero me han dicho que el *Herald* de mañana va a revelar quién es lady Eros.

Él sonrió al caer en la cuenta.

—Ah, comprendo. Ha estado hablando con Erma Soot.

Jenny se irguió en toda su estatura y se puso las manos en las caderas.

—Pues sí. Y yo que lo había tomado por un hombre de honor —añadió, esperando que no se le cayeran todos los dientes con sus mentiras, como le decía su madre cuando era pequeña.

Hercule Lestrange estaba visiblemente sorprendido.

—He honrado mi promesa. —Dobló un dedo instándola a ponerse a su nivel otra vez—. Mañana se revelará quién es la usurpadora del trono de lady Eros, la fregona Erma, y recuperará su negocio.

Jenny miró los ojos del hombrecillo y vio verdad en ellos.

O sea que no iba a perder a Callum por la mañana después de todo. Ese hombre, ese hermoso hombre pequeño, la había salvado.

—Podría besarle, Hercule —exclamó—. En realidad, voy a hacerlo.

Diciendo eso, le enmarcó la cabeza de extraña forma entre las manos y le besó las dos mejillas.

Hercule Lestrange se puso rojo como un tomate.

—Milady, hay gente mirando.

—No me importa, de verdad no me importa. Es usted maravilloso. —De pronto guardó silencio, al pasarle por la mente una pregunta muy importante—. ¿Por qué hace eso por mí?

Él le tendió la mano, ella se la cogió y se dejó llevar por él hasta una hilera de sillas desocupadas en un extremo del salón.

Hercule apoyó el pecho sobre la silla y, levantando un pie, se dio impulso para sentarse. Después dio una palmadita en el asiento de la silla contigua, invitándola a sentarse. Jenny se sentó.

—Porque aunque yo estaba sucio y con la ropa maltrecha, aspecto al que suelo recurrir para pasar inadvertido a los aristócratas, usted me trató con mucha amabilidad, como a un hombre. No como a un enano, sino como a un verdadero hombre. Habló conmigo, me permitió acompañarla a su casa, y luego me invitó a entrar para tomar el té. No sé por qué lo hizo ni me importa. Por primera vez en mucho años alguien vio al hombre que hay en el interior de este cuerpo pequeño y deforme. Y por eso —añadió, bajando la voz a un susurro— le estoy muy agradecido.

A Jenny volvieron a llenársele de lágrimas los ojos y se inclinó a abrazarlo fuertemente.

—Epa, tenga cuidado, señorita. Si no, va a enterarse de lo muy hombre que sé ser.

Cuando ella se apartó bruscamente, él le sonrió travieso y ella se echó a reír. Entonces sintió un codazo en la espalda que la hizo inclinarse. Se giró y vio a Meredith que se estaba levantando de la silla del lado. Hasta ese momento no se había dado cuenta de que la joven estaba ahí.

Estaba claro que Meredith lo oyó todo, porque mientras atravesaba la pista de baile iba ocupadísima anotando las pícaras palabras del hombrecillo en su libreta de observaciones.

Cuando volvió su atención a Hercule vio que él le estaba mirando el brillante broche de ópalo que llevaba. En realidad lo estaba contemplando con mucha atención.

De pronto él agitó sus cobrizas cejas.

—¿Dónde compró eso? —le preguntó, mirándola a la cara.

—Es un regalo que me hizo mi padre cuando era pequeña.

—¿Un regalo dice? ¿Me permite preguntarle cómo se llama su padre?

—Puede preguntármelo, pero no yo puedo contestarle. —Se encogió de hombros—. Mi madre nunca ha querido decírmelo.

Él volvió a mirar el broche, entrecerró ligeramente los ojos y alargó la mano hacia él.

—¿Puedo? —dijo, tocándolo.

—Qué manera tan rara de mirar mi broche. ¿Le parece conocido? Tal vez ha visto uno igual.

Retirando sus gruesos dedos del broche, Hercule la miró y le sonrió con la mirada desenfocada.

—Tal vez. —Exhaló un largo suspiro—. Es muy hermoso. Protéjalo bien esta noche.

—¿Que lo proteja?

Hercule paseó la mirada por el salón hasta que encontró lo que buscaba.

—Mire ahí, esa mujer con los dos hombres.

Jenny siguió su mirada. Sorprendida se encontró mirando a la mujer de rojo, la que viera en la Pump Room y luego en Bartleby's, acompañada por sus dos petimetres.

—Sí, ya he visto a esos tres. Encuentro algo raro en ellos. No sé, me parecen... fuera de lugar.

—Muy astuta, señorita Penny. Yo también los he observado. Creo que son la banda responsable de los robos en Bath estas últimas semanas. De todos modos, no he podido demostrarlo.

—Recelaré de ellos, puede estar seguro.

Hercule le dio una palmadita en la mano.

—Olvídelos por ahora. Vuelva a su hombre. Veo que la está esperando.

Jenny levantó la vista y se encontró con la cálida mirada de Callum. Le sonrió y le hizo un gesto con la mano.

Aunque sería difícil olvidarse de la banda de ladrones que andaban merodeando por el salón, tenía cosas mucho más importantes de qué preocuparse. Se levantó.

—Gracias, señor Lestrange, por todo.

—Y gracias a usted, mi brillante «penique». Será hasta que nos volvamos a encontrar —dijo él haciéndole una venia.

Jenny volvió a sonreír al extraño pero maravilloso hombrecillo y cuando había caminado unos pasos se giró para volver a hacerle un gesto de despedida. Pero al mirar, él ya no estaba. Perpleja, lo buscó por todo el salón con la vista. Señor, había desaparecido.

Encogiéndose de hombros confusa, acababa de empezar a abrirse paso por en medio de la gente cuando alguien chocó violentamente con ella sacándole todo el aire de los pulmones en un resoplido.

Medio mareada, se rodeó las costillas con las manos, tratando de recuperar el aliento. Cuando se disiparon los puntitos negros que veía bailar ante los ojos, vio horrorizada que había desaparecido el broche de ópalo que le regalara su padre.

La banda de ladrones. Al ver a la mujer de rojo caminando a toda prisa delante de ella, echó a correr, le dio alcance y cogiéndola de la muñeca la hizo girarse.

—Devuélvamelo —siseó, y continuó en voz más baja y tono amenazador—. Sé qué es usted y no vacilaré en delatarla.

La mujer sonrió burlona y movió con tanta fuerza la muñeca atrayéndola que casi la hizo caer encima de ella.

—Veo que se ha hecho muy íntima con el enano. Pero así como usted y él ven que estamos fuera de lugar aquí, nosotros también los hemos observado. Usted, señorita Penny, ¿o la llamo lady Eros?, tampoco tiene derecho a estar en este salón de fiesta. Y no vacilaré ni un instante en delatarla..., si debo.

Jenny se estremeció tan violentamente que temió que se le soltaran los lazos del corsé.

—No se atrevería —logró decir, mirando disimuladamente su broche en la mano cerrada de la mujer.

—Cariño, me atrevería, así que sea una criada obediente y déjenos en paz, tenemos trabajo que hacer.

Al ver la dirección de la mirada de Jenny, la mujer apretó más la mano sobre el broche.

—Devuélvame el broche —dijo Jenny, mirándola con un odio que no había sentido jamás en su vida.

Al parecer la intensidad de su mirada amilanó a la ladrona, porque recorrió el salón con la mirada hasta que vio a sus cómplices. Entonces esbozó una glacial sonrisa.

Jenny no pudo evitar girarse para ver lo que había visto la mujer. Allí, caminando entre los dos petimetres hacia la puerta abierta de par en par, cubierta por todas las joyas que poseía, iba la frágil y menuda lady Viola.

Cielos, ¿por qué iba saliendo del salón con esos hombres? Buscó a Callum con los ojos y cuando por fin lo vio él estaba debajo de la ruidosa orquesta preparándose para bailar una contradanza inglesa con Meredith.

Aunque le gritara para pedirle auxilio, él no la oiría.

Se sintió mareada, desesperada.

—Por favor, déjese el broche. Es suyo. Pero que dejen en paz a lady Viola —rogó—. Por favor.

La mujer se echó a reír.

—Ah, pues sí que me quedaré el broche. Y lo que sea que consigamos de esa vieja bruja. —Le levantó el mentón con el anular—. Y usted no dirá ni una maldita palabra. Porque si dice algo yo les diré a todos los asistentes quién es usted realmente. ¿Qué pensará entonces su vizconde? ¿O ya lo sabe?

Jenny sintió arder las mejilllas por el comentario, pero calló.

—Ajá, ya me lo imaginaba.

Tragando saliva, Jenny miró hacia lady Viola, que se había detenido a conversar con una amiga antes de pasar por la puerta con los petimetres. Sólo tenía unos segundos para hacer algo.

—Llame a sus secuaces ahora mismo. —La voz le salió con una rara resolución, con fría tranquilidad. Sentía una nueva fuerza—. No me importa lo que diga de mí, pero no permitiré que esos hombres salgan del salón con mi señora.

La mujer la miró sonriendo burlona.

—No le creo.

Jenny le cogió la muñeca con la mano derecha y con la otra apuntó acusadora hacia los petimetres, que en ese momento trataban de instar a lady Viola a pasar por la puerta.

¡Ladrones! —gritó a voz en cuello—. ¡Detengan a esos ladrones!

La orquesta dejó de tocar y todos los presentes se giraron a mirar.

—¡Deténganlos! —volvió a gritar—. Esos petimetres que están en la puerta, y a esta mujer.

Un distinguido caballero de pelo cano hizo chasquear los dedos y dos fornidos lacayos corrieron a coger a los dos hombres.

Se oyó una exclamación colectiva cuando el hombre de pelo cano se les acercó y empezó a sacar anillos, colgantes y relojes de los hondos bolsillos de los hombres.

Entonces se oyeron los horrorizados gritos de los dueños de las joyas, mientras damas y caballeros trataban de abrirse paso por la multitud para ir a recuperar sus pertenencias.

Entonces avanzaron dos hombres y sujetaron a la mujer de rojo. Jenny le abrió los dedos y le quitó el broche, y no le importó un bledo que el pasador le pinchara la mano a la ladrona.

En eso llegó Callum corriendo y la cogió en sus brazos. Jenny se aferró a él, sabiendo con toda seguridad que esa era la última vez que él la abrazaba.

—¡Oídme, buenas gentes de Bath! —gritó la mujer—. Quiero confesar.

Al instante se hizo silencio en el salón.

Incluso Callum soltó a Jenny para escuchar lo que iba a decir la ladrona.

—Callum —musitó Jenny, tironeándole la manga.

Él se giró a mirarla a los ojos. A Jenny se le movieron los músculos de la garganta mientras tragaba saliva para pasar el miedo, y se quitó el anillo de compromiso.

—Ten la seguridad de que te amo. Ocurra lo que ocurra, sabes que mi amor es verdadero.

A Callum se le formaron arruguitas en las comisuras de los ojos.

—Lo sé, Jenny, ¿por qué me dices eso ahora?

Ella le cogió la mano y le puso el anillo en la palma.

—Lo siento, Callum. Te amo, de verdad... pero... pero... Lo siento mucho.

Callum frunció el entrecejo.

—Jenny, ¿qué te pasa? ¿Por qué me devuelves el anillo?

La ladrona adelantó la cara esbozando una siniestra sonrisa.

—Por lo que yo voy a decir —dijo.

Al oír eso Callum volvió a mirar a la mujer.

La gente continuó acercándose, más y más. Jenny casi no podía respirar.

—Puede que yo sea ladrona, pero no miento —afirmó la mujer con una voz fuerte y clara que llegó a todos los rincones del inmenso salón.

Ya está, pensó Jenny.

Entonces la ladrona miró a Jenny arqueando una ceja con expresión sardónica.

—He descubierto una verdad que podría interesarles a todos. Esta mujer que ven aquí no es la dama que finge ser.

Un murmullo de voces se elevó como polvo alrededor de Jenny. Se sintió mareada, pensó que se iba a desmayar.

—No —continuó la mujer, sonriendo burlona hacia Jenny—. Esta mujer es la señorita Jenny Penny, doncella de señora empleada en la casa Featherton.

Jenny no se atrevió a mirar a Callum, aunque sentía quemante su mirada sobre ella.

Nuevamente se elevó el murmullo de conversaciones entre las doscientas personas que se apretujaban, todos tratando de abrirse paso para echarle una mirada a la impostora.

—Pero no es una doncella de señora corriente —continuó la ladrona con voz más fuerte aún—. Es famosa. Sí, sí, todos ustedes han oído hablar de ella.

Entonces se quedó callada hasta que nuevamente se hizo un silencio absoluto.

Jenny cerró los ojos. Aire, necesitaba aire, necesitaba respirar, pero tenía demasiado ceñido el corsé, hacía mucho calor y la multitud estaba congregada demasiado cerca.

—Porque verán, buenos ciudadanos de Bath. Ella es nada menos que ¡lady Eros!

La multitud rugió, obligando a Jenny a abrir los ojos. Horrorizada, se encontró mirando la cara de Callum.

Él tenía los ojos sin expresión, se le habían aflojado los músculos de las mejillas y estaba con la boca medio abierta por la impresión. Entonces le puso las manos en los hombros.

—Dime que no es cierto, Jenny. Dímelo y te creeré, por favor.

Jenny lo miró y tuvo que poner toda la fuerza que tenía en decir las tres sencillas pero sinceras y condenadoras palabras:

—Es cierto, Callum. —Le bajó una lágrima por la mejilla—. Quería decírtelo. De verdad.

De repente, ya no pudo respirar. Sintió empapada de sudor la piel, lo vio todo negro y se sintió caer.

Se estaba meciendo, casi como si estuviera en una cuna de bebé.

—Jenny —canturreó una voz, muy lejos, muy lejos—. Despierta, querida. Ya casi has recobrado el conocimiento. Abre los ojos.

La voz era tan apacible y consoladora que obedeció y levantó los pesados párpados.

Tres enormes caras estaban encima de la de ella a menos de un palmo: las de las señoras Letitia y Viola y de Meredith.

—¿Dón-dónde estoy? —preguntó, mientras su mente se abría paso por una densa niebla.

—Estamos en el coche, de camino a casa —contestó Meredith—. ¿Te sientes mejor? Porque no lo pareces. Estás tan blanca como el hielo del canal.

—Basta, Meredith —la regañó lady Viola—. Apártate para que Jenny pueda respirar aire fresco. Eso es.

Entonces fue cuando Jenny cayó en la cuenta de que tenía la cabeza apoyada en la falda de su señoría.

Se incorporó al instante.

—Le ruego me perdone, milady.

Lady Letitia se echó a reír.

—¿Que te perdone qué? Estabas exactamente donde mi hermana les ordenó a los lacayos que te pusieran.

—Tengo una enorme deuda contigo, hija —dijo lady Viola—. Si no hubieras gritado cuando gritaste, me habrían llevado mañosamente fuera del salón y luego aporreado y robado.

Horribles recuerdos empezaron a salir a la superficie y a flotar como peces muertos en un estanque, a medida que Jenny se iba recuperando. De pronto un pensamiento le invadió la mente bloqueando todos los demás.

—Callum.

Las dos ancianas se miraron entre ellas, decepcionadas.

Lady Letitia le dio unas palmaditas en la mano para tranquilizarla.

—Bueno, como tal vez recuerdes, lo dejó debidamente pasmado la noticia de tu identidad. Por un momento pensé que se iba a desmayar también.

Esa información alarmó a Jenny.

—No te preocupes, querida —la tranquilizó lady Viola—. Aunque cuando ya te teníamos dentro del coche, salió como un rayo del salón y, sin decirnos ni una sola palabra, se marchó, en dirección a Laura Place creo.

Jenny miró a Meredith, que estaba muy tranquila sentada en el rincón con el hombro golpeando la pared por los zarandeos del coche que traqueteaba lentamente por la calzada en dirección a Royal Crescent.

—Ah, Meredith. No sabe cuanto siento haberle estropeado el baile con un escándalo. ¿Podrá perdonarme?

—¿Estropeado? —repitió Meredith mirándola desconcertada—. Pero qué tonterías dices. ¡Mi baile ha sido condenadamente maravilloso!

Lady Letitia frunció el ceño.

—¡Vigila tu lenguaje, Meredith!

—Perdona, tieta, pero, Señor, jamás en toda mi vida había pasado una noche tan fascinante. —Sonrió traviesa—. Vamos, si los bai-

268

les de sociedad se parecen en algo al mío de esta noche, no me perderé ninguno.

—La pregunta es, señoras, ¿qué podemos hacer para salvar el abismo que se ha abierto entre nuestros dos amantes? —dijo lady Letitia.

Jenny esperó una respuesta, suponiendo que alguien podría tener una, pero en el interior del coche se hizo un silencio sofocante. Se le vino el ánimo al suelo y se sumió en la desesperación.

¿Pero cómo se le podía ocurrir pensar eso? No había nada que pudieran hacer las señoras Featherton.

Nadie podía hacer nada.

Había perdido a Callum para siempre.

—¡Bruja ladina!

El sol acababa de comenzar a asomar por el horizonte, a juzgar por la tenue luz que inundaba el dormitorio, cuando Jenny abrió los ojos y vio a la fregona junto a su cama.

—Sal de aquí, Erma. Ya he tenido una noche bastante horrorosa y no tengo ninguna necesidad de comenzar mi mañana hablando con otra ladrona más.

Erma le enseñó algo y Jenny vio que era el diario de la mañana.

—La cocinera me lo leyó todo, y cuando terminó ya estaba aquí el señor Bartleby para decirme que sólo haría negocio contigo y con nadie más.

Jenny cogió el diario y le echó una rápida mirada a la columna de cotilleos de Hercule. Vaya, si incluso explicaba su sistema de pedidos.

—Todo lo que dice en esta columna es cierto —dijo, mirando a Erma—. ¿Por qué has venido aquí a pelear conmigo? Yo soy la parte perjudicada después de todo.

Erma seguía mirándola furiosa.

—Lo que quiero saber es cómo lo hiciste, cómo le diste la vuelta a la maldita historia para que todo recayera sobre mí.

Jenny le devolvió el diario, diciendo:

—¿Digamos simplemente que tengo amigos que velan por mí y lo dejamos ahí?

Erma emitió un sonido muy similar al maullido de un gato.

—Cuando las señoras lean esto, y la cocinera me ha dicho que siempre leen *The Bath Herald* durante el desayuno del sábado, me despedirán, y tú tendrás la culpa.

Jenny rió burlona.

—Créeme, Erma, si te despiden, eso no tendrá nada que ver conmigo sino con tu deslealtad a la familia. Al tratar de hacerme daño a mí has herido muy de cerca a las señoras Featherton. —Se cruzó de brazos y la miró con los ojos entrecerrados—. Yo en tu lugar mantendría la cabeza gacha y la boca cerrada. Y espera, sólo espera, que las señoras, con su inmensa generosidad de alma, pasen por alto tus fallos, te perdonen y te dejen continuar en la casa.

Erma se limitaba a mirarla

—Ahora —continuó Jenny—, has el favor de salir de mi habitación. ¿No tienes nada que hacer, fregar ollas o algo así?

—Aún no has oído la última palabra en esto, Jenny.

—Ah, pues, yo creo que sí.

Arrojándole el diario a la cara, Erma salió pisando fuerte del dormitorio.

Jenny cogió el diario y volvió a leer la columna. Señor, después de la forma como la delataron esa noche pasada, empezaba a creer que habría sido muy preferible que se hubiera revelado todo sobre su identidad en *The Bath Herald*.

Así, por lo menos no habría tenido que mirar a Callum cuando él se enteró de la fea verdad de sus mentiras, por otra persona.

Dobló el diario por la mitad y dejándolo a un lado bajó de su estrecha cama, se lavó y vistió, preparándose para otro día. Suspirando pensó que aunque esa noche se le hubiera derrumbado el mundo bajo el peso de sus mentiras, ese era otro día y la vida continuaría.

Se puso una mano en el vientre.

Sí, la vida continuaría.

Por la tarde de ese mismo día, Jenny bajó a coger su sombrero y su capa con la intención de ir a Trim Street a comprar cintas para modernizar la papalina de paja adornada con flores de Meredith.

Eso era algo que podía hacer para tener ocupada la mente, puesto que las señoras habían dado órdenes estrictas de que no se la encargara de ninguno de sus quehaceres diarios. En circunstancias normales ella habría estado bailando de alegría porque se la eximía de su trabajo, pero ese día no. Tenía que mantenerse ocupada, aunque sólo fuera para disminuir la pena por lo ocurrido la noche pasada.

Cuando salió por la puerta de la cocina, por costumbre se acercó a mirar la canasta de pedidos que siempre estaba a un lado de la puerta.

No sabía por qué se tomaba esa molestia, porque ¿quién iba a comprar un bote de crema ahora que todo Bath sabía que la misteriosa lady Eros, cuyo nombre sólo se pronunciaba en susurros, no era otra que una doncella de señora?

Estuvo a punto de desmayarse al ver el contenido de la canasta. Se le agitó la respiración y tuvo que ponerse la mano en el pecho para serenarse.

La canasta estaba llena a rebosar, tanto que por lo menos ocho piedras habían caído fuera y estaban en el suelo a los lados de la canasta.

Se le cerraron solos los puños. Si esa era una idea de Erma para vengarse... Pero aflojó las manos y las abrió al ver pequeñas notas atadas a las piedras con coloridas cuerdas, hilos o trozos de lana. Se agachó a coger una y leyó en voz alta:

—Dos botes para la señora Potter, Great Pulteney Street, quince.

Cogió otra y la abrió:

—Seños Higgins, Lower Borough Walls, seis, necesita un bote, por favor.

Leyó otras tres, pero comprendió que no tenía ninguna necesidad de continuar. Esos eran pedidos auténticos, pero no de aristócratas. No, eran de personas normales y corrientes.

Una sonrisa le levantó las comisuras de los labios por primera vez desde la noche anterior.

Capítulo 18

*D*urante esas dos semanas siguientes al fatídico baile, cada mañana al levantarse Jenny había encontrado a rebosar su canasta de pedidos.

Así pues, cada día, una vez terminado su trabajo diario de preparar infusiones para las señoras Featherton y atender a las necesidades relativas a la vestimenta y elegancia de la señorita Meredith, dividía su tiempo entre la despensa, donde sacaba el extracto de menta piperita Mitcham de la hierba, y la cocina, donde mezclaba en un caldero al fuego el extracto con el cremoso emulsionante y luego llenaba los botes que esperaban.

Sus manos estaban siempre ocupadas, pero su mente quedaba libre para reflexionar sobre los errores que había cometido en el corto tiempo de su relación con Callum. Sabía que su engaño lo había apenado profundamente. Ni siquiera había ido a visitar a su abuela, lady Viola, como era su costumbre antes del baile, y ella sabía lo mucho que le dolía eso a la anciana.

Cómo deseaba poder vivir de nuevo esas semanas.

Aunque seguro que no habría actuado de modo muy distinto, porque al fin y al cabo ella era lo que era. Pero sí le habría dicho la verdad cuando se le presentó la primera oportunidad, en lugar de esperar a que hubiera pasado hasta el último grano por el agujero del reloj de arena. Porque si hubiera sido sincera con él su vida podría haber sido muy diferente en esos momentos.

Distraída por esos sombríos pensamientos, no se fijó en que el caldero se había sobrecalentado, hasta que la mezcla comenzó a borbotear haciendo saltar gotitas de crema sobre las brasas, donde se convertían en llamas.

Reprendiéndose por la distracción, movió el brazo giratorio para acercarse el caldero y se apresuró a descolgarlo del gancho, olvidando totalmente protegerse la mano con un paño de algodón doblado. ¡Porras! El asa metálica le quemó la mano, por lo que dejó caer el caldero sobre el suelo de pizarra del fogón.

El caldero se ladeó y comenzó a caer la grasienta crema y se fue extendiendo por la pizarra y avanzando hacia el fuego. Recogiéndose las faldas, Jenny corrió por la cocina a buscar una escoba para barrer la emulsión e impedir que llegara al fuego.

En eso se abrió la puerta y Jenny casi cayó al suelo al chocar con Annie, que iba entrando.

—¡Ayúdame! —exclamó suplicante, agitando un dedo hacia el fogón y la humeante crema.

Annie siguió con la vista la dirección del dedo y al ver el caldero ladeado, se quedó atónita.

—Gran Dios del cielo, Jenny, ¿acaso quieres incendiar la casa?

Dejando caer su cesta, Annie corrió hacia el fogón y cogiendo la pala para recoger brasas formó rápidamente una barrera de cenizas para impedir que la crema llegara al fuego.

A Jenny el corazón le zumbaba en los oídos. Gracias a Dios Annie había llegado justo en el momento oportuno.

Pasados unos minutos, sin decir palabra, Annie ya había recogido la crema derramada devolviéndola al caldero. El sudor le mojaba la frente hasta la raíz del pelo y tenía las mejillas arreboladas por el trabajo y el calor del fogón.

Entonces se giró a mirar a Jenny.

—¿Qué tienes en esa cabeza?

Jenny fue a sentarse en un taburete bajo.

—Ese es el problema. No logro concentrarme en nada... aparte del sufrimiento que he causado a todo el mundo.

Annie se le acercó y le limpió el hollín de la cara con un borde de su delantal.

—Mírate esas profundas ojeras. ¿No has dormido nada?

Jenny negó con la cabeza.

—Cada vez que tengo cerrados los ojos un rato como para dormirme, vuelvo a revivir lo ocurrido en el baile de la señorita Meredith. Lo único que veo es la cara afligida de Callum cuando tuve que reconocer ante él que eran totalmente ciertas las palabras que me arrojó esa ladrona. —Cogió un bote vacío y acercándoselo a los labios lo sopló para quitarle los trocitos de ceniza que habían caído dentro al volar desde el fogón—. Por lo tanto, vengo aquí a trabajar hasta que ya no puedo tenerme en pie. Sólo así puedo esperar dormir sin sueños. Pero entonces ya es casi la mañana.

Annie la levantó y le dio un fuerte abrazo. Después se apartó para levantarle el mentón con la palma.

—No puedes seguir así. Esto no es bueno para ti... ni para tu bebé.

El consejo sorprendió a Jenny.

—Nunca he dicho que mi embarazo fuera algo seguro.

—No, pero no hace ninguna falta que lo digas. Porque por primera vez desde que te conozco no te has quejado de dolor de vientre a fin de mes. Y esto no es sólo un retraso, Jenny. Es la propia luna la que establece las reglas mes a mes.

Jenny se apartó de Annie, fue a coger el caldero con la crema estropeada y lo llevó hacia la puerta, para poder vaciarlo fuera por la mañana. Pero Annie tenía razón. Nunca se le había retrasado una regla, y tenía que reconocer que todo ese tiempo había evitado pensar en eso.

Miró hacia Annie un tanto resentida, porque no deseaba hablar de su estado con nadie. Lo mejor sería mantenerlo callado todo el tiempo que fuera posible, para que eso no afectara su negocio con la crema. Porque con un bebé en camino, necesitaría más que nunca todos los chelines que consiguiera ganar, y ahorrar al máximo.

Annie acababa de sentarse a la larga mesa de caballetes cuando Jenny acercó un taburete y se sentó, por primera vez en toda esa noche.

Miró a Annie con curiosidad.

—¿Y qué haces aquí tan tarde, por cierto? ¿No deberías pensar en ir a acostarte?

—No es tan tarde. Además, te tengo una noticia que podría alegrarte el ánimo.

Annie la estaba mirando con los ojos muy grandes y mordiéndose el labio de entusiasmo.

—¿Qué? ¿Ha llegado un nuevo lacayo a Bath? —le preguntó Jenny sonriendo y arqueando las cejas, expectante.

—Mejor aún. Y vas a tener que darme las gracias, Jenny Penny. —Guardó silencio un rato, hasta que la curiosidad de Jenny la animó a darle la noticia—. Bueno, el sábado que viene tenemos una entrevista con el señor Malcom Lewis.

Jenny la miró sin comprender.

—Ese nombre no significa nada para mí. ¿Para qué voy a querer entrevistarme con ese hombre?

—Porque, cariño, es el dueño del local desocupado de Milsom. Lo recuerdas, ¿verdad?, una tarde estuvimos mirándolo por el cristal del escaparate.

Sí que recordaba esa tarde, pero, Señor, tenía la impresión de que habían transcurrido años desde esos tiempos más felices.

—¿Una entrevista has dicho?

—Seguro que con todos los pedidos que has recibido de gente corriente ya tienes dinero de sobra para alquilar el local, o por lo menos lo suficiente, calculo.

Annie se calló y aguardó pacientemente a ver alguna reacción en ella.

Entonces ocurrió. La apatía que parecía envolverla como una capa de lana esas dos últimas semanas empezó a desvanecerse. Empezaba a bullir el entusiasmo en su interior, algo que no había sentido desde hacía mucho tiempo.

—Ah, eso es, cariño —dijo Annie—. Ya lo veo. Lo veo en tus ojos, relucientes como una guinea nueva.

La sonrisa de Annie era contagiosa, y Jenny se sorprendió sonriendo también.

—¡De acuerdo! ¡Lo haré!

—Lo sabía. Bueno, ahora debo irme. —Annie recogió su cesta y se dirigió a la puerta—. Creo que no sería demasiado pronto si comenzaras a pensar en lo que vas a vender, aparte de la crema afrodisíaca, lógicamente.

Jenny asintió, y tan pronto como Annie salió por la puerta, corrió a su dormitorio. Una vez allí abrió su libreta de apuntes científicos y pasó las páginas hasta que encontró los detallados planos para la distribución y decoración que había hecho para su tienda.

A la mañana siguiente Jenny salió a hacer lo más difícil. Cogiendo sus ganancias, pagó totalmente sus deudas. Sí, arregló sus cuentas con todos los comerciantes a los que debía.

Esta actividad le llevó una buena parte del día, incluso con la ayuda de Annie, pero valió la pena, y era necesaria, para su futuro y el de su bebé.

Porque dado que iba a abrir su tienda y llenarla gloriosamente de chucherías, cremas y ungüentos de fabricación propia, necesitaría hacer negocio con un buen número de comerciantes de Bath, comprando a crédito.

En especial con el pañero. Porque su más reciente y luminosa idea para su tienda era mandar a confeccionar un conjunto de vestidos selectos listos para llevar, inspirados en el último grito de la moda de París.

Annie se había mofado de esa idea, porque era de conocimiento general que las damas de la alta sociedad tenían la costumbre de visitar al pañero para adquirir las telas y luego encargaban a sus modistas la confección de los vestidos. Y ese proceso llevaba semanas, e incluso meses.

Sí, ese era hasta el momento el modo nada eficiente de adquirir vestidos. ¿Pero qué podían hacer las damas cuando les llegaba una invitación inesperada a un rutilante evento social? Tenían que conformarse con sacar un vestido viejo del baúl o el ropero, cuando en su corazón deseaban causar admiración con un vestido nuevo.

Hasta ese momento, eso era imposible. Ninguna modista era capaz de confeccionar un vestido de buena calidad con tanta rapidez. Eso Jenny lo sabía de cierto y por experiencia, porque lo había intentado durante su relación de festejo con Callum. Y entonces, con tan poco tiempo, lo más que podía esperar era rehacer un vestido.

No era lo mismo. Un vestido viejo rehecho no hace estremecerse de placer al cuerpo.

Por lo tanto, decidió tener en su tienda varios vestidos ya confeccionados, inspirados directamente en los modelos de la revista *La Belle Assemblée*, para mujeres de tallas normales. Ella personalmente, siendo hábil con la aguja, se encargaría de atender las últimas pruebas.

Cuando entró en su dormitorio después de haber pagado todas sus deudas, se sentía casi mareada. La tienda iba a ser una realidad. Aunque significaría coger todos los chelines que le quedaban, iría a entrevistarse con el señor Lewis el sábado, y entonces la tienda sería de ella. De ella.

Ya se veía entre las paredes cubiertas por cortinajes de seda de su elegante tienda. Un lote de botes de crema afrodisíaca llenaría uno de los estrechos escaparates, porque esa crema era su principal producto. En el otro expondría una colección de joyas, abanicos y zapatos, todos garantizados para hacerle caer la baba incluso a la dama más sensata como un perro hambriento debajo de la mesa a la hora de la cena.

Y cada día luciría una joya diferente, o tal vez un chal o un manto nuevo; eso era de lo más lógico, porque ¿cómo, si no, podrían sus clientas ver la magnificencia de una prenda o artículo de calidad si estaba metido en una vitrina de cristal? No era lo mismo, ¿eh que no?

Bullía de felicidad en su interior al pensar en su futuro, pero ese sentimiento nunca permanecía, nunca le expulsaba la tristeza que le oprimía el corazón.

Echaba de menos a Callum.

Justo cuando estaba pensando en eso entró Meredith corriendo en la habitación y se sentó en la cama de un salto, tal como hacía el gato naranja de la cocinera.

—Date prisa —exclamó, casi estremecida de entusiasmo—, no puedes subir con tu ropa de servicio, tienes que ponerte algo más apropiado.

—¿Más apropiado para qué? —preguntó Jenny recelosa.

—Para una entrevista —contestó Meredith, agitando las manos impaciente—. Señor, Jenny, ha venido a verte.

Jenny puso los ojos en blanco, exasperada.

—Vamos, por el amor de Dios. ¿Quién ha venido?

—Por favor, Jenny, sólo bajo aquí cuando él viene a visitarte. Y ha venido. —Le cogió las manos y se las apretó—. Lord Argyll está arriba en este momento.

Jenny no se molestó en quitarse el vestido para ponerse uno más apropiado. Era correcto que su señoría la viera vestida de lo que era: una criada.

Cuando iba llegando a la puerta del salón, donde él esperaba, se miró en el espejo para comprobar por segunda vez su apariencia. Cada pelo estaba en su lugar y a la luz dorada de la tarde sus pendientes de topacio amarillo verdoso le acentuaban el verde de los ojos.

Le pasó por la cabeza la idea de quitarse los pendientes para que él no viera otra cosa que una doncella de señora, pero la desechó. Dejarse los lóbulos de las orejas sin adorno no daría una imagen más auténtica de ella que si entraba con un vestido de baile todo bordado con perlas.

No, eso era lo que era, la doncella de señora con pendientes en las orejas. Incluso había oído a las criadas abajo referirse así a ella, si bien con el añadido «malditos»: la criada de los malditos pendientes.

Vamos, fatalidad, ya estaba paralizada otra vez. Llevaba más de dos semanas esperando ese momento y ahora que había llegado no era capaz de mover los pies hacia la puerta.

Venga, avanza un pie, eso, así. Ahora el otro. Ya casi has llegado. Coge la manilla, bájala. Ahora empuja.

Los goznes rechinaron suavemente cuando se abrió la puerta.

Callum estaba sentado junto al crepitante hogar, con los codos en las rodillas y la cara apoyada en las palmas. Cuando oyó abrirse la puerta levantó la cabeza y la miró. Entonces se levantó lentamente, y en ese instante ella tuvo la clara impresión de que él estaba con los nervios tan de punta como ella.

Cuando se giró hacia él después de cerrar la puerta alcanzó a ver cómo él la miraba de arriba abajo y luego, curiosamente, detenía la mirada en sus pendientes de topacio. Pero eso lo comprendía muy bien; los pendientes eran extraordinariamente hermosos.

—Lord Argyll —dijo, en un tono más frío que el que había pretendido.

Flexionó las rodillas y se inclinó en una reverencia, pero no con el movimiento fluido y gracioso que le había enseñado lady Viola, el que manifiesta elegancia y buenos modales, sino el gesto rápido obligado que hace una criada a una persona de rango superior.

Callum, pestañeando por el desconcierto, hizo entonces su reverencia, con lo que se agitó su falda.

—¿Tendrías la amabilidad de acompañarme junto al hogar, lady... señorita Penny?

Ella comprendió que ese desliz no fue con la intención de humillarla. Sencillamente deseaba ser correcto en una situación muy difícil.

Caminó a toda prisa hasta el sofá y se sentó. Él fue a sentarse en el borde de un sillón frente a ella y apoyó los codos en las rodillas, tal como los tenía cuando ella entró en la sala.

—Tenemos que hablar, tú y yo, de lo que ocurrió —comenzó él, y estuvo un momento mirándose las yemas de los dedos, que tenía juntas cerca del mentón—. Debería haber venido antes, pero como te habrás imaginado, necesitaba tiempo para reflexionar y hacer las paces con tu... bueno, con todo.

Jenny juntó las manos en la falda para evitar que le temblaran.

—Comprendo, milord.

Justo entonces se abrió la puerta. Los dos giraron las cabezas para mirar, pero no había nadie ahí. Jenny se levantó con la intención de ir a cerrarla. Callum agitó la mano para detenerla.

—Déjala, muchacha, por favor. Esto no llevará mucho tiempo.

Jenny volvió a sentarse, lentamente, pensando en la pregunta que con toda seguridad él tendría que hacerle en algún momento: ¿por qué? Preparó la respuesta y esperó.

Callum exhaló un suspiro y estuvo un buen rato mirándose las manos, un rato que a Jenny le pareció horas. Finalmente levantó la cabeza y la miró.

—Jenny, te hice una promesa. Que si llevabas un crío mío en tu vientre me casaría contigo.

Jenny se sorprendió. Eso no era lo que había esperado que dijera.

—¿Milord?

—Vamos, Jenny, ¿debo preguntarlo?

—Supongo que debe, porque no sé bien qué es lo que espera que diga —repuso ella y se inclinó a esperar pacientemente que él continuara.

Callum se levantó y fue a colocar las manos sobre la repisa del hogar, dándole la espalda, y se puso a contemplar el fuego.

—¿Estás... embarazada?

Ni siquiera se volvió a mirarla. Lo cual, pensándolo bien, era algo bueno, porque al instante ella se había colocado la mano en el vientre, en gesto protector, aunque al darse cuenta se la quitó de ahí enseguida.

Entonces se levantó, armándose de todo el valor que pudo.

—No tiene nada que temer, lord Argyll. No debe preocuparle que mi estado vaya a estorbar su plan de extinguir el apellido Argyll.

Caramba, había hablado casi como una verdadera dama.

Entonces lo oyó hacer una rápida inspiración. Luego, poniendo los codos sobre la repisa, él apoyó la cabeza en las manos e hizo una lenta espiración.

Jenny sintió frío en todo el cuerpo. No había dicho que no estaba embarazada, pero sí dicho una mentira de todos modos. Pero no podía utilizar a su bebé para retener a Callum.

No podía hacer eso, de ninguna manera. No deseaba pasar el resto de su vida viendo el resentimiento en sus ojos cuando la mirara, o mirara a su hijo o hija.

No. Continuaría su vida sola y llenaría de amor la vida de su hijo o hija, tal como hiciera su madre. Aunque criaría sola a su bebé, abriría la tienda y trabajaría arduo, con el bebé en la cadera si era necesario. Vendría a visitar a las Featherton con su bebé, porque con ellas había un parentesco sanguíneo. Le daría a su hijo o hija la vida que debía llevar. La que podría haber tenido si ella hubiera confesado la verdad a Callum semanas antes.

Levantó la vista y vio que él seguía de cara al empañado espejo que colgaba sobre la repisa del hogar. Se sintió desolada porque comprendió que él no diría ni una sola palabra más.

Comenzó a sentir el ardor de las lágrimas que se le iban acumulando en los ojos, y comprendió que debía salir del salón inmediatamente; tenía que dejar a Callum antes que él la viera así y comprendiera que sí estaba embarazada de su bebé.

Giró sobre los talones y justo cuando iba a dar el primer paso hacia la puerta vio, horrorizada, a las dos hermanas Featherton arrodilladas en el suelo y agachadas detrás del sofá.

Lady Letitia, sin inquietarse en lo más mínimo porque las había sorprendido, se puso un dedo en los labios mientras lady Viola le hacía un gesto indicándole que se acercara a Callum.

Con los ojos abiertos como platos, Jenny se giró y caminó silenciosamente hacia Callum, con la esperanza de darles tiempo a las ancianas de abandonar su escondite en cuatro patas y salir por la puerta sin ser vistas.

Sintiendo un nudo en la garganta que iba creciendo, alargó la mano con el intenso deseo de tocarlo, pero no se atrevió, de modo que dejó la mano suspendida sobre su hombro un momento y luego la bajó lentamente hasta el costado.

Él percibió su proximidad porque ella notó el cambio en su postura. Pero no se volvió hacia ella.

—Callum —dijo, con una vocecita tensa y débil—. Aunque no creas ninguna otra cosa... cree que te amaba.

Dicho eso se giró y echó a caminar hacia la puerta.

Las hermanas Featherton ya no estaban escondidas detrás del sofá y se decidió a salir. Cuando llegó al umbral se detuvo y se giró lentamente a mirar a Callum.

—Y sigo amándote —susurró.

A él se le puso rígida la espalda, por lo que ella tuvo la seguridad de que la había oído.

En el espejo vio que él seguía con los ojos cerrados pero movía los labios. Continuó como clavada donde estaba y miró incrédula que los labios de él modulaban las palabras que ansiaba oír: «Y yo te amo».

El corazón le dio un salto hasta la garganta. Salió corriendo y no paró hasta entrar en el corredor, donde encontró a su madre, que la estaba esperando con los brazos abiertos.

Capítulo 19

*D*e pronto un relámpago de movimiento captó la atención de Jenny, y levantó la cabeza del consolador hombro de su madre justo a tiempo para ver salir a Callum del salón.

—¿Lord Argyll? —dijo entonces lady Viola saliendo del despacho al ancho vestíbulo—. Querría hablar un momento contigo, si es posible.

Jenny y su madre se metieron en el oscuro hueco bajo la escalera para no ser vistas.

—Por supuesto, milady —contestó Callum y entró en el despacho detrás de su abuela.

La puerta se cerró y el sonido de la llave al girar en la cerradura de bronce hizo eco en el estrecho corredor.

¿Qué querría decirle lady Viola a Callum?, pensó Jenny. Cielo santo, casi se le doblaban las piernas al considerar las posiblidades. Bueno, no tenía ningún sentido quedarse allí esperando y elucubrando. Tenía que descubrirlo.

Recordando la demostración de Meredith sobre cómo por la pared del comedor se oía la conversación en el despacho, se soltó de los brazos de su madre y echó a andar hacia la siguiente puerta abierta.

—Jenny, no —susurró su madre, suplicándole con los ojos—. Déjalos que hablen solos; respeta sus secretos.

Jenny frunció los labios.

—Podría haber considerado esa posibilidad si las señoras hubieran tenido ese respeto por mi intimidad hace un momento. Pero no lo tuvieron. Además, lo que diga lady Viola me afecta a mí, puedes estar segura. Así pues, creo que se justifica que intente escuchar.

Cuando entró en el comedor la sorprendió encontrar ahí a lady Letitia, que ya estaba con una oreja pegada a la pared.

La anciana le hizo un gesto invitándola a acercarse.

—Mi hermana está a punto de empezar —susurró—, date prisa.

Dicho eso, lady Letitia volvió a apoyar el lado de la cabeza y, al concentrarse, quedó con los ojos entrecerrados, mirando de reojo hacia la pared, y la boca abierta con la punta de la lengua tocando la hilera de dientes superiores.

Jenny avanzó vacilante. Al llegar a la pared color arena apoyó una mano en el borde del zócalo y pegó la oreja.

—Ven a sentarte a mi lado, mi querido niño, por favor —se oyó la voz tranquilizadora de lady Viola.

Jenny miró asombrada a lady Letitia. Cada palabra se oía clarísima.

—Esto es como estar con ellos en la sala —comentó.

—Chss. Ellos también podrían oírnos —susurró lady Letitia.

—Ah, muy bien —susurró Jenny, volviendo a apoyar la oreja en la pared.

—Has hablado con Jenny —dijo entonces lady Viola.

—Sí, brevemente. Pero antes que diga otra palabra, debe saber que nada ha cambiado desde que...

Pasaron unos segundos y no se oyó nada, hasta que habló lady Viola:

—Desde que te enteraste de que es una doncella de señora.

Nuevamente se hizo el silencio y tanto Jenny como lady Letitia pegaron más las orejas a la pared, esforzándose por oír la respuesta. Pero no hubo respuesta, porque volvió a hablar lady Viola:

—¿Tengo razón, muchacho, al decir que piensas que ella te traicionó?

—Sí, y me traicionó.

—Pero confiabas en Jenny.

—Sí. Aunque era más que eso. Creía en ella. Vamos, la amaba. Y de todos modos, me mintió.

La voz de Callum sonaba espesa de creciente emoción.

Entonces se oyó un tintineo de cristales y el sonido de un líquido llenando una copa.

—¿No lo comprende? Es igual que mi madre.

—¿Jenny es como Olivia? ¿Cómo? —replicó lady Viola.

—Aseguraba que me amaba, y sin embargo me mintió, aun cuando sabía por qué la sinceridad y la verdad significan todo para mí.

—Eso es simplificar demasiado, Argyll, pero de todos modos no veo en qué se parece Jenny a tu madre.

—¿No? Mi madre también me amaba, o decía que me amaba, y sin embargo me mintió, me mintió de una manera que me arrancó el corazón del pecho. Cuando se despidió de mí al marcharse, me besó y me prometió que volvería a casa, y yo le creí, porque decía amarme.

Nuevamente sólo se oyó silencio en la pared que separaba a Jenny de Callum.

—El día que comprendí que mi madre no volvería nunca a casa juré no fiarme de nadie, no abrir mi corazón jamás a la intensidad del dolor que produce la traición. Y prometí no mentir jamás.

—¿Pero fue tan grande la mentira de Jenny? Solamente fingió que era una dama, y por orden mía y de mi hermana, has de saber. ¿Tanta importancia tiene que sea una criada y no una verdadera dama? Yo habría dicho que a un hombre empeñado en extinguir el título de su familia no le importaría tanto si otra persona tiene sangre azul o no.

Jenny se mordió los labios, esperando con la respiración agitada lo que diría él.

—No, está muy equivocada —dijo él entonces, y sus palabras parecieron rebotar en la pared, como si las hubiera dicho con cierta fuerza—. No me importa un bledo si Jenny es una criada o la mismísima reina.

Sin duda Callum se había levantado, porque se oía claramente el golpeteo de sus botas sobre el suelo de madera.

—Me perdonaste que te hubiera ocultado mi identidad. ¿No hay espacio en tu corazón para perdonar a Jenny también?

—No es la mentira en sí, milady. Dios mío, no es eso en absoluto. Es el hecho de que me mintiera, a mí, sabiendo que algún día yo me enteraría del engaño. Y continuó sin decirme la verdad.

Se oyó un golpe de bastón en el suelo.

—¿Y a qué atribuyes eso? —preguntó entonces lady Viola.

—A que nunca me amó de verdad.

Al llegar a sus oídos esas condenadoras palabras Jenny ahogó una exclamación y le dio un vuelco el corazón.

—Ah, ¿de veras crees eso? Porque si lo crees quiere decir que no eres ni la mitad del hombre que yo pensaba que eras. —El bastón golpeó tres veces y se detuvo justo en el lugar de donde procedía la voz de Callum—. Porque ocurre que yo sé que la verdad es exactamente lo contrario, y si confiaras en tu corazón, lo sabrías.

—¿Qué quiere decir? —preguntó Callum, al parecer confuso.

—Que Jenny no te confesó la verdad, al principio porque nosotras le suplicamos que no lo hiciera... y después, debido a lo mucho que te amaba. Sabía, conociendo tu arraigada exigencia por la verdad, que en el instante en que te dijera quién era en realidad, una criada, tú la abandonarías para siempre.

—No, no la habría abandonado.

—¿Ah, no, Argyll? ¿Y qué acabas de hacer?

Jenny no pudo soportar seguir escuchando ni una sola palabra más. El sufrimiento era demasiado intenso. Cuando se apartó de la pared y levantó la vista, se encontró con la mirada de lady Letitia, que alargó la mano y le apretó suavemente el hombro.

—Lo siento, hija —susurró la anciana—. Tenía la esperanza de que mi hermana no tardaría en convencer al muchacho de recuperar la sensatez. Pero parece que sus heridas son más profundas de lo que imaginábamos.

Jenny logró esbozar una débil sonrisa para corresponderle la amabilidad, pero eso fue lo más que consiguió.

—Ah, vamos, creo que todavía Viola podría hacerlo cambiar de opinión. En realidad, estoy convencida de eso. ¿No te quedas?

Jenny negó con la cabeza y con el movimiento se le desprendió una horquilla del pelo, que saltó y fue a caer sobre el aparador tintineando. Y ese sonido bastó para desencadenarle las lágrimas que le cayeron en torrentes por las mejillas. Desviando la cara para que no la viera su señora, fue a coger la horquilla y en silencio salió del comedor.

Durante los tres días siguientes Jenny se dedicó de lleno a su trabajo. Cuando llegara la primavera la familia se trasladaría a Londres para preparar la presentación en sociedad de Meredith. Y aunque aún no había hablado de sus intenciones con nadie, porque no quería que le hablaran de comenzar una nueva vida, no haría el viaje con ellas.

De todos modos, Meredith necesitaría un guardarropa apropiado para su presentación y no podía dejar a la chica en la estacada con su vestimenta. Por lo tanto, se pasaba cada tarde con el pañero o la modista, ideando conjuntos prácticos para una señorita del elevado rango de Meredith.

Recorría las tiendas de Bath buscando los materiales y accesorios necesarios para cada vestido, desde las telas a las horquillas con cabeza enjoyada.

La eficiencia era su principal objetivo en cada salida, porque cada visita a una tienda tenía una doble finalidad: encontrar el material para el ajuar de Meredith y hacer inventario de las existencias, para su propia tienda. Siempre que era posible, incluso interrogaba a los dueños de las tiendas acerca de sus proveedores, y ellos se lo decían. Claro que no tenían manera de saber que al hacerlo ayudaban a una futura competidora.

Al segundo día ya había hecho una lista de las tácticas para sonsacarle información a cada comerciante. Abría la puerta de la tienda y desde el instante en que sonaba la campanilla arriba de la puerta, se tomaba el tiempo para ver cuánto tardaba en animar al tendero a suplirle los datos. Muy pronto sentía un suave revuelo en el vientre cada vez que oía sonar una campanilla.

El tercer día, por pura casualidad, se encontró en la parte alta de Milsom Street y decidió acercarse a echarle una mirada a su tienda. Porque en su imaginación el local ya era suyo. Tenía el dinero que necesitaba para el alquiler de los primeros seis meses, aunque había decidido pagar solamente los tres primeros. Al fin y al cabo necesitaba dinero para decorar y llenar de género el local, ¿no?

Por primera vez desde hacía días, sentía los pies ligeros cuando se iba acercando; eso duró hasta que vio a un hombre fuera de «su» tienda y girando una llave en «su» cerradura.

—Perdone, señor —gritó, sin importarle un rábano si esa conducta era propia o impropia de una dama—. Oiga, ¿esta tienda es suya?

El hombre era alto y delgado, de cara larga y estrecha, la que al instante le trajo a la mente la imagen de un caballo. Llevaba la ropa muy pulcra y bien planchada, pero la chaqueta era de lana basta y su camisa de algodón. Ese no era un caballero refinado. Pero lo que la fastidiaba era que en sus manos enguantadas tenía el letrero SE ALQUILA.

—Ah, sí, es mía. ¿Puedo servirla en algo, señorita?

Su voz era bronca, áspera, y vaya, por Dios, si no se parecía bastante a un caballo al mirarla.

Volvió a posar los ojos en el letrero y el ánimo se le vino al suelo y se le desvaneció la sonrisa.

Ay, no. ¿Cómo pudo haber ocurrido eso? Tenía concertada una entrevista con el señor Lewis para el sábado. Y tan poco que faltaba; había estado tan condenadamente cerca de hacer realidad su sueño.

Quedó claro que se transparentaron sus sentimientos.

—¿Le ocurre algo, señorita? Me llamo Lewis, Malcom Lewis. Soy el dueño de este edificio.

¿Señor Lewis? Bueno, pensó, acicateada su atención, eso lo cambiaba todo.

Curvó los labios y lo obsequió con una radiante sonrisa.

—Me alegra mucho conocerle, señor, aunque he de decir que este encuentro ha sido totalmente una coincidencia, porque nos íbamos a encontrar el sábado para hablar justamente de esta propiedad. Soy la señorita Jenny Penny.

Esta vez le tocó al señor Lewis mostrarse alicaído.

—Ay, Dios, no sé qué decirle.

Cualquier frase que comienza con «Ay, Dios» no puede acabar de modo positivo. La sonrisa de Jenny se fue desvaneciendo hasta convertirse en nada.

Entonces el señor Lewis la miró francamente a los ojos y dijo:

—Le ruego me perdone, señorita Penny, pero ya no es necesaria nuestra entrevista del sábado.

¡Oh, porras! Ahora viene el golpe, pensó ella.

—Verá, señorita, acabo de tener una entrevista con un caballero que se ofreció a comprarme todo el edificio.

Jenny se quedó boquiabierta. ¿Y así tan sencillo? ¿Así, sin más, viene un caballero y compra todo el maldito edificio destruyéndole de un plumazo sus sueños, su futuro?

—Por lo tanto —continuó él—, lamento decirle que esta propiedad ya no está en alquiler.

Entonces ella oyó salir unos cuantos sonidos de su boca aunque sólo unos pocos tenían sentido:

—Pero... pero no hay ningún otro local en alquiler en Milsom...

E incluso esas palabras le salieron balbuceantes, casi incoherentes.

Entonces el hombre puso una cara de inmensa tristeza.

—Lo siento, señorita Penny.

Acto seguido, se tocó el sombrero, se inclinó ante ella y tras despedirse, continuó su camino por Milsom Street. Dejándola desolada

Jenny se sintió desfallecer, todas sus fuerzas abandonaron su cuerpo. Se le aflojaron los brazos y los tres paquetes que llevaba se le cayeron a la acera. Se agachó a recogerlos, pero también sentía las piernas como jalea, de modo que, para no caerse, se sentó en el suelo, con las faldas hinchadas alrededor, y se puso a contemplar el local vacío, la tienda de otra persona.

¿Qué vas a hacer Jenny ahora? ¿Qué vas a hacer?

A la mañana siguiente se abrió el cielo y dejó caer un torrente de agua nieve sobre todo Bath. Era peligroso caminar por la calle, pero a pesar de las protestas de sus tías, la señorita Meredith salió de la casa poco después de la comida de mediodía, con el obediente Edgar pegado a sus talones.

Estando ausente Meredith, Jenny dedicó el día a programar el ajuar de la joven, lo que por cierta desidia aún no tenía completo.

A la hora del té ya se filtraban por entre las nubes grises unos rayos de sol, que caían sobre Royal Crescent, aunque el resto de la ciudad balneario continuaba cubierto.

Cuando Jenny, que estaba trabajando en la habitación de Meredith, vio entrar luz por la ventana, se asomó a contemplar esa selectiva iluminación de la Naturaleza, y la maravilló lo que vio. Las oscuras ramas desnudas de los árboles de atrás de la magnífica media luna de casas estaban cubiertas por una capa de hielo de un dedo de grosor y a la luz dorada brillaban como guirnaldas de cristal de Bohemia.

—¡Jenny!

Era la fuerte voz de lady Letitia, procedente del corredor.

Giró la cabeza justo en el momento en que entraba su señoría en el dormitorio.

—A Meredith se le metió en la cabeza ir a visitar a lord Argyll en Laura Place.

Jenny la miró pasmada, dudando de haber oído bien.

—Milady, ¿ha dicho...?

—Sí, es cierto. Acabo de enterarme. Edgar envió un mensaje con un lacayo. Gracias al cielo lo envié a acompañarla, para su seguridad, con todo ese hielo que hay en las calles.

¿A dónde llevaría esa conversación?, pensó Jenny, ya bastante recelosa.

—Ah, te aseguro que no sé qué habrá tramado Meredith en su

travieso cerebro, pero se niega a volver a casa si no vas tú a recogerla, querida.

Jenny la miró boquiabierta.

—¿Yo?

—Sí, tú. Y tienes que perdonarme, querida mía, pero dentro de dos horas tiene que ir a tocar el piano a la casa vecina, así que debes ir a buscarla.

Vamos, por favor, cualquier cosa menos eso.

—Enseguida, milady.

—Vamos, no te asustes tanto. Aunque la niña Meredith insistió en salir a pie con la intención de ir a Laura Place, seguro que para esa tontería de deslizarse por el hielo, he ordenado que dispongan el coche para llevarte.

Jenny se inclinó en una reverencia.

—Gracias, milady.

Lady Letitia se dirigió a la puerta y ahí se detuvo y se volvió a mirarla.

—Hace muchísimo frío, así que procura abrigarte bien. En realidad, podrías ponerte la capa forrada en piel de Viola. Yo le diré que te la he prestado. No le importará en lo más mínimo. No quiero que tú y tu bebé... —se interrumpió y la miró fijamente—. Bueno, no querríamos que cogieras un catarro.

—No, milady. Muchas gracias.

En el instante en que lady Letitia salió de la habitación, Jenny volvió a la ventana a mirar el paisaje cubierto de hielo, pensativa. Estaba clarísimo que eso era alguna otra estratagema que habían urdido. Pero no podía desobedecer a su señora.

Qué más daba, pensó sonriendo tristemente. Fuera lo que fuera, valdría la pena soportarlo, aunque sólo fuera para usar la fabulosa capa azul marino forrada en armiño de lady Viola.

Girando sobre los talones, salió del dormitorio y bajó corriendo la escalera.

Ya estaba oscureciendo cuando Jenny llegó a la casa de Laura Place en el carruaje. Cuando se abrió la puerta de la casa a la llamada del lacayo, el mayordomo de lord Argyll, Winston, la llevó por el interior hasta una ancha puerta cristalera.

—¡Jenny, has llegado! —gritó Meredith, corriendo por el corredor seguida por Edgar.

Jenny miró a Meredith muy seria. Tal vez si se daban prisa ni siquiera vería a Callum, y así le ahorraría a su corazón un poco de dolor.

—La necesitan en casa, señorita Meredith. He venido a recogerla.

Meredith se echó a reír.

—En realidad, no, Jenny. Has venido para tener una entrevista con lord Argyll. Yo he sido simplemente el medio para traerte aquí.

A Jenny se le tensaron todos los músculos, al sentir cerrarse sobre ella la bien lubricada trampa tendida por las Featherton.

Meredith le pasó los brazos por la cintura, acercándola.

—Ahora yo me marcharé, pero Edgar se quedará aquí, abajo, ¿sabes?, por aquello del decoro.

Jenny la miró con los ojos agrandados por el espanto.

—Pero es que no puedo... ahora no...

No alcanzó a terminar la frase; era demasiado tarde. Meredith ya iba saliendo por la puerta principal, agitando la mano para despedirse y corriendo hacia el coche de sus tías.

—Señorita Penny —le dijo Winston haciendo un gesto hacia la puerta cristalera—. Milord la espera en el patio.

¿En el patio? ¡Qué! ¿Con ese frío?

De todos modos Winston abrió las puertas de cristal y obedientemente cruzó el umbral.

Al salir detrás de él, una parpadeante luz proveniente de la derecha captó la atención de Jenny, y al girar la cabeza vio un espectáculo pasmoso.

Dos hileras de velas votivas blancas, del tipo que sólo se adquirían en la principal velería de Bath en Trim Street, iluminaban por ambos lados un sendero que llevaba a un brillante espacio circular rodeado por nada menos que veinte hachones encendidos y llenos de leña.

Las llamas de los hachones subían tan alto que formaban una especie de pared de luz dorada que impedía ver el interior del círculo.

Vencido su recelo por la curiosidad, se recogió las faldas, apretándolas a los costados y echó a caminar por el brillante sendero de hielo y finalmente pasó por la estrecha abertura entre dos hachones entrando en el círculo de luz.

Oh, caramba.

Se quedó muda, sin poder hacer otra cosa que mirar el mundo de cuento de hada que tenía ante ella.

De las ramas cubiertas de hielo de cuatro cerezos colgaban diminutas lámparas de cristal que formaban un toldo, semejante a un cielo lleno de centelleantes estrellas. Bajo ese toldo, en el centro, había una mesa puesta para dos personas.

Sobre la mesa así iluminada había esparcidas rosas de invernadero de pétalos absolutamente níveos, y si no la engañaba el olfato, eran fragantes azahares los que rodeaban las dos copas de cristal.

¿Estaría soñando? Cerró los ojos, los abrió, y se le escapó una risita.

—Jenny —dijo la voz profunda de Callum, justo detrás de ella.

Estremecida por dentro, se giró lentamente hacia él.

Deseando retrasar el instante de ver la tristeza en sus ojos, tardó un momento en levantar la cabeza para mirarlo a la cara. Pero entonces no vio tristeza en sus ojos, sino esperanza.

Él cogió una rosa blanca de la mesa y se la ofreció. Ella la cogió, con el pecho henchido de emoción.

A Callum se le formaron finas arruguitas en las comisuras de sus ojos oscuros al sonreírle.

—Jenny, he sido un estúpido cabezota. ¿Podrás perdonarme alguna vez?

¿Y eso qué era? ¿Él le pedía perdón a ella?

—No lo entiendo. Soy yo la que debe suplicar disculpas. Adrede te hice creer que era una dama cuando sólo soy una...

Pero él la hizo callar atrayéndola suavemente hacia él y posando y moviendo los labios sobre los de ella. Mientras la besaba introdujo los dedos por su pelo, y ella se estremeció de placer.

Él apartó la boca y estuvo varios segundos mirándola a los ojos sin decir una palabra. Después le puso delante el anillo de rubí de compromiso, tal como hiciera aquella vez en el despacho.

—Jenny, para mí eres una dama. Y si me haces el gran honor de aceptar mi propuesta otra vez y me dices que serás mi esposa, vas a ser «mi» dama.

Las lágrimas le brotaron de los ojos y le oprimieron la garganta.

—¿Pero cómo puedes perdonarme? —logró balbucir.

—No hay nada que perdonar, muchacha. Mi abuela me explicó cómo ocurrió todo y...

—Pero cuando tuve la oportunidad de confesarlo, no lo hice.

El aire helado le enfrió las mejillas mojadas y él se las cubrió con las palmas para calentárselas.

—¿Por qué, muchacha? —le preguntó.

Ella lo miró interrogante, porque él continuaba sonriendo.

—Porque te amaba y no quería perderte.

—Sí. No fue para herirme. Lo hiciste porque me amabas, y por eso no hay nada que perdonar. Sólo deseabas amarme y ser amada por mí un tiempo más.

—Sí.

—Entonces acepta mi anillo, muchacha y dime que serás mi esposa. Y los dos tendremos ese amor para siempre —añadió, hincando una rodilla en el suelo.

Jenny se quitó el guante de cabritilla blanca y le tendió la mano.

Él se la cogió y le pasó lentamente el anillo por el nudillo del anular. Cuando el anillo llegó a la base del dedo, la miró a los ojos.

—Dímelo, Jenny. Dime lo que deseo oír, lo que necesito oír.

Ella sonrió y se rió, con la cara mojada por esas ridículas lágrimas.

—Te amo, Callum. Nada de este mundo me haría más feliz que convertirme en tu esposa.

Callum se incorporó e hizo un gesto de asentimiento. Entonces, por el rabillo del ojo, Jenny vio que Winston, que había aparecido como salido de la nada, empezaba a llenar de vino las dos copas de cristal.

Callum la cogió en sus brazos y cuando se apoderó de sus labios a ella se le escapó un suave suspiro.

Arriba de ellos las ramas envueltas en hielo se mecían impulsadas por la fría brisa de invierno y chocaban entre ellas, como si aplaudieran.

Jenny abrió un ojo para mirar hacia el cielo.

Annie no se creería eso jamás, jamás nunca.

Capítulo 20

*E*ra el más perfecto de los días perfectos.

Repicaban las campanas y la luz del sol entraba a raudales por los inmensas vitrales de la abadía de Bath, calentándole las mejillas a Jenny, que, acompañada por el señor Edgar, iba por el pasillo en dirección al altar, donde la esperaba su amado Callum.

Suspiraba de felicidad.

Iba a ocurrir, de verdad.

Ella y Callum Campbell, sexto vizconde de Argyll, se iban a casar nada menos que el día de san Valentín.

Todo el mundo decía que una boda celebrada en esa auspiciosa fecha era un buen presagio, pues el día de san Valentín, según la erudita lady Letitia, era el día especial en que dos personas hechas una para la otra eligen a su pareja para toda la vida.

Cuando llegó junto a Callum ante el altar, ya estaba totalmente avasallada por los festones de seda del apagado color púrpura Featherton y los cientos de tallos de lavanda atados con cintas que parecían llenar la abadía.

Era un sueño color lavanda, no exactamente el color que habría elegido ella, por supuesto; un elegante rosa habría sido más apropiado, pero de todos modos, era un sueño hecho realidad.

De pie cerca del altar estaba su madre, con la cara radiante de felicidad; más allá estaban Meredith, que continuaba haciendo copiosas anotaciones en su libretita, y las señoras Featherton, sonriendo de oreja a oreja, expectantes.

En la iglesia también estaban presentes muchos de sus amigos y amigas, todos criados, aquellos que fueron lo bastante listos para pedir el día libre. Pero lo que más la sorprendía era la asistencia de la alta sociedad de Bath, damas y caballeros de alcurnia, los que, suponía, habían aceptado las invitaciones de las hermanas Featherton con la única finalidad de comprobar si el vizconde realmente se casaba con la escandalosa señorita Jenny Penny, alias lady Eros.

Sólo pudo sonreír al pensarlo. Porque, efectivamente, él se iba a casar con ella.

De todos modos, le parecía irreal, le parecía imposible. Sin embargo ahí estaba, con el pelo arreglado de modo muy sencillo, aunque coronado por brillantes, tallados artísticamente en forma de botones de rosas.

Desechó todos los pensamientos para centrar la atención exclusivamente en Callum, aun cuando su vestido de bodas casi le gritaba para que le prestara atención. Lo había diseñado ella y aunque era ella la que se lo decía, sin duda era la creación más hermosa jamás concebida.

El vestido lo formaba una sobrefalda de lama de plata sobre gasa encima de la falda de tisú con hilos de plata y adornada por conchas y flores bordadas; el corpiño y las mangas de tisú repetían los bordados de la orilla de la falda, pero con la diferencia de ir adornados por elegante encaje de Bruselas.

La capa era de tisú plateado bordeado por brillante satén blanco y una franja con bordado similar al del vestido, y cogido a la perfección por delante por el broche de ópalo que le regalara su padre hacía tantos años.

Se sentía una princesa de la cabeza a los pies, «la dama», la que sin duda sería al terminar esa hora, por increíble que pudiera parecer. Porque cuando tenía cogidas las fuertes manos de Callum, las manos del hombre al que amaba, él juró ante Dios e Inglaterra amarla, mimarla y cuidar de ella todos los días de su vida.

Se miró la mano cuando Callum le deslizó el anillo de oro en el anular, hasta que chocó con el anillo de compromiso de rubí y diamantes.

Le bajó una lágrima por cada mejilla, pero no le importó. Ese era el momento más feliz de toda su vida.

Su más preciado sueño acababa de hacerse realidad.

Ella y Callum, el hombre al que amaba con todo su corazón, ya estaban casados.

Esa tarde, una vez finalizados el banquete y la fiesta de bodas en las Upper Assembly Rooms, Jenny volvió a la casa de Royal Crescent para hacer su equipaje, poner en maletas toda su ropa y sus abundantes accesorios, para transportarlos a la casa de Laura Place.

—Vamos, mamá, no llores. No me voy a marchar de Bath para trasladarme a Escocia.

—No todavía en todo caso —dijo su madre sorbiendo por la nariz al tiempo que metía tres pares de guantes en el manguito de piel de oso de Jenny y los ponía en la maleta abierta—. Argyll no va a querer quedarse en este aburrido Bath para siempre.

—Bueno, no vamos a ir a ninguna parte mientras no haya nacido el bebé —repuso Jenny y añadió un confiado gesto de asentimiento.

A su madre se le alegraron los ojos al oír eso.

—¿O sea que se lo has dicho? ¿Qué dijo?

Jenny se mordió el labio inferior y desvió la mirada.

—Bueno, en realidad no se lo he dicho, pero se lo diré. Esta noche.

—¡Pero Jenny! ¿Cómo has podido esperar tanto?

Haciendo una respiración profunda, Jenny se prendió el broche entre los pechos para tenerlo seguro, cerró su nuevo joyero de piel para viaje y lo puso en la maleta al lado del manguito.

—Con todo el alboroto de los preparativos para la boda se me olvidó totalmente.

Miró de reojo a su madre para ver su reacción.

—¿Lo olvidaste? —exclamó su madre—. Jenny, fíjate con

quién estás hablando. Te conozco. —Cogiéndole las manos, la llevó a la cama y se sentaron—. Cariño, te ama. No se molestará contigo. Pero debes decírselo.

—Se lo diré. —Guardó silencio hasta que debido a la enérgica mirada de su madre no tuvo más remedio que hablar—. Se lo diré «esta noche».

En eso sonó la campanilla para los criados y las dos levantaron la vista.

—Te necesitan arriba —dijo su madre—. Argyll debe de haber llegado en su carruaje.

Jenny se levantó y cerró la maleta.

—Sube a recibirlo, cariño. Yo le diré a George que te suba tus cosas. —La besó en las mejillas y se apartó sonriendo—. Venga, sube, ahora mismo.

Jenny salió y subió corriendo la escalera. Pero cuando llegó al vestíbulo, lista para recibir a su flamante marido, sus ojos se encontraron con los de Hercule Lestrange.

Le sonrió radiante.

—¡Hercule! Ha venido. Cuánto me alegra. Aunque esperaba verle en mi banquete de bodas.

El hombrecillo se quitó el sombrero y lo dejó sobre la mesa.

—Tenía que terminar una investigación... Jenny —dijo vacilante—. He traído conmigo a una persona que me gustaría mucho que conociera.

Jenny ladeó la cabeza pensando qué se traería entre manos el señor Lestrange.

—Muy bien, pero pronto me marcharé a Laura Place.

Hercule arqueó las cejas.

—Ah, pero esta persona ya está esperando en el salón con las señoras Featherton. —Le ofreció el brazo—. ¿Vamos?

Jenny empezaba a sentir en su interior una terrible mezcla de confusión y expectación, pero colocó la mano en el brazo de Hercule y entró con él en el salón.

Al entrar vio que Meredith y sus dos tías estaban sentadas en el sofá mirando a un caballero que estaba sentado de espaldas a ella. Al oír que ella entraba el caballero se levantó y se giró a mirarla.

Era un hombre muy apuesto, alto, de pelo moreno con pinceladas plateadas en las sienes; tenía algo respingona la nariz, más o menos como ella, y sus ojos verdes parecían bailar al sonreírle a ella.

Pero fue su ropa la que la maravilló. Vestía impecablemente, a la última moda de París, el corte del traje era elegante y de tela de la mejor calidad.

Su ayuda de cámara tenía que ser una maravilla, porque ningún hombre podía vestir tan bien sin hacer un concienzudo estudio de las modas que imperaban.

Las hermanas Featherton también se levantaron, y mientras lady Letitia levantaba a Meredith de un tirón, lady Viola avanzó un paso.

—Lady Argyll —dijo haciendo un gesto hacia ella.

Caracoles, lady Argyll. Al oírse llamar así le subió una risita a la garganta y tuvo que hacer un esfuerzo para reprimirla, no fuera a soltarla en la cara del visitante.

—Permíteme que te presente a lord Trevor de Amhurst.

El caballero volvió a sonreír y la honró con una galante inclinación de la cabeza.

Jenny se lo quedó mirando fijamente. Caramba, la cara le resultaba conocida, aunque no logró recordar dónde lo había visto antes.

Lady Viola, que probablemente detectó la perplejidad en sus ojos, se le acercó.

—Querida, lord Trevor es un viejo amigo de la familia. Esta mañana estaba ocupado en algunos asuntos y por eso no pudo asistir a tu boda ni a la fiesta.

Entonces habló lord Trevor, con una voz tan sedosa como su chaleco color marfil.

—Lamento no haber estado presente en la boda, pero es mi más acariciado deseo ofrecerle un regalo para celebrar su unión con lord Argyll.

Jenny lo observó emocionada mientras él sacaba una cajita de piel del bolsillo de su chaqueta y se la tendía.

No pudo dejar de arquear las cejas al mirar la cajita. Todo el mundo sabe que los mejores regalos vienen en envase pequeño, como esa cajita que él tenía en la mano.

Miró a lady Viola, fingiendo debidamente una petición de permiso. Cuando la anciana asintió, cogió la caja con la mano derecha, se la puso en la palma de la izquierda y la abrió.

Dentro de la caja brillaban dos preciosos pendientes de ópalo rodeados por diamantes. Jenny hizo una rápida inspiración y retuvo el aliento.

Lord Trevor exhaló un apreciativo suspiro.

—Eran de mi madre —explicó.

—¿De su madre? —exclamó Jenny, mirándolo sorprendida—. Ah, milord, de ninguna manera puedo aceptar un regalo tan fino que...

Lord Trevor alargó la mano y le puso los dedos sobre los pendientes.

—Pero yo insisto. Además, hacen perfecto juego con su broche, milady —dijo, haciendo un gesto hacia su broche de ópalo.

¿Milady, milady? Detectó algo conocido en la manera como pronunció esa palabra. Clavó en él la mirada.

Eso pareció amilanarlo, porque miró hacia lady Letitia y su hermana.

—Bueno, debo marcharme. —Al pasar junto a ella en dirección a la puerta se detuvo y le dio un beso en la mejilla—. Que sea muy feliz —le dijo en voz baja pero muy serio—, ese es mi mayor deseo para usted y su marido.

Acto seguido salió a toda prisa al vestíbulo.

Todas corrieron a la puerta y se asomaron al vestíbulo a mirarlo. Él cogió su sombrero de la mesa, se echó una rápida y evaluadora mirada en el espejo y se volvió a mirarlas.

—Buenas tardes —dijo y, girando sobre los tacones de sus brillantísimas botas, fue hasta la puerta y salió de la casa.

Jenny estaba absolutamente pasmada. Se volvió hacia Hercule, que estaba apoyado en el marco de la puerta, sonriendo de oreja a oreja.

—Era... era mi...

—*Oui*. Su padre.

Entonces Jenny miró a las señoras Featherton. Las dos asintieron.

—Pero Hercule —balbuceó—. ¿Cómo supo...? Es decir, yo ni siquiera sabía su nombre.

Hercule se enderezó y fue a ponerse delante de ella.

—Fue el broche. Tan pronto como lo vi en el baile de la señorita Meredith supe que lo había visto antes. No me llevó mucho tiempo recordar que fue en el retrato de lady Trevor en Amhurst Hall.

Jenny arrugó la nariz.

—¿Lady Trevor?

—Tu abuela, querida —explicó lady Viola—. Tu madre trabajó de camarera de salón en Amhurst Hall antes de venir a trabajar con nosotras. Allí conoció a lord Trevor.

—¿Y por qué nunca me dijo eso? —preguntó Jenny.

Justo en ese momento apareció su madre en la puerta del corredor que llevaba a la escalera de servicio.

—Porque, mi querida hija, yo lo amaba. Pero él no era el hombre que ha demostrado ser tu lord Argyll. Por lo tanto, dejé Amhurst Hall en el pasado, donde esperaba que se quedaran los recuerdos dolorosos, y me llevé la mejor parte de él: tú.

Jenny corrió a abrazarla.

—Oh, mamá, lo siento tanto.

Su madre la cogió por los hombros y la apartó.

—Bah, hija. Hoy es un día dichoso para mí. Porque mi hija se ha casado con el hombre al que ama y está a punto de iniciar una nueva vida.

Jenny vio que su madre miraba algo por encima de su hombro. Se giró a mirar.

En ese momento el señor Edgar abría la puerta a Callum y lo hacía pasar. El joven vizconde sonreía.

—¿Estás lista? —le preguntó a Jenny, casi saltando de un pie a otro de entusiasmo.

Jenny seguía medio muda por la impresión de haber conocido a lord Trevor.

—Mmm, creo que sí.

—¿Nos ponemos en marcha hacia Laura Place, entonces? Mi servidumbre ha preparado un festín que no veremos igualado en esta vida.

Miró a lady Letitia y a lady Viola y luego a Meredith, y al instante las tres se abalanzaron sobre Edgar para que les entregara sus ropas de abrigo.

Sospechando algo, Jenny se acercó lentamente a su marido y, poniéndose de puntillas le rozó los labios con los de ella.

—¿Qué travesura has tramado, milord? —le preguntó después.

—¿Quién, yo? —preguntó él, cogiéndola en los brazos y besándola de esa manera que le hacía hormiguear la piel, de la manera como, en opinión de ella, siempre debe besar un marido a su mujer.

Los dos elegantes vehículos partieron de Royal Crescent unos minutos antes de las cuatro. Jenny, en lugar de sentirse fascinada por estar a solas con su guapo marido, iba distraída pensando en la noticia que debía darle esa noche, tal como prometiera a su madre.

Así pues, en lugar de ir repasando mentalmente las vestimentas elegidas por los invitados para asistir al banquete de bodas, tema que habría explorado encantada en otra ocasión, iba pensativa mirando por la ventanilla cuando el coche hizo una parte de la vuelta en Circus y entró en Gay Street. Pero muy pronto el coche viró a la izquierda en George Street y luego entró en Milsom con un brusco viraje a la derecha.

¡Milsom Street! Dios santo, no. Todavía tenía muy fresca la herida. De hecho, por primera vez desde que llegó a Bath, había pasado cuatro días sin poner un pie en Milsom Street.

Sencillamente le dolía demasiado ver el local vacío de la tienda que estuvo a punto de ser de ella, pensar que pronto otra persona abriría sus puertas, tal vez para vender herramientas o cualquier otra cosa totalmente innecesaria.

El coche se fue acercando, acercando, hasta que, ay, ahí estaba. Cerró los ojos, porque no se sentía capaz ni de mirar siquiera. Pero entonces, absolutamente consternada, sintió que el coche se detenía. Abrió los ojos y vio que el lacayo estaba bajando los peldaños.

—¿Para qué nos detenemos aquí? —preguntó, tratando de no delatar su amargura en la voz.

Pero fue difícil, porque con cada palabra sintió el sabor a bilis en la lengua.

—Tengo que pasar por una tienda, sólo será un momento —contestó Callum y con un juguetón tironeo la hizo bajar del coche—. Acompáñame, muchacha. Sé que comprar es tu pasión.

—No, Callum, tú eres mi pasión. Llévame a Laura Place y te lo demostraré —añadió, en tono seductor, con la esperanza de que él picara y olvidara la maldita compra.

Pero las señoras Featherton ya se habían apeado de su coche y venían en dirección a ellos.

Lady Letitia levantó la vista hacia el letrero tapado con un paño de lino que colgaba sobre «su» tienda, el que se mecía suavemente con la fría brisa.

—Ah, parece que van a abrir una nueva tienda, ¿eh? —comentó.

Meredith también miró.

—Me encantaría saber qué va a vender. —Entonces esbozó una ancha sonrisa—. Tal vez antigüedades; momias metidas en sarcófagos y urnas votivas llenas de elixires metafísicos.

Jenny se volvió hacia Callum para reírse con él de esa ridiculez poniendo los ojos en blanco, pero no lo encontró. Había desaparecido.

En ese mismo instante se oyó un tintineo de llaves y luego el ruido de una puerta al abrirse. Jenny se giró a mirar la puerta.

Y ahí estaba Callum, en medio de la puerta abierta de par en par, con una ancha sonrisa en la cara, la sonrisa más tonta que ella había visto.

—Callum —dijo, acercándosele—, ¿qué vas a hacer en esta tienda vacía? Seguro que eso no le va a hacer ninguna gracia al nuevo propietario.

—¿A ti no te hace gracia? Mmm, no sé por qué pensé que te haría mucha gracia tener tu propia tienda.

Jenny se estremeció.

—¿Qué has dicho?

—Vamos, no seas boba —dijo lady Letitia riendo—. Ha comprado la tienda para ti, Jenny.

Meredith sonrió.

—Bueno, no creo que siendo lady Argyll te convenga seguir vendiendo tus cremas por la puerta de la cocina.

—Entra querida. Échale una mirada —la instó lady Viola y se cubrió la boca con la mano enguantada para ocultar la risita.

Callum le cogió la mano y juntos entraron en la tienda. Nada más entrar, Jenny quedó boquiabierta. Fue incapaz de hablar. Lo único que pudo hacer fue darse una vuelta en círculo mirándolo todo absolutamente incrédula.

Misteriosamente se habían materializado sus planos para la tienda. Ahí estaban los sofás tapizados en seda rosa donde las grandes damas tomarían té mientras se les enseñaban los diseños de última moda. A todo lo ancho de una pared estaba montada la barra de bronce de donde colgarían los vestidos confeccionados listos para usar. Amplias cortinas de satén tapizaban las paredes cayendo desde el cielo raso maravillosamente alto.

Cerca de los escaparates se alzaba una reluciente vitrina de cristal en cuyos estantes las joyas y brillantes captarían la luz del sol haciendo guiños a los transeúntes que pasaran por ahí.

Vamos, porras, sentía arder los ojos anegados de lágrimas.

—¿Pero... pero cómo? —logró decir.

Poniéndose las manos en las caderas, Meredith alzó orgullosamente el mentón y avanzó un paso.

—Un día que bajé a tu dormitorio a buscarte, vi que habías dejado tu libreta de apuntes científicos abierta sobre la cama. Y ya sabes lo curiosa que soy, Jenny. No pude dejar de echarle una mirada, y me maravilló lo que vi. No tenía idea de que fueras tan buena... empresaria.

—Vamos, querida, no deberías haber hecho eso —la regañó lady Viola, moviendo un dedo ante Meredith.

—Bueno, a mí me parece que todos deberían estar muy felices de que haya fisgoneado, porque cuando lord Argyll me pidió sugerencias para un regalo de bodas para Jenny, inmediatamente le expliqué lo de la tienda con todos sus gloriosos detalles. —Avanzando otro poco, Meredith fue a ponerse delante de Jenny y la miró a los ojos—. ¿Te gusta?

Jenny simplemente asintió, porque no podía hablar, y le brotaron las lágrimas y empezaron a caerle por las mejillas.

Callum le pasó un brazo por los hombros y la atrajo hacia él.

—Pero no llores. Deberías sentirte feliz.

—Y me siento feliz, lo que pasa es que estoy muy llorona, lloro por el más ligero cambio en el aire. —Lo miró a la cara y vio preocupación en sus ojos—. Pero no, no tienes por qué preocuparte. No me pasa nada, sólo es el bebé que...

¡Ay, no! Se interrumpió bruscamente y cerró la boca.

Callum la miró fijamente.

—¿Has dicho el bebé? Pero me habías dicho... Cáspita, Jenny, tienes que decirme la verdad. ¿Estás esperando un crío mío?

Meredith y las ancianas la rodearon como atraídas por hilos invisibles. Los cuatro la estaban mirando. El corazón comenzó a tamborilearle en los oídos hasta que ya no lo pudo soportar.

—Sí, Callum. Para otoño ya tendremos un hijo. —Hizo una honda inspiración para serenarse, y también con el fin de fortalecerse para lo que debía decir—: Y Argyll tendrá su heredero.

Retuvo el aliento, preparándose para la dura réplica. Incluso las Featherton retuvieron el aliento al mismo tiempo, esperando la respuesta de Callum.

Pero él no dijo nada, simplemente sonrió y en sus ojos castaños se reflejó una expresión de indecible felicidad.

—Ah, muchacha —dijo simplemente levantándola en sus brazos y besándola como nunca antes.

Cuando finalmente la bajó deslizándola por su cuerpo y sus zapatos tocaron el suelo, Jenny lo miró a los ojos.

—No te entiendo. Pensé que querías... que tenías la intención de acabar con el apellido Argyll.

Callum la llevó hasta uno de los elegantes sofás y esperó a que se sentara.

—Sí, yo era un hombre airado, sumido en el sufrimiento nacido de una infancia solitaria, de un crío asustado. Pero ahora te tengo a ti, y el amor ha llenado esos agujeros vacíos. Estoy entero otra vez, porque tú estás en mi vida. Tú y nuestro bebé.

Se inclinó para besarla suavemente y puso su enorme mano sobre su vientre. A Jenny se le escapó un sollozo, que sonó como un ridículo gorgoteo, y le bajó otro torrente de lágrimas por las mejillas.

—Venga, ya es la hora, ya es la hora —gritó Meredith desde la puerta—. ¡Yo estoy lista!

¿Otra sorpresa?, pensó Jenny. Una sonrisita se abrió paso por entre sus lágrimas.

—¿Está lista para qué?

—Bueno, simplemente tienes que salir conmigo para verlo —repuso Callum, tendiéndole la mano para ayudarla a levantarse.

Pero Jenny ya se había levantado y estaba a medio camino hacia la puerta cuando cayó en la cuenta de que debería haber cogido la mano que le ofrecía Callum. Eso sería lo que habría hecho una dama, y ella era una dama... por fin.

Cuando llegó a la puerta y le dio de lleno el sol en los ojos, Meredith tiró una cuerda que estaba atada al paño de lino que cubría el letrero de la tienda, y este cayó arrugado y polvoriento a sus pies. Pasando por encima del paño salió a la acera y entrecerró los ojos para mirar leer el letrero.

Miss Penny's Miscellany
*All a Lady Desires**

—¿Qué te parece, Jenny? —le preguntó Meredith, entusiasmada—. Muy ingenioso, ¿verdad? No me sorprendería en lo más mínimo si ampliaras tu empresa con sucursales en Londres, o en Edimburgo... ¡o incluso en Estados Unidos!

A Jenny se le fueron redondeando los ojos al captar la idea. ¿Por qué no? Porque seguro que la tienda tendría un éxito clamoroso. Vamos, si ya prometía ser la comidilla de Bath.

---

* Misceláneas Srta. Penny / Todo lo que Desea una Dama. *(N. de la T.)*

Pero el nombre... Tal vez sería un poco largo para el mercado de Estados Unidos. Bueno, simplemente tendría que acortarlo. Podría llamarla... ah, sí, decidió, sonriendo.

Penny's.

Epílogo

Apuntes científicos de lady Argyll
20 de diciembre de 1818

*H*e hecho un importante descubrimiento científico, uno que, como madre, cambiará para siempre mi vida y la de las madres de todas partes.

Combinando los extractos de dos variedades particularmente calmantes de consuelda mayor e hidrastis y luego mezclándolos con los aceites de almendras dulces e hígado de bacalao noruego, he producido una pomada para el culito del bebé de eficacia incomparable para curar las irritaciones y sarpullidos. Y, por cierto, la potencia curativa de esta pomada se puede aplicar a todo tipo de irritaciones, quemaduras de sol o en la cocina y también a pequeñas heridas. Sin duda esta pomada va a rivalizar en popularidad con la crema afrodisíaca, aunque claro, solamente por su potencia curativa.

Hasta el momento la pomada no ha producido ningún efecto secundario perjudicial en las cuidadosas pruebas que he hecho en el culito de nuestro pequeño James y en los arañazos y quemaduras del personal de la casa aquí en Laura Place. Por lo tanto, prepararé mi pomada culito para llenar unos doce botes y comenzar a venderlos inmediatamente en mi tienda.

Es inmenso mi optimismo respecto al futuro de esta pomada, y para prepararla, he decidido encargar cien botes nuevos al boticario. Haré el pedido inmediatamente porque, como me ha enseñado la experiencia, cuando necesitas algo no debes dejarlo para después sino comprarlo inmediatamente, no sea que luego ya esté agotado.

Por lo tanto, iré ahora mismo, porque a no más de dos tiendas de la botica vi el sonajero de plata más exquisito, con un brillante mango de marfil, tres campanillas y un pito. Nuestro pequeño James lo necesita, ¿y qué tipo de madre sería yo si me negara a satisfacerle una necesidad tan básica en la vida?

Sobre la autora

Kathryn Caskie ha sentido siempre una especial afición a la historia y a las cosas de antaño, de modo que no fue ninguna sorpresa para su familia cuando salió de la superautopista de su profesión y comenzó a escribir novelas románticas históricas a jornada completa.

Titulada en Comunicaciones y teniendo un fabuloso historial en comercialización, publicidad y periodismo, ha escrito profesionalmente para televisión, radio, revistas y diarios.

Vive en una casa bicentenaria estilo cuáquero sita al pie de las laderas de las montañas Blue Ridge con sus principales fuentes de inspiración: su marido y sus dos hijas pequeñas.

Es también la autora de *Las reglas de la seducción*, novela ganadora del prestigioso galardón Golden Heart, de Romance Writers of America.

Los lectores pueden contactar con Kathryn en su sitio web www.kathryncaskie.com.

www.titania.org

Visite nuestro sitio web y descubra cómo ganar
premios leyendo fabulosas historias.

Además, sin salir de su casa, podrá conocer
las últimas novedades de
Susan King, Jo Beverley o Mary Jo Putney,
entre otras excelentes escritoras.

Escoja, sin compromiso y con tranquilidad,
la historia que más le seduzca
leyendo el primer capítulo de cualquier libro
de Titania.

Vote por su libro preferido y envíe su opinión
para informar a otros lectores.

Y mucho más...